LA COSTA DES SEULS

DU MÊME AUTEUR

ROMAN

L'écrivain public, Leméac, 2016.

THÉÂTRE

« Roméo et Juliette tel que vécu par Rosaline, "cette pâle fille au cœur de pierre" », *38*, Dramaturges Éditeurs, 1996.
Tricoté serré, Lanctôt Éditeur, 1999.
Une maille à l'envers, inédit, 2000.
Une petite laine, inédit, 2007.

MICHEL DUCHESNE

La Costa des seuls

roman

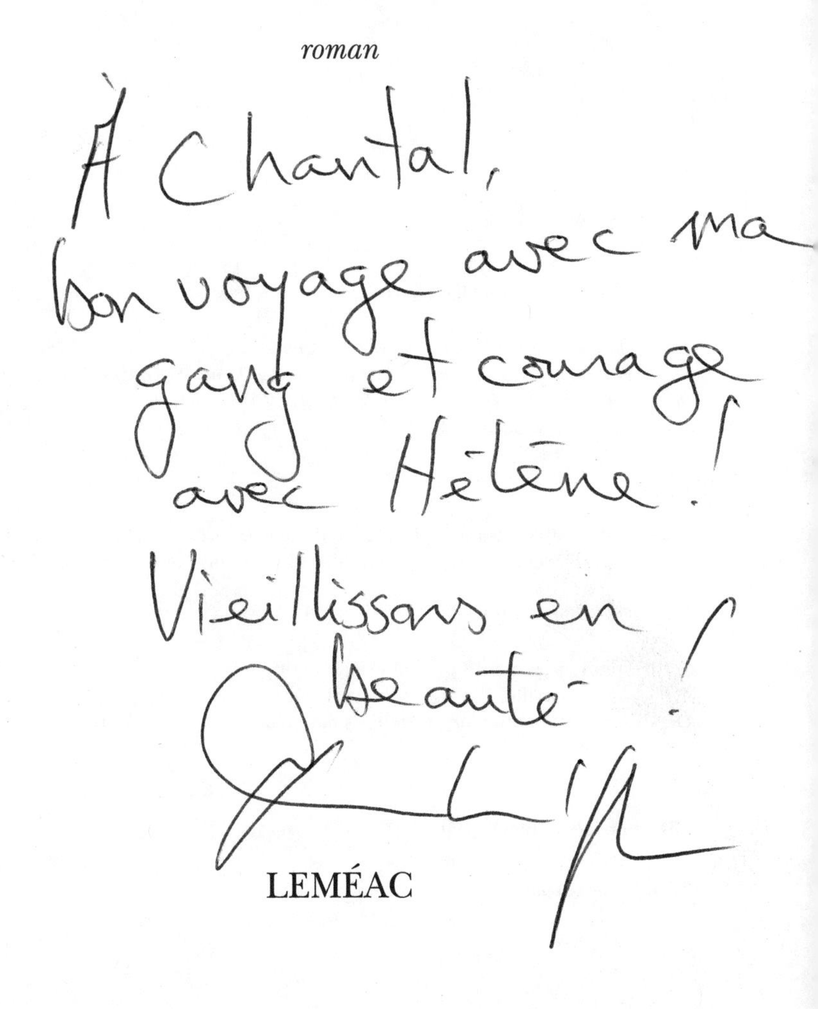

LEMÉAC

Ouvrage édité sous la direction
de Jean Barbe

Couverture : Catherine Marchand

Leméac Éditeur remercie le gouvernement du Canada, le Conseil des arts du Canada, la Société de développement des entreprises culturelles du Québec (SODEC) et le Programme de crédit d'impôt pour l'édition de livres du Québec (Gestion SODEC) du soutien accordé à son programme de publication.

Canadä

ISBN 978-2-7609-4780-1

4609, rue D'Iberville, 1er étage, Montréal (Québec) H2H 2L9
Dépôt légal – Bibliothèque et Archives nationales du Québec, 2018

Mise en pages : Compomagny

Imprimé au Canada

Pour Luc Desjardins, monsieur chasse-regrets

« Ne sais-tu pas que nous avons tous la prétention de souffrir beaucoup plus que les autres ? […] Pourquoi mettez-vous des peines infinies dans une vie si courte ? »

HONORÉ DE BALZAC, *La peau de chagrin*

Lundi 27 mars 2017 – Montréal

Où madame Bruchesi n'y va pas par quatre chemins et où Steve se fait dire ses quatre vérités

On ne sait pas encore pourquoi madame Bruchesi avait tant besoin de sacrer son camp, mais lorsqu'elle poussa la porte de l'agence Vacances Voyages, tous surent qu'il ne faudrait pas la contrarier :

— C'est quand le prochain avion qui part ? lança-t-elle à la ronde.

— Juste un instant, Madame, on va être à vous, s'avança la petite nouvelle, aussitôt tassée par l'ouragan Bruchesi.

— J'ai pas le temps d'attendre ! Avez-vous quelque chose pour cet après-midi ? À soir au plus tard !

Maggie lâcha aussitôt ses retours de courriels, moins pressants que les malheurs de Madame. Maggie connaissait bien ces voyageurs qui fuyaient leurs problèmes à l'étranger, elle avait le réconfort tout prêt, mais éclata d'un rire franc en voyant le look original que portait fièrement la dame sous son manteau. « C'est mon kit vert ! » Un pantacourt fuseau et un chandail de coton vert tendre peint de vivifiantes feuilles la transformaient en une improbable fée des bois contrastant avec la grisaille de ce printemps hésitant. Elle roula sa valise jusqu'au bureau de Maggie, où elle s'affala, sortant sans attendre carte de crédit et passeport. Où voulait-elle aller ? N'importe où mais au moins six heures d'avion « pour que ça vaille la peine ». Avait-elle des préférences ? « Je mange de tout. » En riant, Maggie précisa de sa voix chantonnante d'Haïtienne heureuse : « L'Europe, l'Asie ou le Sud ? »

La petite nouvelle, qui amenait un café de courtoisie, aurait parié sur le Mexique ou Vegas pour voir Céline, mais fut surprise d'entendre : « Quand j'envoyais chier mes enfants, je leur disais poliment d'aller péter dans les fleurs du Brésil. En avez-vous, du Brésil, après-midi ? »

Maggie n'en avait pas sous la main, à moins de faire trois correspondances. « Des plans que je me perde entre deux aéroports ! » Madame Bruchesi voulait de quoi de plus direct. Maggie pensa à la Costa del Sol, mais c'était un peu dernière minute, le grossiste n'offrait peut-être plus le tout-inclus. Madame Bruchesi se permit d'ordonner à Maggie : « Enlève les *mais* de sur mon chemin : je pars pour la Costa del Sol tantôt. Ça dérange pas si je finis de me préparer ? Ça s'est décidé pas mal dernière minute. » La petite nouvelle aida madame Bruchesi à s'installer à un bureau inoccupé – ça ne manquait pas dans cette agence qui peinait à faire ses frais, l'Internet ayant remplacé le service client. Madame B. tassa le clavier et la pile de papiers qui la gênaient, déposa sa sacoche et en sortit une flasque de rhum pour aromatiser son café, étonnant la petite.

— C'est pas un peu tôt pour boire ?

— Je suis à l'heure de l'Europe ! Les deux pour un sont commencés sur le bord de la piscine. En veux-tu ?

La petite nouvelle refusa, madame Bruchesi trouva ça ben de valeur pour elle et s'offrit la deuxième *shot.* « J'aime mon café fort. » Se délestant de ses sandales blanches, elle entreprit de peindre ses ongles d'orteil d'un Cutex rouge pétant. « Sinon, t'as l'air folle sur ta chaise longue. » Entre le sixième et le septième orteil, Maggie lui apporta sa bonne nouvelle : c'était réglé, le grossiste avait permis « exceptionnellement » d'ajouter une nouvelle voyageuse au groupe. Maggie lui avait même trouvé une cliente qui souhaitait partager sa chambre, histoire de diviser les coûts. (Il en coûtait neuf cents dollars de plus de voyager seule.) « Bonne affaire ! Ça m'en fera plus pour magasiner. » Ce qu'elle partit faire aussitôt le dixième ongle séché. « Y a-tu des costumes de bain dans le coin ? »

* * *

Pour encourager le tourisme à Montréal, Steve baisait des étrangers de passage. Il volait d'un mec à l'autre, mais parfois, bang ! la réalité le rattrapait. « *Sorry. First time I try with an old guy* », lui avait dit le bel Américain en se rhabillant, remballant sa molle mailloche et filant vers d'autres attraits montréalais. Steve lui avait crié du balcon : « Je suis pas vieux ! » À quarante et un ans, il faisait tout pour ne pas l'être. Il prenait une pilule pour garder ses cheveux, des suppléments pour gagner des muscles, parfois des trucs pour équilibrer l'humeur et la PrEP, une pilule pour baiser sans attraper la méchante maladie mortelle. Malgré tout, il se sentait au début de la fin, et cette perspective l'affolait.

Quinze minutes après la désastreuse rencontre d'après-midi, il filait vers l'aéroport à bord de l'autobus 747 archibondé. « Avancez en arrière ! » disait le chauffeur. Steve avait honte pour sa ville : partout dans le monde, des trains reliaient l'aéroport au centre-ville. Ici, on avait fait mille et une études pour gagner du temps et des élections. D'ici là, bienvenue dans les bouchons de circulation et les projets de société emballants comme refaire un pont et des viaducs. À Dorval, l'entrepreneur s'était « trompé » en construisant une bretelle d'autoroute trop étroite pour laisser passer des trains à deux *containers*, oups ! le tout serait prêt six ans après le calendrier initial. Était-ce les mêmes génies condamnés pour fraude à l'international et qui pourtant voyaient à la bonne gestion de la maison orchestrale jusqu'en 2037? De détours en nids-de-poule, Steve avait amplement de quoi pester : oubliez la fierté de laisser en héritage du solide et de l'harmonieux ! Quand le « on va réparer ça, en attendant » devient permanent, le laid se répand comme la gangrène. Lui, l'urbaniste de formation, se reposa les yeux un instant, découragé par tant de gris informe, de rectangles couchés ou debout selon qu'ils étaient usines ou *buildings*. Il revoyait en esprit les aménagements audacieux proposés à diverses municipalités à ses débuts. Peut-être aurait-il dû persévérer, mais il avait fui devant les refus répétés et fait du monde son terrain de jeux. Maggie lui confiait un voyage tous les deux mois pourvu qu'il assure une permanence au bureau, entrecoupée d'absences à surfer sur les médias sociaux.

Guide-accompagnateur de métier, la valise n'avait plus de secrets pour lui. Il savait qu'il porterait les mêmes short et pantalon (et les enlèverait quelquefois), varierait chemises ou t-shirts pour faire illusion, puis ce seul veston de Monsieur Cool – fraîchement sorti de chez le nettoyeur – pour donner une bonne première impression. Voyager était un plaisir, il s'estimait heureux d'être payé pour le faire, chichement, mais tout de même : s'il savait combler les envies des clients, de généreux pourboires s'ajoutaient. De quoi trinquer à la santé de notre monde qui périclite à vitesse grand V. Lorsque Paris et New York se retrouvent inondées, il faut y voir une bande-annonce du film catastrophe à venir : des villes tomberont sous l'assaut des eaux. Alors à quoi bon rêver d'enjoliver le futur ? Ses idéaux ainsi noyés depuis longtemps, Steve se contentait de jouir de la vie.

Quand il arriva à l'enregistrement des vols de Transat, six clients l'attendaient déjà pour « s'identifier ». Souliers de jogging, jeans repassés et l'œil vif, les Cousineau ne faisaient pas leurs soixante-douze ans.

Steve s'émerveillait de voir ces aînés enthousiastes en quête d'exotisme : ça le calmait un peu à l'idée de vieillir. Un peu. Ces vieux couples qui durent – et non pas *s'endurent* – l'attendrissaient. Les Cousineau dirigeaient un club social, les Boute-en-train, pour qui ils organisaient excursions et sorties culturelles. Lise Cousineau s'excusa de la petitesse de sa gang. « On était plus que ça au casino, le monde aime mieux mettre de l'argent dans une machine que sur un voyage. » Elle avait adoré l'Inde, mais « Robert se sentait coupable de voir autant de misère ». Stoïque, ledit Robert n'avait toujours pas placé un mot, mais lorsque sa femme se moucha il récolta le kleenex usagé et docilement alla le jeter à la poubelle la plus près.

« Moi, je suis pas avec eux. » Grande dame de six pieds, l'air austère accentué par un vieux modèle de lunettes, Hélène Tétrault le regarda cocher son nom sur sa liste des voyageurs inscrits. « Fiou ! Seulement vingt-sept. Nous étions cinquante-quatre à Chicago, je m'étais promis que plus jamais ! Comme ça, vous serez notre guide ? » Elle semblait déçue à l'avance, d'autant plus qu'il précisa :

— Votre accompagnateur ! Pour rendre vos vacances le plus agréable possible.

— Mais on m'a promis des guides historiques !

Il y en aurait dans toutes les visites officielles, la règle voulant que chaque pays soit expliqué par ses spécialistes locaux. On ne verrait pas un Français venir ici nous dire quoi faire ! (Quoique…) Steve farfouilla dans son sac à dos pour en extirper son programme d'activités, réprimandé gentiment par Hélène. « Vous auriez dû les placer à portée de main. Moi, j'ai une pochette de côté sur mon sac, où je garde les plans des villes qu'on va visiter. » Oh ! Des Boute-en-train admiratifs savaient déjà qu'ils se tiendraient avec elle pour « apprendre des affaires ». Steve distribua une simple page photocopiée, sans photos, où il expliquait les grandes lignes du séjour accompagné. « Je pourrai répondre à toutes vos questions tantôt, à la porte d'embarquement », dit-il aux Cousineau. Lise remit les feuilles à son mari pour qu'il les range dans leur sac : elle avait besoin de ses deux bras pour guider sa gang en sécurité. « Porte D68 ! Par ici ! »

Steve essayait d'avoir l'air occupé, mais Hélène ne partait pas, cherchant dans sa filière des mauvais souvenirs où elle l'aurait connu : sa tête de beau gosse ne lui revenait pas et Steve la gardait baissée pour éviter qu'elle le reconnaisse tout de suite. « J'ai pas vu le nom de madame Bruchesi sur votre liste. Vous êtes au courant pour elle et moi ? » Euh, non. Il n'avait pas pris ses messages. Hélène s'en doutait, le Steve McCourt lui revenait en mémoire : il avait jadis été un de ses élèves au secondaire. Brillant, mais qui se contentait de passer sur la fesse parce qu'il pensait déjà au cul. C'était en partie à cause de ces graines de bandit qu'elle n'avait pas prolongé sa carrière d'enseignante. « Et Dieu sait qu'ils m'ont demandé de rester ! » Mais, à chaque année qui passait, les jeunes lui paraissaient plus insolents, voire fiers de leur paresse intellectuelle : « Pourquoi apprendre ça ? C'est sur Internet ! » « Mille mots ? Êtes-vous folle ! On a déjà un devoir de maths ! » Steve était de cette eau. Enfin, peut-être qu'il s'était amélioré en vieillissant, elle donnait la chance au coureur. « Vous direz à madame Bruchesi que je l'attends au St-Hubert. Je vais aller reposer un peu mes jambes. »

* * *

À son arrivée à l'aéroport, d'emblée madame Bruchesi s'entendit bien avec la petite famille qui fumait un joint dehors. « C'est donc un beau hasard ! » Le jeune papa l'aida avec sa valise à la sortie du taxi, son adorable épouse la complimenta sur son look. « Merci, chère. Veux-tu voir mon costume de bain ? » Sans attendre, elle ouvrit devant eux sa valise. Cassandra s'attendait à un fouillis, mais c'était au contraire impeccable : soigneusement rangés, une douzaine de sacs Ziploc de congélation, chacun contenant un kit de couleur différente. « J'haïs ça, chercher le matin comment m'habiller. Selon que je me sens plus jaune ou bleue, je suis prête ! » La colorée mamie plut aussitôt au jeune couple.

— Vous allez pogner sur les plages avec les Espagnols.

— J'ai déjà un mari, mais j'aime autant pas en parler ! Je m'en vas réfléchir à l'hôtel.

Lorsqu'il y avait de grands conflits dans sa vie, madame Bruchesi fuyait ainsi « réfléchir à l'hôtel » – toujours sur la carte de crédit de son mari – généralement pour un jour ou deux, rarement deux semaines comme aujourd'hui. « Ça lui apprendra ! » Mais elle n'était pas ici pour se plaindre et porta enfin un peu d'attention à leur enfant, trop grand pour sa poussette, qui l'avait ignorée superbement jusqu'ici. « Dis bonjour, Eddy », fit sa maman, mais celui-ci était absorbé par sa tablette iPad et donnait des coups à l'écran lorsque le jeu ne lui obéissait pas.

— Doux, Eddy, doux !

— Y est pas un peu gros pour voyager là-dedans ?

— C'est plus pratique pour magasiner. Fiez-vous sur nous !

Pressentant déjà les batailles à venir, Cassandra vola une dernière *puff* à son chum pour se donner du courage.

« Si la vie vous intéresse. » Le slogan des Forces armées canadiennes avait séduit Yann dès son jeune âge. Surtout les perspectives de retraite et les nombreux avantages consentis aux « militaires de carrière ». Il lui avait suffi de servir quelques années et déjà, à vingt-neuf ans, il pouvait compter sur un généreux programme d'aide aux « anciens combattants » ayant connu l'enfer de la guerre en Afghanistan, enfer qui avait consisté pour lui à protéger leur succursale de Tim Hortons, à diriger des drones à distance (bien plus rigolo que de jouer aux jeux vidéo) et à troquer à la frontière des médicaments contre des substances hallucinogènes. Au retour, il s'inventa une détresse psychologique et eut droit à un congé parental bonifié à la venue de son premier enfant. Qui serait le dernier s'il n'en tenait qu'à lui.

* * *

Sa pancarte Vacances Voyages agissant comme un aimant, Steve rencontra ainsi un à un ses clients à leur enregistrement. Il distribua successivement son mot de bienvenue à trois couples d'amis, deux anciennes infirmières et un petit monsieur tout seul. Celui-ci montra à Steve une liasse d'argent américain qu'il comptait changer là-bas en euros. « C'était pas nécessaire, y a des guichets automatiques à tous les coins de rue, comme chez nous. » Ah ouin ? Le petit monsieur en fut bien étonné. Serrant contre lui son vieux sac de sport rapiécé qui servait rarement, il s'inquiétait du coût des excursions. En aurait-il assez, lui qui économisait cent dollars par mois pour pouvoir se payer un voyage tous les deux ans ? D'abord, partirait-on seulement, la neige ayant repris de plus belle ?

— Ben oui ! le rassura Steve. Le soleil nous attend, faites-vous-en pas.

— Y va-tu faire assez chaud pour se baigner ?

— Certain !

— De toute façon, je me baigne jamais, fit-il en partant, se traînant les pieds, lourd comme un temps de bruine.

« Nous, on dit oui à tout ! » Les sœurs Trépanier (la maigre carriériste, la plus enveloppée) ne s'attendaient pas à avoir autant d'activités planifiées. « On pensait qu'on était laissées à nous-mêmes ! La Costa del Sol, c'est mon cadeau de fête », l'informa Bouboule. Nadine voulut une explication sur une excursion – « Ronda, quessé ça ? » –, mais un cri empêcha Steve de lui répondre. « Attention, y a des fautes ! » Cette deuxième vérité du jour fit se figer les sœurs Trépanier comme s'il y avait mort d'homme. Hélène, essoufflée, remit sous le nez de Steve sa feuille d'activités aux six fautes encerclées :

— Faudrait en aviser les clients !

— Ben oui, regarde donc ça, dit Nadine, le nez sur sa feuille. Il manque un S !

Aussitôt, Hélène leur décrivit les cinq autres fautes – qui auraient sûrement gâché leur voyage –, se faisant un malin plaisir de lire à haute voix pour que Steve apprenne de ses erreurs : *Bien le bonjour, mon nom est Steve McCourt, et je serai avec vous pour les quinze prochains jours !* « C'est quatorze jours en fait, vous comptez le vol de nuit, c'est un peu malhonnête comme publicité, non ? » Steve bredouilla que l'aéroport faisait partie du plaisir, mais « en tout cas », enchaîna Hélène. Elle avait été rassurée de savoir qu'il parlait espagnol. Toutefois, écrire *Je pourrais vous aider à vous faire comprendre* portait à confusion : le futur n'aurait-il pas été plus approprié que le conditionnel ? « Il me fera plaisir de vous aider en tout temps ! » Hélène fut ravie qu'il se commette à haute voix et poursuivit le décompte de ses fautes. *Notre hôtel Mélies donne directement sur la plage. Vos deux repas inclus : déjeuner (7 h 30 à 10 h 30) et souper (18 h 30 à 22 h).*

—J'aurais apprécié un verbe inclusif, c'est une suggestion.

— C'est implicite.

— Il ne faut jamais présumer de l'intelligence des gens ! Mais j'ai beaucoup aimé la description de Torremolinos, notre ville hôte. Une faute s'est toutefois glissée lorsque vous parlez du train de banlieue *qui nous mènne vers les autres villes balnéaires et Malaga, la capitale de la région.*

— Ben oui, deux N, rougit Steve. Petite faute d'inattention !

— Ça nous arrive à tout le monde, voulut le sauver Nadine.

— Le diable est dans les détails ! affirma Hélène, trouvant dommage que la jolie conclusion de ce mot de bienvenue soit gâchée par deux autres fautes.

C'est un voyage accompagné, il n'y a aucune obligationS. Franchement, « obligation » avec un S ! (elle avait supprimé le S sur sa copie corrigée). *Chaque jour, je ferai des suggestions, et vous serez libres de me suivre ou non. Après tout ce sont VOS vacances, c'est vous qui en décider du contenu !* Elle lui rappela l'accord subtil commandé par la deuxième personne du pluriel, lui demandant « gentiment » s'il ne pensait pas avoir oublié un Z quelque part. Steve se retint de ne pas l'envoyer promener et la remercia pour cette belle attention. « Ça m'a fait plaisir ! Vous decidereZ de ce que vous en ferez », fit Hélène, pas peu fière de son coup. Un élève averti avait tendance à se prendre en main, son accompagnateur devrait donc se dépasser. Sinon, elle y verrait.

« Madame Bruchesi est toujours pas arrivée ? » Steve lui répondit un rien sèchement que non, mais qu'il l'enverrait la retrouver avec plaisir au St-Hubert. Ça donna faim à Bouboule Trépanier, les trois dames le laissèrent corriger ses fautes sur ses copies du programme encore non distribuées.

* * *

Madame Bruchesi arriva sous escorte.

Métisse de mère latina et de père disparu dans la brume, Cassandra attirait les regards dans sa robe moulante, tout autant que Yann avec sa dégaine assurée et sa musculature avantageusement soulignée. Steve n'avait jamais connu de vrai militaire, bien que la porno gaie en regorgeait et qu'il s'était « adonné » à en voir. Ce jeune couple cool tranchait sur le lot avec ses fringues dernier cri. Ils lui avouèrent avoir choisi le forfait parce que le prix n'était « pas battable » et qu'ils détestaient les tout-inclus dans le Sud :

— Les gens sont trop *loud.* Y a-tu des colons dans le groupe ? demanda effrontément la belle Cassandra.

— Sont pas déclarés encore, lui sourit Steve, certain de l'avoir déjà vue danser dans un Piknic Électronik.

La jeune mère ne gardait aucune trace de l'accouchement. « Je faisais mon jogging avec Eddy. » Le voyant jouer sur un iPad, bien calé dans sa poussette, Steve eut la même réflexion que Mam'Bi plus tôt : à deux ans et quelques, n'était-il pas un peu vieux… ou un peu gros pour la poussette ? Cassandra y fourgua la feuille d'activités aux six fautes corrigées sans même y jeter un coup d'œil. « On va faire nos affaires de notre bord, t'auras pas de problèmes avec nous. » Steve aimait bien le monde autonome, ça lui laissait plus de temps à lui !

Le premier tête-à-tête entre madame Bruchesi et Hélène fut un vrai charme. Rien de surprenant quand on partage la même passion pour le poulet ! Issue d'une famille nombreuse, madame B. avait l'habitude d'une salle de bain commune ; Hélène avait toujours partagé sa chambre avec des collègues professeurs dans les sorties parascolaires. « À mes débuts, c'était encore l'époque des retraites de pastorale, mais ça a fini par des beuveries à New York. Ça a bien changé. »

Madame Bruchesi précisa qu'elle aimait écouter « un peu de télé » avant de se coucher ; Hélène préférait lire les journaux locaux. « Ça aide à mieux comprendre le pays qui nous accueille. » Madame Bruchesi la trouvait un peu fraîche-pet, mais n'en dit rien ; Hélène la trouvait un peu commune, mais bon. « On n'est jamais à notre chambre de toute façon ! On va là juste pour dormir. » Les deux femmes jurèrent qu'elles ne ronflaient pas, et l'affaire fut conclue.

« Vite ! Faut passer au contrôle ! »

À chaque nouvel attentat terroriste, l'attente à la sécurité s'allongeait. Steve aurait dû s'y présenter plus tôt, mais en mangeant du sushi et en surfant sur son application de rencontres, il avait déjà harponné trois prospects barbus de la Costa. Les plans chauds planifiés fonctionnaient rarement, mais cette première partie de chasse virtuelle augmentait sa hâte des soirées libres où il pourrait s'éclater avec des locaux *locos*. Alors qu'il scrutait l'album privé d'un certain Don Marco, au sexe brandi comme un sabre, il fut rejoint par les nouvelles colocs. « Notre ami Steve ! » Il éteignit en vitesse son cellulaire qu'il plaça quelques minutes plus tard sur le convoyeur avec sa poignée de monnaie et son sac à dos, prêt à l'inspection. La trousse de toilette dans son sac alerta la méfiance d'un agent de contrôle, qui lui demanda de se tasser pour une « vérification d'usage ». « Ça m'étonne pas », murmura Hélène à madame Bruchesi, qui, elle, avait plutôt un bon feeling vis-à-vis de son accompagnateur. « Vous êtes pas obligées de m'attendre », fit Steve, gêné, à ses deux clientes. Mais madame Bruchesi s'inquiétait pour vrai, et Hélène jouissait intérieurement de voir le blanc-bec le bec à l'eau.

De ses mains gantées de bleu, l'argent sortit de la trousse l'arme de destruction massive : un ciseau que Steve, dans sa hâte, avait oublié de retirer. « Pour les cheveux », bredouilla-t-il, un peu niaiseux. « Petite coquette... », insinua insolemment l'agent en poursuivant sa fouille. Son mépris aurait pu être décelé jusqu'au *duty free.* Steve se fit petit, expliquant à l'agent par trop zélé l'origine de chaque fiole de pilules – celle-ci pour les cheveux, celle-ci pour les feux sauvages et celles-là pour pas mourir du sida. Avait-il avec lui ses ordonnances ? Non. Hum... c'est louche. L'agent trouvait la quantité astronomique pour quatorze jours :

— Y a des têtes brûlées qui revendent ça avec profit dans des pays normaux où l'homosexualité n'est pas encouragée.

— Je pourrais vous poursuivre pour ce que vous insinuez, osa répondre Steve.

— Très bien, ma putain subventionnée, viens remplir une déclaration. Ça va seulement prendre une heure...

Tempérant sa colère, Steve précisa que son groupe de vingt-sept voyageurs l'attendait. « C'était à vous de vous présenter avant. » Avec une lenteur exaspérante, l'agent consulta à l'écran la liste des médicaments prescrits et celle des bannis. Un reportage à l'effet que l'État payait des pilules à ces baiseurs en série l'avait dégoûté : avec SES taxes, les gais se riaient de lui. Oh, si celui-ci pouvait payer un peu pour les autres !

C'est madame Bruchesi qui osa rompre le malaise et s'approcha. « Voulez-vous compter mes pilules à moi aussi ? Vous avez pas fini ! » Cette dame enjouée qui en imposait mit fin au manège de l'agent au contrôle. Il jeta le ciseau à la poubelle et laissa le soin à Steve de ramasser sa trousse et ses « cochonneries ».

Hélène ne voulut pas en rajouter, mais se permit tout de même : « Avec tout ça, il va falloir courir. » Un gardien de sécurité passa sur un kart motorisé. Steve le héla :

— J'ai deux clientes qui ont un problème de hanche.

— Montez !

La honte laissée derrière, Steve et ses drôles de dames arrivèrent un rien en avance à la porte d'embarquement.

* * *

Siège K13.

Sa vessie vidée, sa ceinture déjà bouclée, Steve se pelotonna contre le hublot. Il avait déjà pris une pilule bleue pour dormir d'un trait six heures : c'était son truc pour ne pas souffrir du décalage horaire et être frais et dispo pour répondre aux exigences de ses voyageurs dès l'atterrissage.

La pilule faisait rapidement effet : rarement Steve entendait-il les consignes de sécurité, plus rarement encore goûtait-il aux plats réchauffés au micro-ondes qu'on appelait pompeusement « soupers en vol ».

Hélène se comptait à demi contente de son siège. D'un côté, le petit monsieur sentait fort la transpiration et l'incommodait, mais de l'autre, ses amis les Cousineau écoutaient sa leçon d'histoire de la Costa del Sol « autrefois occupée par les Maures, les Arabes, comme chacun sait ».

Personne ne savait. Alors quelle joie pour elle de leur enseigner aussi le Siècle d'or espagnol ! Robert prétendit avoir « encore » perdu ses lunettes, et sa belle Lise se fit un plaisir de chercher avec lui, en s'excusant auprès de leur amie de l'interrompre. Hélène n'en fut pas fâchée le moins du monde : « On se reprendra bien ! Nous avons deux semaines. »

Après une minute seule à penser, elle trouva que le décollage tardait. Elle se leva dans l'allée pour délier ses cuisses ankylosées, lançant ses bras dans les airs comme une haltérophile sans haltères en jetant des « humpf! humpf! » bien sentis. Puis des questions la taraudaient sur les prestations, elle alla voir son accompagnateur, qui dormait la bouche ouverte comme un ivrogne. Pas fameux comme service à la clientèle ! Elle lui secoua gentiment l'épaule pour qu'il réponde à son urgence. « Moi et les amis, on se demandait combien coûtait l'autobus. Vous devez savoir ça, vous êtes déjà allé. » Steve mit un temps infini à lui revenir. « Voyons, vous, êtes-vous drogué ? » Elle s'en doutait bien et, avec sa réponse évasive, il perdit le peu de crédibilité qu'elle lui accordait :

— Le bus ? C'est donné ! De mémoire, c'est même pas deux euros.

— Des fois, ça aide pour planifier son budget vacances, grommela Hélène.

En regagnant son siège, elle retransmit aux Cousineau l'approximative réponse de leur pseudo expert voyages, blaguant qu'avec leur fonds de retraite ils devraient pouvoir se payer un bus pour deux euros. Ils étaient de cette génération chanceuse, après tout, qui s'était assuré un avenir aisé.

Puis, après ce qui sembla une éternité à Hélène (on n'a plus le service qu'on avait), le chef de cabine annonça enfin le début des procédures d'envol, de bien vouloir s'attacher et patati et patata ! Un hurlement lui vola la vedette. « Waaaarrrggghhh ! » Le petit Eddy hurlait comme un écorché vif parce que sa mère lui avait retiré sa tablette iPad pour ne pas troubler les appareils de vol. Cassandra avait beau lui répéter que c'était juste le temps de décoller, le petit n'en croyait rien : il voulait son jeu. « Waaarrggghhh ! » Les cris de son fils donnèrent mal à la tête à Yann, qui s'en prit à sa blonde :

— On aurait dû l'endormir comme d'habitude !

— J'ai dit qu'on arrêtait ça.

Elle essaya de convaincre Eddy que les crayons de couleur étaient le fun, ils furent repoussés dans l'allée avec un autre cri de mort ; le garçon cognait sa tête sur le dossier de sa chaise et donnait des coups de pied au siège avant comme charge un bélier fou. Une hôtesse de l'air vint consulter la petite famille pour savoir si l'enfant avait des problèmes médicaux. Non, seulement une rage tablette. Yann tenta de négocier la paix : qu'est-ce que ça pouvait bien faire aux pilotes qu'un *kid* joue ? « Ce sont les procédures, monsieur. » Et en cas de crise on fait quoi ?

Car Eddy était passé au prochain niveau de la furie, beuglant de plus belle, tapant sa mère et son père pour ravoir son iPad allumé ! « Franchement, ils savent pas élever leur enfant ! » commenta Hélène de son siège. En détresse, Cassandra avait les larmes aux yeux, cherchait à lui caresser les cheveux pour l'apaiser : « Doux, Eddy, doux. » Mais c'était tout sauf doux. Il la mordit.

La chef de cabine vint avertir les parents que si l'enfant ne retrouvait pas ses esprits, ils allaient être dans l'obligation de les évacuer. Un autre vol décollait le surlendemain, peut-être que l'agence accepterait de les accommoder. « Câlisse ! » Yann accusa encore sa blonde de ne pas l'avoir laissé faire à sa tête. « Une *puff* pis on aurait été tranquilles ! » Il poussa un peu fort son fils contre son siège, qui redoubla ses incontrôlables hurlements d'enfant en sevrage.

Madame Bruchesi décrocha sa ceinture et vint porter secours à la petite famille. « J'ai le tour avec les petits monstres. Prenez ma place. » Trop heureux de fuir le champ de bataille technologique, Yann lui laissa son siège et embrassa sa douce avant de filer. Eddy suspendit un instant ses cris en voyant cette madame lui sourire malignement. « Si t'arrêtes pas de crier, je vais t'arracher les oreilles. Compris ? » Le petit Eddy émit un hoquet surpris, pas autant que sa mère, qui depuis des mois dévorait livres et revues de psychologie enfantine, se sentant de plus en plus coupable et inadéquate au fil des lectures. Mais jamais elle n'avait employé la méthode de la grand-mère choquée. « ÇA SUFFIT ! SINON JE TE COUPE LA LANGUE AUSSI. » Eddy chercha un appui auprès de sa mère, à deux ans, on sait déjà négocier, mais Cassandra se cacha derrière une revue.

Ayant son attention, la mamie du jour abaissa la voix et tenta de faire comprendre à Eddy que, s'il criait encore, il n'y aurait pas de beau voyage : « Y aura pas de tour d'avion. Tu verras pas le soleil ni les vagues. » Une brèche se fit encore chez Eddy. Ses parents l'avaient fait rêver depuis des semaines à ces vacances, soulignant dans chaque film et émission visionnés « que c'était comme l'Espagne ». Peu à peu, quelques caresses aidant, Eddy suspendit ses hurlements, sa respiration se fit plus profonde. Madame Bruchesi ordonna à la chef de cabine : « Qu'est-ce que vous attendez ? Partez avant qu'il recommence ! »

L'avion qui décollait fit mal aux tympans d'Eddy, madame Bruchesi le plaqua contre ses seins. Dommage qu'il soit sevré, téter un sein, ça équilibre la pression, la mamie savait tout ça, comme elle savait passer de la manière forte à la douceur d'un conte. Aussitôt qu'elle put de nouveau détacher leur ceinture de sécurité, elle assit le GROS petit Eddy sur ses genoux pour lui raconter des contes du chat Moustache et de Tom Pouce, un petit bonhomme « tannant comme toi ». La stratégie porta fruit : au troisième court récit, Eddy se blottit et s'endormit au creux des seins chauds et généreux de Mam'Bi.

La gratitude de Cassandra était immense, elle proposa un verre à sa nouvelle amie. « Un double ! » Elles trinquèrent, persuadées que ce serait un beau voyage. Pourvu que la vie ne les déçoive pas !

À trois heures du matin au-dessus de l'océan Atlantique, madame Bruchesi sentit sa cuisse lourde et engourdie. Lové entre elle et sa mère, les yeux grands ouverts, Eddy dévorait des vidéos sur SA tablette.

Mardi 28 mars 2017 – Torremolinos

Où la petite famille se dévoile et où Steve ment toujours aussi mal

Transporter des touristes, c'est quand même mieux que des caisses d'oranges : ils sont parfois plus expressifs. Chauffeur attitré de navettes et bus nolisés, Javier connaissait sa région natale de fond en comble, mais se désolait d'en revenir toujours aux mêmes attraits, car, qu'ils soient Allemands, Italiens ou Chinois, les visiteurs voulaient tous LEUR photo de la « fameuse affaire qu'on a vue partout ». Fasciné dès son jeune âge par les voitures, Javier avait rêvé d'être policier et de conduire son auto-patrouille, mais sa condition d'épileptique l'avait rayé de la liste des candidats. Il s'était fait camionneur pour voir l'Europe de long en large et fuir un père par trop autoritaire, mais revint au bercail, lassé du salaire de misère, des nuits à dormir dans son véhicule pour couvrir des distances de plus en plus grandes parce que les marchandises valaient plus que sa propre sécurité. Il ouvrit un bar où, des années durant, il accueillit travailleurs, fêtards et âmes esseulées, mais la crise économique l'obligea à vendre. Javier avait donc repris le volant, se laissant aller où la route le menait, même si maintenant elle le ramenait toujours à l'aéroport.

Posté à la sortie du carrousel des bagages, pancarte à la main pour s'identifier – VOYAGES VACANCES ce matin –, Javier reconnut au loin ces Québécois enjoués, bruyants comme les Coréens, plus souples que les British et chaleureux comme pas deux. Parlant au téléphone tout en traînant sa colossale valise à roulettes, une dame s'exclama en le voyant à la sortie :

— Oh, my God !

— *No, Javier*, lui répondit God avec un sourire désarmant, la délestant de son encombrante charge.

— Moi, c'est Nadine, roucoula-t-elle.

Elle rangea subito presto son cell, oubliant la job qu'elle quittait difficilement, répétant constamment à sa sœur : « Un retour d'appel, promis, après je l'éteins. » Elle s'empressa d'aider leur chauffeur en rassemblant les valises près de la soute de l'autobus où il les soulevait aisément, les alignant comme on eut fait de boîtes de souliers. Cette assurance tranquille, assortie d'une barbe et de cheveux grisonnants à la coupe impeccable, lui rappelait son ex, en plus beau. Sa sœur, découragée de la voir déjà sur le mode *cruise*, alla l'attendre dans le bus.

Sur la recommandation d'Hélène, des Boute-en-train occupaient déjà les sièges à l'avant, apprenant de la maîtresse qu'ils n'étaient qu'à treize kilomètres de leur destination finale, qu'il faisait 21 agréables degrés, « un peu en dessous de la normale pour cette région du globe ». Fuyant la leçon, la petite famille alla s'installer à l'arrière où les Tourangeau de Sorel jasaient avec les Futures Matantes, trois amies qui travaillaient dans le même laboratoire et prenaient leurs vacances ensemble « pour faire changement ». Des couples sympathisaient timidement, ne tenant pas à fusionner mais encore moins à avoir l'air de sauvages. Le petit monsieur tout seul regardait son reflet dans la vitre pour se sentir moins seul.

Après avoir fait le décompte de ses vingt-sept clients, Steve donna le signal du départ. *Vámonos !*

« Pouvez-vous baisser un peu la radio avant ? » On l'entendait à peine, mais Hélène n'aimait pas les animateurs excités. Javier s'exécuta illico; ravie, elle lui servit un *gracias señor*, en roulant ses R parce que ça fait plus espagnol selon elle. Pâmée de voir dès la sortie de l'aéroport des champs cultivés, elle se risqua à demander: «*Son naranjas?*» Javier, croyant qu'elle parlait bien sa langue, lui décrivit d'un trait la culture locale des orangers: ce devaient être des *navel late*, idéales pour le jus; par chez lui on trouvait davantage des *valencia, mas jugoso, sus preferidas*! Gênée de parler *solo un poco*, Hélène espéra une traduction de Steve, mais celui-ci était ENCORE au téléphone (à confirmer leur arrivée imminente à l'hôtel, histoire qu'ils préparent les clefs des chambres, mais Hélène le trouva impoli). Elle sourit à sa future coloc, assise à l'arrière, qui prenait sans répit des photos par la fenêtre. «Oh, un âne!» L'image sortit floue, mais on reconnaissait ses oreilles. Armée de sa tablette, madame Bruchesi avait ainsi déjà pris une trentaine de photos et «sont toutes bonnes»: le lever du soleil du hublot, son premier café (très bon) à l'aéroport (très propre); les palmiers devant le bel autobus («Je pensais pas qu'ils en avaient eux autres aussi»). Elle se retint d'envoyer cette photo à son mari pour lui apprendre où elle était: la tête de cochon, c'était à lui de s'excuser en premier. Il la croyait sûrement, diluant sa colère, dans un spa des Cantons-de-l'Est, son péché mignon découvert sur le tard. Quel bonheur de se faire tripoter par des mains étrangères! Elle avait averti mari et enfants de ne plus chercher d'idées-cadeaux pour ses anniversaires, Noël ou la fête des Mères: «Je veux des massages!» Sa belle-fille trouvait louches ces soins répétés et lui achetait plutôt des billets de concerts symphoniques. Pauvre chouette! Elle sera scandalisée lorsqu'elle apprendra que belle-maman a abandonné son mari dans un moment pareil. Madame Bruchesi chassa sa famille de ses pensées pour se concentrer sur la mer qui s'ouvrait devant elle. Le soleil assécha ses premières larmes en sol espagnol.

* * *

Les hôtels se succédaient tout au long de la Costa del Sol, anciens villages de pêcheurs dont les filets n'attrapaient maintenant que des hordes de touristes. Ici à Torremolinos, outre le Sol Azul, le Don Pedro et un Hilton, on comptait le correct Mélies, leur hôtel de seize étages de chambres standards, trois bars et une piscine.

« *Bienvenidos !* lança Steve à sa gang. Attendez-moi dans le hall, je vous apporte les clefs. » Javier extirpait déjà les bagages de la soute. Est-ce qu'il fallait lui donner un pourboire ? chuchota une Boute-en-train à Hélène, qui osa lui répondre que leur chauffeur n'avait pas travaillé pour la peine. « Vingt-cinq minutes, ça compte pas. » Javier remerciait ceux qui le tippaient malgré l'avis de sainte Hélène. Il regarda bizarrement les deux dollars canadiens remis par le petit monsieur tout seul et embrassa Nadine pour le généreux cinq euros. « De la part de nous deux », précisa-t-elle en incluant sa sœur dans de grands gestes peu subtils qui la firent rougir. Nadine mourait d'envie de demander à Javier s'il était autorisé à prendre un verre avec les clients, mais sa sœur lui intima d'entrer. « T'es ben rushante ! On est vacances ! »

Fermant les larges portes de la soute, Javier remercia Steve d'une poignée de mains ferme puis lui tendit une carte d'affaires : « *Si deseas alquilar un bus, llámame, te daré el mejor precio.* » Des excursions à prix réduit, parfait ! Steve n'eut pas le temps d'en savoir davantage, Javier avait déjà réintégré sa cage roulante, filant accueillir un autre groupe, des Japonais qui avaient deux jours pour tout voir.

Il était à peine onze heures du matin. L'usage voulait qu'il faille attendre à quinze heures pour avoir les chambres; comme de fait, seule la moitié d'entre elles étaient prêtes et la moitié des voyageurs était prête à tuer l'autre pour avoir enfin un lit, une douche et de l'air climatisé. «J'ai un appel urgent à faire!» plaida Hélène, cachant son cellulaire et arrachant quasiment à Steve sa clef pour être la première à l'ascenseur. Elle n'attendit ni n'avisa sa coloc, madame Bruchesi, qui prenait des photos du hall, tout en marbre rose, ça fait chic même si les plantes sont en plastique (mais sur la photo, elles ont l'air vraies). Au groupe, Steve redonna le programme du jour, fort simple:

— Vos valises peuvent rester en consigne. Vous avez le temps d'une petite marche, une saucette, y vont terminer nos chambres. Ceux qui le veulent, on se revoit ici à seize heures trente. Je vas aller vous montrer les bonnes adresses du coin avant le souper. À tantôt!

— Tu m'emmènes à la mer? demanda madame Bruchesi, lui prenant le bras.

Il pensait avoir quelques heures à lui, mais ne se doutait pas qu'il n'aurait guère que quelques minutes de paix pour les deux prochaines semaines.

* * *

Ils étaient arrivés à l'heure des quétaines, bien avant l'ouverture officielle de la belle saison. Un des restaurateurs déroulait son tapis de gazon et essuyait les tables encore grises de la poussière automobile; des employés de la ville ôtaient des filets ayant protégé les palmiers des grands vents, alors que d'autres réparaient un muret abîmé par des coulées de boue survenues après les pluies hivernales de plus en plus dévastatrices qui, comme chez nous, grugeaient des pans entiers des routes du littoral. Le soleil ferait bientôt tout oublier ces écarts climatiques que, de toute façon, l'humanité ignorait avec superbe. Après nous, le déluge ! Bientôt, étudiants et migrants occuperaient une foule d'emplois temporaires pour tenter de satisfaire ces retraités privilégiés par des conditions de vie qu'eux n'auraient sans doute jamais.

« Le sable a une belle couleur ! » s'extasia madame Bruchesi. Steve n'y avait jamais prêté attention : du sable c'est du sable, à moins qu'il soit pris dans la craque de fesses de quelqu'un ou constelle les seins, comme chez ces deux jeunes Allemandes qui papotaient sur leur serviette. Robert Cousineau se réjouissait que le topless soit toujours à la mode. « Si je suis pas à la chambre ce soir, chérie, c'est que je suis des cours d'allemand. » Loin de s'en formaliser, Lise Cousineau confia à Steve : « Après cinquante-deux ans ensemble, on fait de la surdité volontaire : y a des niaiseries qu'on aime autant pas entendre. »

Cinquante-deux ans ! Hey, sa plus longue relation a fait trois ans, et encore, avec moult ruptures et raccrochages, de quoi se plaindre aux amis et justifier son cynisme quant à l'amour. Main dans la main, les Cousineau partaient arpenter la promenade en bord de mer :

— On se revoit à quinze heures, à la salle à manger ?

— À seize heures trente, à la réception, leur répondit Steve, prenant note mentalement que les Cousineau risquaient d'être ses étourdis qui mêleraient les heures de convocation.

Robert traînait sur l'épaule un sac à dos vide, sauf pour une gourde d'eau qu'il avait remplie à l'hôtel afin d'assouvir la soif de sa douce. Lise n'avait qu'à tendre la main pour se voir servir. Quant au sac, c'était au cas où ils auraient besoin de quelque chose. Il leur fallait souvent quelques jours pour se souvenir qu'ils n'avaient plus besoin de rien.

« Tous à la mer ! » Papa Yann courait avec la poussette, multipliant zigzags, arrêts subits et accélérations folles pour sortir son petit de sa réalité virtuelle. Eddy daigna lever le nez de sa tablette et remarqua enfin le changement de température et de paysage. Il esquissa un petit sourire d'enfant normal qui fit presque pleurer maman Cassandra de soulagement.

Elle avait consulté cet hiver une pédopsychiatre experte du langage pour les retards de son garçon, qu'elle trouvait renfrogné. Il s'avérait qu'à deux ans Eddy était accroc à son iPad, dormant en l'enserrant comme un ourson et replongeant dans son monde de pixels dès son réveil. Yann excusait son fils, trouvait que c'était créatif de faire apparaître et disparaître des images à volonté, mais la spécialiste avait traumatisé Cassandra en lui confirmant que leur fils éprouverait des problèmes à l'école s'ils n'y remédiaient pas au plus vite. D'ailleurs, n'avait-il pas déjà des problèmes à maîtriser ses émotions ? Cassandra en fit dès lors sa mission, la mission 4 PAS : pas de iPad le matin, pas pendant les repas, pas en groupe et pas avant de s'endormir.

Elle n'avait PAS réussi jusqu'à présent.

« Yahhhhhh !!!! » Aussitôt qu'elle lui eut retiré sa précieuse tablette, Eddy hurla son manque puissamment, informant l'Espagne tout entière combien méchants étaient ses parents. Yann voulut déjà abdiquer :

— On pourra pas le sevrer d'un coup.

— Surtout si on abandonne au premier essai. Pouvez-vous surveiller nos affaires ? demanda gentiment maman à Steve.

Puis elle donna des bisous sur la bedaine de son fils – ça marchait encore question fous rires –, et profita de cette distraction pour prendre son gros bonhomme dans ses bras et courir vers l'eau. Eddy tendit les mains vers la tablette abandonnée sur une serviette, Cassandra lui chuchota que l'eau était dangereuse pour son jouet préféré (ils en avaient déjà perdu deux dans le bain) et surtout: « Regarde les belles vagues ! Ta première mer, mon grand ! » Vite, elle l'assit entre ses jambes pour se faire chatouiller par l'écume des vagues. « Ça fait des bulles ! » Un petit gazouillis rieur soulagea la mère, et le sourire qu'elle fit à son homme resté près des chaises valait mille piastres: il disait l'espoir d'un premier PAS pour la petite famille.

« On revient ! » lança Yann à son tour, se dévêtant d'un geste vif de son short et sa camisole, détalant vers les siens. Steve eut le loisir d'admirer sa forme physique et surtout tout ce que contenait son maillot. Madame Bruchesi lui permit d'aller « jouer dans l'eau avec les autres », elle veillerait sur leurs effets personnels. Steve ne se fit pas prier, la mer lui faisait envie, tout comme ce diable de Yann, inaccessible étoile, déjà à la mer.

Le va-et-vient des vagues déstabilisait et fascinait son enfant, celui-ci donnait des tapes à l'eau comme s'il cognait son écran et qu'il en commandait les allées et venues. Cassandra embrassa son chum :

— Je le savais que ça le calmerait !

— C'est fret en tabarnak par exemple, jura Yann.

La Méditerranée s'ouvrait timidement à l'été, mais à celui qui a connu le Saint-Laurent, c'était déjà un bond en avant, vite franchi par Yann, qui courut vers le large en poussant un grand cri de Tarzan. C'est donc de lui qu'Eddy tenait ses poumons aussi puissants ! Maman montra à son fiston combien papa était loin. « Toi aussi, tu vas nager comme ça bientôt ! » Yann plongea sous l'eau et refit surface comme un dauphin : « Yahoo ! On va pouvoir faire du *body surf* ! » Sa blonde sourit à le voir s'ébrouer; Steve s'interdit de le fixer plus longtemps, tentation stupide, mais Cassandra l'avait bien vu.

— Y est beau mon chum, hein?

— Ah, je regardais son tatoo.

Cassandra fit semblant de croire à son mensonge, on pouvait être jeune et poli. Ce fameux tatoo lui couvrait l'épaule jusqu'à l'avant-bras, une large corne d'abondance débordante de fruits et légumes qui vous changeait des têtes de mort. À l'eau jusqu'à la mi-taille, Yann surveillait la crête des vagues; lorsque l'une d'elles eut la bonne force, il s'élança pour surfer dessus jusqu'au rivage, bras tendus devant lui comme Superman. Yann aboutit ainsi à quelques pas de son fils qui rigola et se laissa mouiller au complet «comme papa». La dernière fois où la petite famille s'était amusée ainsi, ils glissaient en luge dans la neige, mais Eddy s'éteint plaint du froid pour rentrer pitonner sur son écran. Le chaud soleil de la Costa del Sol ferait des miracles, Cassandra y croyait dur comme fer, comme cette bosse qui enflait dans le maillot de son chum. Steve reporta son regard ailleurs.

Fière de ses orteils, madame Bruchesi ne se lassait pas de les enfoncer et extirper du sable doux, pour les faire luire au soleil, belles dix pépites rouge vif. Elle sentait le début de l'effet vacances, les pires soucis rétrécissent avec la distance, une bouffée d'air frais donnait le souffle requis pour revenir faire face au pire. «Mais voir si ça a du bon sens!» pestait-elle tout bas. Steve s'étonnait de voir sa cliente se quereller avec elle-même ou peut-être était-elle une des «mamies branchées» jasant sur Bluetooth à distance? S'approchant d'elle, la voyant toujours se quereller avec le vent, il s'enquit gentiment:

— Avez-vous mal quelque part?

— Je parlais à mon mari.

— Y est pas là pour vous répondre.

— Même quand y est là, y répond pas toujours. Sais-tu jouer au Scrabble ?

Il n'eut guère le choix de dire oui. Elle s'était déjà acquittée de la location de chaises longues « pour la gang » avec le garçon de plage, qui lui apportait ses premiers *drinks*. Steve avait prévu de prendre contact avec le grossiste pour discuter des excursions, mais bon, le premier verre ne se refusait pas.

Le deuxième et le troisième non plus.

Il put ainsi blâmer l'alcool pour sa piètre performance au Scrabble. « Toxic, c'est pas avec un C ? » C'était en anglais. Et « Wu ? » Une tribu quelque part en Asie, l'informa sa cliente, qui le battait à plate couture, inventant sûrement des Wus pour faire trente-six points facile.

Qui plus est, Yann le déconcentrait, maintenant nonchalamment étendu au soleil, jambes écartées, son fils jouant dans le sable humide avec sa mère, maintenant topless malgré le petit vent sournois. Ça lui faisait de jolis mamelons durs que même un gai savait apprécier. « Le places-tu, ton mot ? » fit son adversaire pour le ramener à l'ordre. Elle picorait son assiette de poisson frais : à trois euros, c'était donné ! L'addition la surprit : c'était trois euros la livre, et on lui avait livré quasiment un espadon. Madame Bruchesi venait de se faire avoir, risque encouru par tout touriste. « Toi, le pro du voyage, ça doit pus t'arriver ? » Oh oui ! Il se rappelait s'être fait vendre de vulgaires aspirines en Thaïlande alors qu'il pensait acheter de l'ecstasy ; avoir payé quarante dollars pour du gazon dans du papier d'aluminium en Louisiane, alors qu'il avait pourtant bel et bien senti la marijuana. Professionnalisme oblige, Steve se contenta de raconter qu'il avait déjà payé deux fois le prix pour des t-shirts « uniques » avant de les voir dans huit autres boutiques.

«MOI!» Lassé de construire des châteaux qui s'écroulaient, Eddy voulut arracher la tablette aux mains de madame Bruchesi, qui lui rappela que c'étaient des choses qui ne se faisaient pas. S'excusant, Cassandra comptait sur la fatigue de son fils pour une sieste réparatrice, mais faire dodo sans tablette était impensable. «Moi!» répéta-t-il au cas où la mamie aurait été sourde. Pensant bien faire, elle lui offrit du poisson, *good luck*, les Angry Birds étaient plus dans le goût d'Eddy. De son sac de plage, Cassandra sortit l'un de ses jeux éducatifs recommandés par la spécialiste, rejeté d'emblée par le petit roi. Émergeant des limbes, papa Yann n'était pas des plus patients.

— On le sèvrera pas *cold turkey*, donnes-y un break.

— T'as promis que tu m'aiderais!

Cassandra sortit en vitesse un petit jus et une barre de céréales qu'Eddy engloutit sans quitter des yeux la tablette de madame Bruchesi. Clac! Celle-ci ferma et cacha l'objet de la tentation, s'étendit sur sa chaise et s'endormit l'instant suivant.

Elle n'eut pas vent des pleurs d'Eddy et de la délicieuse odeur de haschisch.

Insensible au début de crise de son fils – «Faut l'ignorer, y va se tanner» –, Yann fumait son joint, qu'il passa à sa douce. Comment avaient-ils fait pour s'en procurer aussi vite? L'avaient-ils passé aux douanes? Cassandra tira une touche d'un geste élégant et se sentit reluquée. Se doutant bien que ce n'était pas pour ses seins, elle tendit le joint à Steve:

— C'est du marocain.

— Oh, non merci, s'entendit-il dire poliment.

Devant les clients, il n'osait pas trop fumer; le soir tombé, il pourrait se permettre d'avoir une vie privée. Cassandra n'insista pas. «J'en ai assez», dit-elle à son chum, qui prit encore quelques bouffées et fit alors une chose épouvantable: il expira au visage de son fils.

« C'est l'heure de la sieste. » Steve resta interdit, bouche bée, Cassandra se crispa :

— On avait dit qu'on arrêtait ça ! On a quinze jours pour le remettre sur la bonne voie.

— Ça va l'aider pour son décalage horaire, banalisa Yann, fier de sa médecine.

En effet, oubliant son obsession pour la tablette, Eddy devint tout étourdi, s'affala dans sa poussette, le corps mou comme de la guenille.

— Les bons trucs marchent encore, fit Yann, satisfait, en lançant le joint derrière lui.

— Crisse que t'écoutes pas !

Furieuse, maman Cassandra ramassa ses cliques et ses claques pour prendre le chemin du retour vers l'hôtel. Sans réveiller le petit, Yann souleva poussette et sacs de ses bras puissants en soupirant : les filles sont compliquées pour rien depuis qu'elles lisent des revues de psychologie.

La petite famille dopée à peine éloignée, Steve bondit de sa chaise pour aller fouiller dans le sable. *Yes !* Le butch de joint y était, de quoi tirer une petite bouffée. Il rougit en croisant le regard étonné des Cousineau. « J'avais perdu un euro », mentit-il innocemment. Non dupe, Robert tendit la gourde d'eau à sa femme, qui sourit en coin à Steve. « On sent qu'on va aimer ça, ici, hein ? » Robert replaça les bretelles de son sac à dos, lourd de bouteilles de vin. Ils avaient de quoi tenir quelques jours.

* * *

« Le petit monstre est pas là ? » Non. Eddy et ses parents, comme sept autres clients, se priveraient de la petite visite de Torremolinos. Tant mieux, Steve n'avait pas l'énergie débordante pour en insuffler à tant de gens, juste assez pour leur montrer combien tout était à leur portée. Ayant attendu un dernier dix minutes pour des éventuels retardataires, il lança : « *Vámonos !* », allons-nous-en gaiement !

« Attendez-moi ! » Madame Bruchesi s'amena, portant le même chandail défraîchi, mais sa bonne humeur en rien altérée. Elle n'avait pas eu accès à sa chambre, Steve crut à une carte magnétique mal programmée, un classique, mais non : la porte s'ouvrait, sur la chaîne de sécurité à l'intérieur soigneusement tirée. Madame Bruchési avait eu beau héler sa coloc, Hélène ronflait comme un truck.

« Je me laverai en revenant. Je pue pas, toujours ben ? » Non. Contrairement au petit monsieur tout seul qui n'avait pas cru bon se doucher ni se changer. Ayant trouvé le temps long sur son balcon, ravi qu'on l'emmène enfin voir du pays, il collait aux flancs de Steve. « Je veux pas vous perdre, je parle pas anglais. »

Les gens de la région de Québec comprenaient avec ravissement le principe de la basse et haute ville de Torremolinos : tout au long de la plage, le *boardwalk* unissait les différentes stations balnéaires en un flot quasi ininterrompu de boutiques et restaurants ; mais deux cent trente-deux marches séparaient ses clients des petits bonheurs de la « ville » en haut, l'Himalaya aux yeux de certains.

« Sauvée ! Un petit banc ! » Bouboule Trépanier s'écrasa pour retrouver son souffle et déchanta en voyant droit devant la porte d'un ascenseur.

— T'aurais pas pu nous le dire avant ! tonna-t-elle.

— Mais la vue est plus belle en marchant…

— Mais moi, tout en sueur, je suis pas mal plus laide !

Nadine Trépanier rassura sa sœur sur son allure, tout en pensant le contraire : toute en mou, par peur des courants d'air en soirée, elle jurait avec sa robe chic. Aînée des deux, directrice d'une banque, elle tenait à garder le haut du pavé sur sa grosse petite sœur, simple guichetière au métro Crémazie, qui s'épongeait le front et les aisselles.

La première visite servait à Steve à déterminer les forces et caractères de chacun – qui serait à dorloter, qui serait plus autonome. Il avait ainsi fiché Bouboule : ne pas l'inviter aux excursions à pied, lui faire peur en exagérant les distances sinon ils attendraient toujours après elle.

« Canadiens ? » demanda un vendeur reconnaissant l'accent des magasineuses. Robert Cousineau précisa qu'ils étaient Québécois, même s'il y croyait de moins en moins, n'ayant pas réussi à convaincre son peuple qu'il en était un ; honteux de sa famille de la grande région de Québec qui avait refusé en majorité ce rêve de la Nouvelle-France (il fut plus facile de blâmer les « autres » de Montréal). Depuis 1968, année de toutes les révolutions, on ne cessait de diluer son rêve de jeunesse ; son Québec, René Lévesque le décrivait alors vert, lettré et sans armée, maître de ses ressources, citant les pays arabes qui partageaient les profits de LEUR pétrole à 50-50 avec les multinationales qui l'exploitaient. Et maintenant, on subventionnait les minières pour les encourager à nous donner des miettes ! En cinquante ans, Robert avait vu naître le Québec inc. puis être vendu au plus offrant, la fierté d'une langue maintenant en lambeaux, les idéaux sociaux égalitaires flétris comme sa peau. Il s'informa donc tout naturellement des progrès de la Catalogne auprès du vendeur, oubliant que la région autonomiste était détestée dans le sud du pays. « Madrid devrait envoyer l'armée pour les calmer », affirma le vendeur selon qui les briseurs d'unité exagéraient les problèmes de corruption endémiques pour servir leur cause autonomiste. Robert devint rouge, sa femme lui suggéra d'aller dehors et acheta la paix ainsi qu'une ceinture en cuir. « On en a pas des comme ça chez nous. » Elle calcula mentalement les prix affichés puis s'exclama : « C'est vraiment pas cher ! » Effectivement, c'était donné. L'Espagne en arrachait encore.

Tout en haut, sur la rue principale, un commerce sur deux était abandonné ; on comptait plus d'une bijouterie de toc et vêtements *made in Vietnam* ou *Turkey*. Ravie, madame Bruchesi trouva un chandail kangourou avec un taureau dessus : un bon *bargain* qui serait doux les soirs d'automne à se bercer sur la galerie de la maison ancestrale avec son mari. Elle se refusa à penser encore à lui, d'autant plus que Steve rappelait son monde à l'ordre :

— Vous magasinerez plus tard ! Ici, y a deux rues importantes à retenir, vous pouvez pas vous perdre, même si vous essayez ben fort : la rue piétonne, c'est San Miguel, avec des petits parcs, pis elle débouche au bout sur le boulevard avec tous les autobus de la ville.

— Le bout, y est-tu encore loin ? se plaignit Bouboule.

— Deux minutes, pis on est arrivés.

— C'est ça que tu nous avais dit tantôt, pis je suis déjà morte.

Une pause tendresse fut donc votée à l'unanimité : trois pichets de bière locale, la San Miguel sur la rue San Miguel !

En un rien de temps, les pichets et les assiettes de saucissons et fromages locaux furent vidés. Steve misait toujours sur ce petit rituel apéro de bienvenue pour répondre aux questions en rafale :

— Ronda, ça valait-tu vraiment la peine ?

— Picasso, y est-tu de la région ?

— Est-ce qu'il va faire 45 degrés ?

Des Boute-en-train avaient récolté des brochures à l'aéroport dont l'une proposait un départ tous les jeudis pour Séville. Steve le leur déconseilla : valait mieux faire une nuitée, sinon ce serait beaucoup de route pour rien. Les clients doutèrent de sa parole. « On va demander à Hélène ce qu'elle en pense, c'est une experte. » Steve but une gorgée de bière pour la faire passer.

* * *

Hélène l'attendait de pied ferme à l'entrée de la salle à manger :

— Vous êtes partis sans moi ! Moi qui me faisais une joie de rencontrer tout le groupe !

— On a attendu jusqu'à cinq heures moins vingt.

— J'étais là à quatre heures et quart ! jura Hélène.

Steve n'avait pas la force de la contredire ni celle de faire témoigner les vingt personnes présentes. Heureusement que madame Bruchesi n'avait pas la langue dans sa poche et rappela à sa cochambreuse qu'elle dormait enfermée à double tour. Hélène se confondit en excuses, croyant bien s'être assoupie à peine une minute ou deux :

— Je ne m'étais même pas rendu compte d'avoir mis la chaîne.

— Je vas aller prendre ma douche, j'espère que je vas m'en rendre compte si je me savonne, lui répondit madame Bruchesi du tac au tac.

Steve l'aurait embrassée, mais fin diplomate, il blâma le décalage et le vol difficile. Ravie d'être pardonnée, Hélène l'accapara : « On soupe ensemble ? »

Le tête-à-tête avec Hélène ne ferait pas de jaloux : Steve alternait chaque repas avec des clients différents, apprenant ainsi à mieux connaître son monde et bonus, on lui offrait généralement un verre. Mais pas ce soir : Hélène trouvait le vin horriblement cher et doutait que ce fussent des « vins très gastronomiques ». Steve suspectait sa pingrerie, comme ceux qui, invités chez des amis, apportent une bouteille à dix piastres, insultant l'offrande et les heures passées en cuisine par les hôtes. Méfiante, Hélène inspecta le buffet : la viande semblait sèche, la salade mal lavée, les saucisses trop grasses ; de la pizza, franchement ça n'avait rien d'espagnol ! Elle eut peur de s'intoxiquer avec les crevettes, la paella lui sembla trop épicée, elle opta donc pour du poisson, préparé à la demande sur le grill, qu'elle trouva fade.

— Tu l'indiqueras à ton rapport.

— Le poulet aux olives est très bon.

— Peut-être, mais avise la direction de se forcer pour le poisson, sinon ils vont continuer comme ça pendant douze jours. On voit bien que t'as jamais été professeur.

— J'aurais pas eu votre patience, dit-il poliment.

— Ils m'ont eue à l'usure ! Maudites réformes pour donner raison aux jeunes d'être paresseux. Et quand même, nous voulions élever un peu les exigences, la direction et les parents étaient contre nous autres. « Demandez-leur-en pas trop, ils travaillent à l'extérieur. » Et nous dorment au nez le matin ! Les dernières années, il me fallait constamment faire la discipline, car ils écoutaient de la musique et pitonnaient sur leur téléphone, excités par le speed ou les joints gobés dans la cour d'école ! Des fautes aux deux mots, les devoirs complétés seulement si ça leur tentait, car ils savent trop bien que nous n'avons plus le droit de les faire échouer ! Notre bon ministère de l'Éducation augmente ainsi artificiellement le pourcentage de réussite et tant pis si les diplômés arrivent mal préparés sur le marché du travail. On a nivelé par le bas et on se demande pourquoi notre pays est en crise ?

Vidée de sa colère, elle alla se consoler avec une assiette de desserts, le chargeant d'aller faire son rapport au gérant. À celui-ci, Steve parla à peine du poisson, mais surtout de cette cliente grippette qu'ils devraient avoir à l'œil dans les prochaines semaines. Il obtint de pouvoir afficher son programme d'activités à l'entrée de la salle à manger, qu'il alla épingler avec un logo Vacances Voyages difficile à manquer.

Il fit le tour des tables pour saluer ses autres clients. Les Cousineau se gavaient de fromages – « Ils ont du bleu ! » – ravis de leur vin, un rouge terreux qu'ils lui firent goûter et « on en a d'autres à la chambre si tu veux ». Nadine retournait des appels « urgents » à la banque pendant que sa sœur se servait un autre assortiment de gâteaux car « les morceaux étaient pas gros ». La jeune famille mangeait en silence. Par solidarité avec le sevrage d'écran de son fils, Cassandra avait interdit les cellulaires à table et s'inquiétait de le voir manger si peu. « Relaxe, lui rappela son chum, y est juste fucké par le décalage. » Surtout pas par ses merveilleux parents.

Sa tournée faite, Steve comptait bien avoir un peu de temps à consacrer à la chasse aux ours espagnols, mais Hélène voulut qu'il lui montre à son tour ses bonnes adresses. « Vous ne laisserez pas une femme seule s'aventurer dans une ville étrangère ? »

Alors que Steve gravissait en maudissant les deux cent trente-deux marches vers San Miguel avec sainte Hélène, madame Bruchesi savourait un premier verre de Malaga, vin sucré qui serait son digestif de prédilection pour les prochaines semaines. Réfléchir à l'hôtel, sur la carte de crédit conjugale, avait de bons côtés, comme ces bars où des inconnus rieurs vous faisaient oublier vos petits malheurs. Madame B. rencontra ainsi en ce premier soir des Allemands très drôles avec qui elle prit d'abord un verre, puis *zwei und drei*, au son d'un super beau spectacle de comédie musicale. En fait, c'était du *mimage* sur des airs connus, mais les danseurs étaient très expressifs, et les animateurs Raquel et Jonny (pas de « h », ça fait plus international), super sympathiques. Madame Bruchesi chantonnait dans le corridor du sixième étage, se trompa de direction, voyons c'était là tantôt, puis se buta encore une fois à la chaîne lui interdisant l'accès à sa chambre. Cette fois, elle frappa violemment :

— Hey, ça va faire !

— Excusez-moi, un réflexe !

Revenue tôt de sa promenade, Hélène étudiait ses livres pour mieux connaître l'histoire de la région. Elle prit le temps de fraterniser un peu avec sa coloc qui, enchantée, lui vanta le beau spectacle digne de Broadway (où elle n'avait jamais mis les pieds…), qu'Hélène conspua aussitôt. « Des sparages sur des chansons américaines, franchement ! C'est donc bien colonisé de leur part ! Si l'UNESCO savait ça, ils ne classeraient pas la région patrimoine de l'humanité, ils la rétrograderaient aussitôt ! » Hélène entreprit de s'endormir, un masque et des bouchons pour l'aider. « Ça vous dérange pas si j'écoute les nouvelles une secousse ? » Et, comme à son habitude, madame Bruchesi n'attendit pas une réponse pour faire à sa tête. Après les nouvelles, françaises, vive TV5 ! madame Bruchesi pitonna pour voir « s'il y avait de quoi de bon sur les autres postes ». Hélène se tournait et se retournait dans son lit, sur le bord d'exiger un peu de silence lorsque madame Bruchesi trouva enfin « un film qui avait de l'allure » : le ronron régulier des dialogues l'apaisa, elle s'assoupit aussitôt en ronflant profondément. Hélène pesta, se leva pour éteindre la télé, fut sur le point de retrouver le sommeil, lorsque… « ARRGGGHH ! » le hurlement d'un enfant quelque part sur l'étage la fit sursauter. On ne pouvait pas distinguer clairement pourquoi les parents s'engueulaient, mais Eddy, en manque, faisait clairement savoir qui était le boss.

Mercredi 29 mars 2017 – Malaga

Où Hélène commence son règne

« Il ne faut surtout pas rater le Musée de la Confrérie de l'Expiation ! » Hélène avait déjà rassemblé un petit groupe d'adorateurs autour d'elle à qui elle prodiguait conseils et informations. Elle serait partie bien plus tôt ce matin – avec le décalage, tout le monde se leva tôt –, mais la convocation de Steve indiquait neuf heures dans le hall. Autour, on entendait parler italien, français de France, amplement allemand et, tiens, aussi chinois.

— Je crois que c'est du mandarin, commenta Hélène à l'oreille fine. Le mandarin est plus répandu que le cantonais.

— Que vous en connaissez donc, des choses ! s'étonna Bouboule.

— Elle arrête pas une minute, soupira madame Bruchesi, pressentant déjà que les deux semaines de cohabitation seraient longues.

— Êtes-vous des sœurs, vous aussi ?

Hélène le prit pour un compliment – « Nous avons tellement l'air amies ! » –, madame Bruchesi s'en offusqua : elle n'était quand même pas aussi *stuck up* que la Mère supérieure ! D'autant plus qu'elle avait choisi son Ziploc jaune pour cette première journée, une robe qui « fait été ». Elle avait longuement patienté pour avoir enfin accès à la salle de bain ce matin. Après ses étirements, Hélène se maquillait savamment, puisant son essentiel de beauté dans cinq sacs étalés sur le comptoir. Outre un rouge à lèvres pêche, elle misait sur des couleurs sobres pour les yeux et un fond de teint qui, selon elle, « faisait naturel ». Madame Bruchesi dit que ça faisait plutôt « crémage à gâteau », plaignit l'homme qui se mettrait le nez dedans et sortit rejoindre ses amis du bar qui fumaient au-dehors.

— Dieu merci, je n'ai pas ce défaut, se vanta Hélène. J'ai déjà de la difficulté à couper le sucre.

— C'est surprenant, vous avez pris deux brioches à matin ! lui fit-on remarquer.

— Elles étaient encore tièdes, comment refuser !

Par contre, les bines aux tomates lui avaient paru curieuses, mais moins que le quasi-retard de leur gentil accompagnateur. « Neuf heures moins cinq ! Franchement, le premier jour ! »

Soucieuse de ses Boute-en-train, l'organisatrice du groupe Lise Cousineau s'assurait que tous avaient passé une bonne première nuit. Tous se plaignirent des hurlements d'un enfant égorgé, mais n'iraient pas pour autant en remontrer aux jeunes parents, même si « dans notre temps, une bonne claque bien placée, ça lui aurait replacé les idées. Y en laissent trop passer aux enfants d'aujourd'hui. »

Cassandra discutait avec un autre semi-jeune couple, la quarantaine, en vêtements sportifs un peu voyants. Pour eux aussi, le temps trop frais pour profiter de la plage s'avérait idéal pour visiter Malaga, petite capitale de la région avec son lot d'attractions.

— Et surtout de boutiques ! salivait Cassandra. Y ont un des plus gros Zara d'Europe !

— La guenille, c'est bien beau, précisa Hélène dans son polar bleu « un peu usé mais si confortable », mais vous ne devez pas manquer le Musée des arts populaires ! Il y a tant à faire !

Cassandra prit ses distances de sainte Hélène et gavait Eddy sans répit de yogourt et croissant à grignoter pour lui occuper les mains. À deux ans et demi, il paraissait imperméable aux dames qui venaient lui faire de la façon et s'enhardissaient aux guili-guili. « Ça aime donc ça manger à cet âge-là ! » Posté devant fiston, Yann montait la garde, veillant à éloigner tout iPad tentateur de sa vue. Il cachait derrière des verres fumés sa fatigue d'une trop courte nuit et croyait lire dans les yeux de fiston une lueur de défi : la prochaine crise serait la bonne pour les faire fléchir.

« Salut tout le monde ! » Enfin, le voilà ! Remarquant sa chemise fripée, Hélène se contenta de lui replacer son badge, « sinon les gens pourraient penser que vous avez dormi sur la corde à linge ! » Cachant son agacement, il distribua des cartes de Malaga, raison de son quasi-retard : comme leur hôtel en manquait, il avait couru chez les établissements voisins pour en avoir pour tout le monde. Madame Bruchesi trouvait que c'était une belle attention, Hélène, un manque de préparation, mais elle garda ce commentaire constructif pour elle, il était déjà neuf heures sept avec tout ça. Mais il la retardait encore en consultant les ouailles :

— Ceux qui veulent visiter Grenade samedi, confirmez-moi s'il vous plaît avant demain au souper pour que je réserve.

— Je le trouve pas sur la carte ! paniquait déjà le petit monsieur tout seul.

— Parce qu'aujourd'hui c'est Malaga et qu'on y va en Cercanía. *Vámonos !*

* * *

Deux cent trente-deux marches plus tard, la rue San Miguel s'élargissait en une place publique où un grand édicule vitré laissait sortir un flot de voyageurs. Leur petit groupe rata de justesse un premier train, pas grave on prendrait le prochain. Il en passe AUX VINGT MINUTES lui fit remarquer Hélène alors qu'il avait indiqué aux demi-heures sur son programme aux six fautes. « La première fois où je suis venu, c'était trente », s'excusa mollement Steve, mais Hélène s'attendait à plus de rigueur d'un accompagnateur. Habitué à ces chialeux maladifs qui ne seront jamais heureux quoi qu'il advienne, il se concentra sur les mines réjouies des voyageurs ravis de voyager avec le « vrai monde ». Avec le vent frais, les locaux portaient un lainage, tranchant sur leur look de nordiques excités de sortir leurs atours printaniers. « Surveillez vos affaires, y a des pickpockets ! » À ce jour, Steve n'avait pas vécu d'incidents fâcheux avec ses groupes, mais savait-on jamais. Le petit monsieur tout seul stressait, il voyageait avec son passeport sur lui et tout son argent.

— Pourquoi vous avez pas laissé ça à votre chambre ? s'étonna Steve.

— J'avais peur de me faire voler.

Steve lui recommanda d'au moins cacher le tout dans son slip, ce qu'il fit devant eux.

Lorsque leur train spacieux s'avança, confortable, d'un rouge pimpant « qui allait avec son look », madame Bruchesi s'aligna en vitesse pour un *selfie* souvenir. Hélène s'imposa à ses côtés, enserrant sa « sœur adoptive » par les épaules. Clic ! Sourire crispé pour l'une, grimace de joie pour l'autre : une première photo mauvaise sur les cent soixante-quatre prises jusqu'à maintenant. Madame Bruchesi l'effaça aussitôt.

Ohhh ! Défilant sans soubresauts, le train de surface permettait de voir la mer en contrebas, les montagnes au loin et... « Y ont un IKEA ! ! » Tous de s'extasier : les merveilles du monde de l'UNESCO pouvaient aller se rhabiller. Quel arrêt ? Parque Commercial Bahía Azul, avec un cinéma pour les jours de pluie, bon à savoir. Madame Bruchesi courait d'un côté à l'autre du wagon pour tout immortaliser (elle se calmerait bientôt là-dessus) ; Nadine répondait à un dernier courriel important « pis après j'arrête », mais sa sœur n'en croyait rien. À l'écart, sur une appli de rencontres, Steve travaillait sur ses visiteurs du soir, cinq candidats retenaient son attention et stimulaient son imagination. « Tu peux bien être blasé, tu bâtis sur rien », lui répétait sa coloc de Montréal, avant de s'abonner à son tour à Tinder et Fishbowl, des sites où elle trouvait des amants, « mais jamais autant que toi ». La petite famille s'activait tout autant : les pouces aguerris, Yann textait, sans prêter attention à son fils, confortablement assis dans sa poussette, le nez dans sa tablette, testant un jeu simili-instructif recommandé par la pédopsychiatre à qui Cassandra écrivait pour avoir des conseils de sevrage. Eddy avait eu droit à une demi-heure. « Après tu restes avec nous, avait répété maman, sinon y a des conséquences. » Eddy avait depuis longtemps compris que les conséquences se produisaient rarement, que des bons cris venaient à bout de tout. Ainsi, arrivés à Malaga, lorsque sa mère voulut lui arracher SA tablette, un simple hurlement amena son père à négocier qu'on lui ôterait sa tablette lorsque « ce serait vraiment beau ». Eddy sourit, c'était trop facile. Et puis toutes ces grandes personnes n'avaient-elles pas eu aussi le nez rivé sur un écran ? Ou, à cet instant précis, une carte de la ville.

Il faut montrer aux gens à pêcher plutôt que de les gaver : Steve enseignait ainsi aux plus nerveux à se faire confiance. « Dites à votre cerveau que vous avez le sens de l'orientation, et il va vous croire. » Il détestait ces voyages trop organisés où personne n'avait droit à ses désirs et envies, tout étant dessiné à l'avance comme une usine d'assemblage. S'il fuyait la routine d'un bureau, il ne tenait pas à la reproduire à l'étranger.

« Tout le monde a trouvé Alameda Principal ? Ça longe la mer ? » Ceux qui ne voyaient pas aidaient les autres à voir. Malaga n'étant pas si vaste, ils pourraient à loisir y flâner, suffisait d'identifier la station de train, les rues principales et…

— Tout le monde voit bien le chiffre 1, c'est la cathédrale ?

— Ben là, on est pas des bébés ! s'insurgea Nadine Trépanier.

Alors en route !

De gros arbres joufflus à l'ombre généreuse se donnaient la main de bord en bord de l'*alameda*. Monsieur Cousineau voulut en connaître l'espèce, et Steve répondit avec assurance : « Y a des figuiers et des peupliers blancs comme sur la Côte d'Azur. » Étonnée que l'inculte sache quelque chose, Hélène vérifia l'info sur sa tablette : « Ah ben coudon ! Des fois, y est pas con. » Elle se plaignit toutefois de la circulation automobile et suggéra d'emprunter un dédale de ruelles plus typiques. « On y arrive ! » lui répondit Steve, un rien sec. Vingt-sept voyageurs à la queue leu leu, c'était trop. Steve comprenait les parents du Petit Poucet d'avoir voulu écarter leurs enfants. Un couple en forme et qui le laissait paraître par ses vêtements moulants, que Steve avait baptisé les Lycra, mesurait les distances parcourues avec un podomètre :

— On a juste fait 1,4 kilomètre.

— Ben je suis essoufflée pareil ! se plaignit Bouboule, qui prit le temps de s'acheter un Coke.

— Voyez-vous Marqués de Larios sur vos cartes ?

Cette grande rue piétonne bordée de magasins chics enflamma Cassandra et tant d'autres, mais Hélène lui rappela qu'elles n'avaient pas fait six heures de vol pour aller dans les magasins. « En Europe, c'est la culture ! » Les filles se sentirent un rien coupables, madame

Bruchesi leur souffla tout bas: «On va attendre que Mère supérieure regarde ailleurs pour aller dépenser comme on veut...» Ayant tout entendu, sainte Hélène se fit humaine et leur avoua un petit faible: «OK, les amies, je me meurs de trouver une nappe en dentelle!» Steve lui affirma qu'elle trouverait son bonheur dans la vieille partie de la ville, où ils s'enfoncèrent en jacassant. Des boutiques de charme alternaient avec des restaurants aux tables jetées à même la chaussée, alors que chez nous les terrasses étaient clôturées comme des enclos à bétail, horreur sans nom pour lui qui avait tant planché sur des projets d'embellissement! Mais non, nous, on asphalte et on bétonne! Steve hâta le pas pour fuir les idées noir goudron. «Pas trop vite! On perd du monde!» l'avertit madame Bruchesi, impossible à manquer dans son kit jaune serin.

Et voilà que se profilait enfin: «La cathédrale!» Combien d'étoiles à leur guide? Était-elle plus grande ou plus belle que tant d'autres? On supputerait plus tard sa valeur, pour l'instant c'était opération photo: «Vois-tu bien les clochers? Attends, je vas ôter mon manteau!» Et clic! Swap! Snap! Pendant qu'Eddy courait sur la grande place pour faire s'envoler les pigeons, vite, Cassandra cacha sa tablette dans son sac: le beau commençait officiellement.

Leur souvenir immortalisé, Steve rassembla les troupes au pied des marches pour leur refiler ses bonnes adresses, notamment un bar à tapas vieillot et une pâtisserie incroyable Plaza de la Merced. «Je le vois pas sur la carte!» Et Steve, patiemment, de leur indiquer l'endroit, soulignant à quel point tout le centre historique se visitait bien à pied, prêt à leur souhaiter bonne journée.

Hélène s'insurgea. «Nous ne prenons pas le temps de visiter cette splendeur? Nous ne sommes pas des païens ! » Steve précisa que oui, la cathédrale était jolie, mais rien en comparaison de celle de Grenade ou Séville « où nous irons de toute façon ». Hélène n'en démordait pas. « Ils ont mis des siècles à la construire, on va tout de même prendre quelques minutes pour en savourer les beautés ! C'est rococo ou gothique, vous savez ? » Il l'ignorait, par choix : la chrétienté conspuant l'homosexualité, il refusait d'encombrer sa mémoire d'informations religieuses. Pfff ! Paresse intellectuelle, pensait Hélène, mais il savait une chose : « C'est cinq euros pour entrer. » Alors là Hélène fit face à vingt-six païens qui trouvaient que ça ne valait pas la peine de payer pour ça. « On en a des églises chez nous pis on y va même pas. » Steve sourit, victorieux, et dit à l'endroit d'Hélène : « Vous pourrez y aller le dimanche : c'est gratuit, et l'hostie est comprise ! » Rigolade générale, qu'on avait donc un petit guide sympathique ! Mais un sifflet retentit. Une dame collet monté s'amena avec un agent de la paix : « *Te vimos !* » Il avait été pris en flagrant délit de guider des touristes sans permis. Il eut beau s'époumoner qu'il ne donnait aucune information historique – « Ils retiennent jamais rien de toute façon ! » –, la dame l'accusa de voler des jobs. Les Boute-en-train se firent discrets mais, sans comprendre l'espagnol, comprenaient la nature d'une contravention.

— C'est combien ? s'enquit tout bas madame Bruchesi.

— Cent vingt-trois euros…

L'équivalent de deux journées de travail. Steve pesta intérieurement contre le policier. Il y eut un petit malaise parmi les gens, Hélène garda le nez dans son guide de voyage. Steve chassa le spleen : *tough luck*, ce sont des choses qui arrivent !

« Bonnes découvertes personnelles ! » Cette merveilleuse expression sonnait le début du temps libre, chacun et chacune lâchés lousses à la conquête de la ville. La chasse aux emplettes était ouverte pour les unes ; les autres voulaient déjà grignoter un petit quelque chose. Hélène s'agrippa aux Cousineau et à sa cochambreuse. « Toujours partants pour les musées ? » Avaient-ils le choix ? Hélène trouvait que c'était donc le fun de se connaître en dehors de la chambre à coucher ! Steve resta avec les Lycra, le petit monsieur tout seul et les sœurs Trépanier : « T'avais pas parlé d'un château ? »

* * *

L'Alcazaba ne payait pas de mine, lorsqu'on le comparait à l'Alhambra de Grenade ou au Palais royal de Séville, mais en valait la peine lorsque la bonne humeur était au rendez-vous : c'est vous dire combien Steve le trouva laid, terne et poche ce matin.

Hasta luego ! Les Lycra grimpèrent les marches quatre à quatre vers cet ancien poste de défense juché sur une colline. Chemin faisant, Bouboule Trépanier essaya de s'intéresser au petit monsieur tout seul, mais même lui se trouvait plate. Nadine avait plus d'une fois refusé des prêts hypothécaires à des clients aussi mal vêtus : comment pourraient-ils entretenir une maison s'ils négligeaient à ce point leur personne ? Ainsi, dès l'entrée du château franchie, elle annonça à Steve qu'elles visiteraient comme des grandes. Il lui souhaita bonne chance dans sa recherche du prince charmant. « Je veux pas d'un petit prince, je veux un roi ! » précisa-t-elle. Lui revint à la mémoire un film où l'héroïne se faisait suivre par un étranger dans un musée, de tableau en tableau, c'était très érotique. Jusqu'à ce qu'elle se fasse tuer après, mais bon, ce sont des choses qui arrivent à New York, quand même pas à Malaga ! Mais avant le grand amour ou une petite vite à la sauvette, elle répondit à une dernière demande urgente de sa banque au grand dam de Bouboule :

— Tu décroches jamais, demande-toi pas pourquoi t'accroches personne.

— Tu peux pas comprendre, tu fais juste vendre des tickets de métro.

Bouboule accéléra le pas pour ne pas envoyer chier sa sœur, qui la trouva bien susceptible. Les nuages Trépanier passés, Steve reprit sa course au soleil, bardassant un peu son petit monsieur.

— Qu'est-ce que vous aimeriez voir ?

— N'importe quoi.

C'est le genre qui promène son ennui d'un endroit à l'autre sans jamais en venir à bout. Steve pensa sérieusement à le pousser en bas de la falaise, mais l'idée d'avoir une autre contravention le retint. Bon joueur, il montra tout ce qu'il y a voir à l'Alcazaba, du jardin aux collections d'armes et de porcelaine, de quoi en exciter plus d'un, mais la figure du petit monsieur tout seul resta impassible. Ça devait au moins lui ouvrir l'appétit ! « Ah, j'ai une barre tendre granola. » Venir en Espagne pour manger des graines ? Impensable ! « Suivez-moi : je vas vous emmener à une bonne place. »

* * *

Hélène se remettait de ses émotions vécues dans la charmante église Santiago, qui compensait quasiment pour la cathédrale, « vous trouvez pas ? » Ses amis n'y avaient rien vu de fameux. Lassée, Lise demanda la gourde d'eau à son chum, qui lui chuchota un peu fort qu'on pourrait bien passer au vin, « le Christ en buvait ben ». Madame Bruchesi marchait un rien en retrait, se maudissant d'avoir accepté de suivre sa coloc en un itinéraire « amoureusement choisi et non pas la vulgaire route commerciale qu'on trouve dans tous les guides de voyage». Madame Bruchesi trouvait qu'il y avait beaucoup de vieilles bâtisses:

— Ça devait être beau quand c'était neuf.

— Franchement! la réprimanda Hélène, l'encourageant à apprécier «cet exquis crépi sur la brique».

— Je trouverais ça plus beau un café.

— Il est trop tôt pour penser se goinfrer, nous sommes à côté du Musée Picasso!

— Eurk, pas lui! C'est pas un vrai artiste, il sait même pas mettre les yeux à la bonne place.

— On ne dit pas des choses comme ça, voyons! rougit Hélène, honteuse, espérant que personne ne parlait français autour.

— J'ai le droit de dire que je trouve pas ça beau!

Ou qu'elle préférait le peintre qui faisait des tableaux avec des parapluies et des foulards qui volent. Oh, oui, s'émerveillèrent les Cousineau, comment il s'appelait déjà, lui? Leur fille en avait un dans son salon. Hélène les trouvait triviaux, se désolant de la fermeture du Musée des poupées, qui les aurait sûrement divertis. «Pas autant que le Musée du sexe à Amsterdam, commenta Robert Cousineau. Y avait des accessoires de tous les pays, y avaient les moyens de s'amuser au Moyen Âge!» Mam'Bi rigola avec lui malgré le grand «Sshhh» de désapprobation d'Hélène, qui néanmoins céda à l'appel de l'estomac. Elle avait déniché un restaurant typique «à deux pas d'ici».

Deux kilomètres plus tard, le restaurant typique était plein à craquer et madame Bruchesi en avait ras le pompon. Elle s'écrasa à la terrasse ombragée du resto d'en face, même si Hélène s'en méfiait. «Je m'en crisse, un café, c'est un café!» tonna madame Bruchesi. Et ça, même le serveur qui ne parlait pas français le comprenait. Les Cousineau trouvèrent le menu inspirant, Hélène leur demanda de commander pour elle « une simple salade sans chichi » (payée trois fois le prix). Avec tout ça, il était déjà midi et elle avait un appel important à faire. Elle se retira à l'écart de l'animation pour bien se faire entendre. Madame Bruchesi en profita pour dire aux Cousineau qu'elle prendrait l'après-midi pour visiter de son bord « si ça vous dérange pas ». Shit ! Robert Cousineau commanda une bouteille en prévision du calvaire à venir.

* * *

Ainsi donc c'était ça, des tapas ! Le petit monsieur tout seul avait goûté une fois à des tacos « un peu piquants » et en était resté traumatisé. Mais là il nettoyait de son pain l'huile des olives tièdes explosant de saveur, finit la dernière crevette à l'ail, s'étonnant encore du bœuf aux épices « qui font pas peur », et se lécha les babines en terminant les fèves sautées avec du jambon salé. Fier de son coup, Steve en oubliait temporairement ses cent vingt-trois euros de contravention : oui, ses repas avec des clients étaient remboursés, mais faire tomber des pans de méfiance et d'ignorance restait hors de prix. Bien manger restait l'un des grands plaisirs de la vie. « Ça bat la cafétéria de l'usine ! » Ah, bon ? Steve l'avait cru joyeux retraité, mais il s'ennuyait trop à la maison : « Ils trouvaient personne d'assez patient pour me remplacer sur ma machine. Comme je la connaissais, ben, je suis retourné. » En plus, il faisait partie de deux ligues de bowling différentes. D'ailleurs, la connaissait-il, celle-là ? « C'est une fois deux Chinois qui jouent aux quilles. Le premier fait un abat ! L'autre crie : Wow, c'est beau, Ling ! » Il la riait encore. Steve s'excusa de lui redemander son prénom.

— Moi, c'est Guy.

— Moi, je suis gai.

Guy avait un oncle de même, on disait vieux garçon par chez eux. Il jouait au bridge avec sa grand-mère en Abitibi pis... Steve l'interrompit: « C'est votre temps libre qui commence ! » Son client restait là, les bras ballants, ne sachant trop à quoi s'intéresser, n'aimant ni les musées ni les magasins (il portait d'ailleurs encore le même chandail qu'au premier jour). Steve lui proposa l'aquarium et, comme Guy trouvait les poissons sympathiques en général, il lui indiqua son chemin sur sa carte. « Le numéro 9, à deux pas de la gare, c'est facile. » Guy tenait son plan de la ville dans le mauvais sens, mais une fois bien aligné les poissons n'attendaient que lui (et le reconnaîtraient à l'odeur).

Il partit d'un pas lent et se retourna pour le saluer : « Merci encore pour les tapettes ! » Steve rit du lapsus. Bon ! Et maintenant y avait-il un ours dans la ville ?

* * *

L'Europe, c'est donc plus beau en vrai ! Attablée à une terrasse, devant un bol de chocolat noir et des churros encore tièdes, madame Bruchesi savourait la sainte paix. Sans Hélène pour lui dire quoi voir et aimer, elle s'adonnait à son grand plaisir : regarder le monde vivre. Passaient et se dépassaient des couples plutôt jeunes, victimes du chômage endémique ; des mémés plutôt chics avec des gamins aux trousses, quelques hommes à la conversation animée (ils devaient parler de sport, quoi d'autre anime autant les hommes ?). Des étudiantes en uniforme lui firent penser à ses petites filles lorsqu'un cri enjoué la fit se retourner : « Salut Mam'Bi ! » Cassandra enlaçait son homme qui roulait le petit, endormi à l'ombre de l'auvent de sa poussette, couvant les sacs déposés dans le panier sous lui.

— Y a l'air d'un ange !

— J'ai des trucs pour le calmer, se vanta Yann.

— C'est fini, ça, il dort de sa fatigue naturelle, fit sa blonde, flattant tour à tour les cheveux fous de son petit et la barbe de son homme.

Madame Bruchesi envia son bonheur. Elle repensa à l'engueulade qui avait mené à son départ du Québec, mais elle n'avait pas échangé un seul mot avec son mari depuis : elle n'avait pas fini de réfléchir.

Elle offrit à la petite famille de se joindre à elle et de goûter ses « pénis trempés dans le chocolat ». Yeux rougis, sourire béat du gars ayant fumé, Yann croqua goulûment dans le churro tendu. « Écœurant ! » Sa blonde en fit autant, ils commandèrent leur ration. Servis illico, ils savourèrent à leur tour le défilé d'humanité lorsqu'un appel sur son cell fit sursauter Yann. Il s'écarta de l'animation pour mieux entendre ; la bouche pleine de churros, Cassandra raconta à leur amie leur visite du Musée interactif de la musique, recommandé pour les enfants, « avec plein de pitons à peser », mais y avait aussi plein d'enfants pour les mêmes pitons, que son colosse tassait parfois cavalièrement – « Doux, Eddy, doux » – ; Yann fut pour sa part « full fru » de ne pas pouvoir jouer des instruments de musique anciens, tous cachés derrière des vitres. « Full agace ! » Au moins, sourit Cass, dans les magasins, on peut toucher ! « Avez-vous vu ? » Elle lui montra un super beau top qu'elle s'était acheté pour presque rien, mais elle avait manqué de temps pour essayer des sous-vêtements, son gars ayant eu une rage de tablette en plein commerce. La honte ! Madame Bruchesi lui proposa de garder le petit pour qu'elle aille voir sa « boutique de brassières ». « Ça vous dérange pas ? » Pas une miette et pas une seconde d'hésitation.

Cassandra fila se contenter, Mam'Bi caressa la tête d'Eddy dorénavant sous sa protection. Elle eut droit à plus de sourires encore des passants. Elle aimerait voir plus souvent ses petits-enfants, si ça ne signifiait voir la bru et le gendre tapon qui venaient avec. Deux de ses enfants étaient mal casés à ses yeux, deux solitudes s'accommodant de quelques plaisirs communs de moins en moins fréquents, n'arrivant plus à fondre l'animosité et la tension grandissant entre eux. Son fils acariâtre l'en avait d'ailleurs blâmée : « Toute notre enfance, toi pis papa, vous vous chicaniez. On a reproduit ce qu'on a connu. » C'est faux ! Elle et son homme avaient toujours été un peu volcaniques, mais ils s'aimaient à la vie à la mort. Si c'était pas de ce damné cancer… « Et de ta maudite tête de cochon ! »

Elle avait parlé à voix haute, réveillant Eddy. Ne voyant d'abord ni ses parents ni sa tablette à portée de main, il eut pour premier réflexe de hurler son désaccord. Mais la madame des derniers jours lui présenta pour l'amadouer ce délice des jours de fête : du chocolat ! On ne lui en donnait jamais, ça l'excitait trop, mais là, la madame lui en redonnait tant qu'il en voulait. « Mon gros cochon, t'aimes ça, le chocolat, hein. » Oh oui ! C'est de famille.

Yann revint, fébrile, et voulut commander du vin pour fêter « ça ». Mimi Bi lui fit connaître le vin de Malaga. « C'est mon mari qui paye ! » L'amertume et les regrets s'évanouirent dès la première gorgée.

* * *

Une heure perdue à chercher un poilu. Ce sexe *fast food* commençait à lui tomber sur le cœur, mais à défaut de rencontrer l'âme sœur les fling-flang fraternels contentaient son homme. Il n'avait jamais aimé attendre le soir pour sortir et espérer entrer dans l'intimité d'autrui. Les voyages renforçaient cette préférence : les matins sont idéaux pour ne pas se taper les files d'attente aux attractions populaires. « Bel argument de vieux ! lui avait souligné son amie.

Si tu l'acceptais, tu serais moins désespérément à la recherche d'un père pour faire la paire. » Elle se trouvait donc intelligente (le problème, c'est qu'elle l'était).

Après de faux espoirs et des mecs remettant le truc à la semaine des quatre jeudis, Steve fit *fuck off le gaydar* et se concentra sur l'art.

À sa dernière visite à la Costa del Sol, le musée Carmen Thyssen était en réfection, il s'était promis de se reprendre. Tel un ovni posé au cœur d'une vieille place, ce cube ivoire du savoir s'ouvrait sur un large hall. Les Cousineau terminaient leur visite avec Hélène, s'étranglant quasiment de surprise de le voir ici :

— Vous vous intéressez aux musées ?

— L'Europe en regorge, ce serait un outrage de ne pas s'y attarder un peu.

Pfeuh ! elle se doutait bien qu'il était venu seulement se rafraîchir à l'air climatisé. Elle avait a-do-ré l'exposition permanente qui montrait la vie des « Costa del soliens » à différentes époques, de l'occupation arabe à aujourd'hui, autant les cultivateurs que les bourgeois, autant les fêtes populaires que les rituels saisonniers. « Ça nous aide à mieux comprendre ce beau coin de pays. Voilà des informations pertinentes à donner aux clients... » Steve remarqua la pointe de sarcasme, Lise souligna surtout que visiter, ça donnait mal aux pieds ! Repue de sa journée, elle fit comprendre à son mari qu'ils allaient rentrer, n'est-ce pas chéri ? Robert était plus que ravi de lui obéir et de déguerpir, mais Hélène s'en désola :

— Vous ne viendrez pas au Musée de la Confrérie de l'Expiation ? Il n'est ouvert que quelques semaines dans l'année !

— Prenez des photos, vous nous les montrerez au souper, hein ?

C'était un compromis honorable, Hélène embrassa avec effusion ses amis, Steve ne put s'empêcher de remarquer la grimace écœurée de Lise.

À son corps défendant, Steve dut admettre qu'Hélène avait raison : à trop courir les chefs-d'œuvre, on oublie que des maîtres locaux racontaient mieux que quiconque la grande Histoire du petit monde. Du lot, Steve préférait les personnages secondaires des toiles qui semblaient toujours avoir le temps de vivre : on y devinait les amours qui avaient cours dans les arrière-cours, loin des poses officielles des dignitaires en avant-plan.

Justement, au détour d'une salle, un gardien de sécurité lui fit de l'œil – la bonne vieille façon de rencontrer quelqu'un ! Les numéros furent échangés – à ce soir au bar Emoticones ? Une drag d'Amsterdam y chantait pour vrai, pas juste un servile *lipsynch*, et paraît-il qu'elle était formidable.

* * *

Madame Bruchesi s'était dépêchée pour revenir à l'hôtel la première, histoire de profiter de la salle de bain à son aise. Elle tassa les cinq trousses de cosmétiques d'Hélène, ferma celle d'où s'échappait un parfum fleuri qui lui faisait lever le cœur. La douche débordait aussi de fioles et de shampoings nourrissants. Depuis quand les cheveux avaient faim ? Le jet puissant de la douche fit un grand bien à Yvonna, qui sortit de sa valise le Ziploc mauve clair, une de ses robes de soirée *casual*, puis s'étendit les jambes cinq minutes, qui devinrent une heure d'un profond sommeil réparateur. En rêve, elle rejoignit son mari à la maison ancestrale de Charlevoix. Les enfants encore petits les attendaient dans la voiture pour aller à la plage de Saint-Irénée, mais, pour une niaiserie, ils se chicanaient. Elle volait au-dessus de la table et il lui demandait de redescendre, de cesser ses excentricités. Yvonna Bruchesi retomba sur le plancher des vaches lorsqu'Hélène revint à la chambre, claquant la porte en coup de vent, trempée par une pluie soudaine. « Quand ils disent 10 % de probabilité d'averse, pourquoi ça tombe toujours sur moi ? » Madame B. mit un moment à retrouver ses esprits, mais voir Hélène se délester devant elle de ses vêtements trempés accéléra la chose. Sa coloc toussotait, renâclait, gémissait, certaine d'avoir déjà attrapé une pneumonie mortelle. Crève donc, pensa madame Bruchesi, et elle descendit aussitôt à l'un des bars de l'hôtel : les deux pour un commençaient !

« *Fraulein Bibi !* » Les Allemands d'hier y trinquaient déjà, et chacun sortit son anglais rudimentaire pour se raconter sa journée respective. Pour eux, une décevante équipée vers Gibraltar où, mis à part la roche, le grand *highlight* s'avéra deux singes qui se masturbaient devant les touristes hilares. À preuve, une vidéo des singes exhibitionnistes faisait le tour des clients au bar, dont les fumeurs de ce matin :

— Fumer, boire : vous avez tous les vices !

— Si on pouvait baiser autant qu'avant !

Madame Bruchesi aimait les gens pas compliqués, ça l'aidait à oublier les complications de la vie. Elle regarda avec eux les singes s'astiquer le manche et ils convinrent de souper ensemble. Mais on avait le temps de prendre un dernier deux pour un, non ? Certainement ! Appréciant le doux engourdissement de l'alcool, elle fit un calcul rapide du décalage horaire : son mari devait avoir terminé sa partie de golf matinale avec sa gang de chums, si ça se trouve, lui aussi trinquait au dix-neuvième trou. Elle fit un tchin-tchin muet à distance. À ta santé, mon homme.

Dans une robe qu'elle croyait chic mais qui accentuait son côté coincé, Hélène fit par deux fois le tour de l'immense salle à manger, telle une surveillante de réfectoire. Elle se désola de ne pas trouver ses meilleurs amis les Cousineau, mais se consola auprès d'autres Boute-en-train. Elle monopolisa la conversation, leur apprenant tout ce qu'elle savait sur la région ; ils la trouvèrent « donc ben renseignée », elle dit modestement qu'elle avait la passion d'apprendre. « C'est naturel chez moi. » N'avait-elle pas remporté le premier prix à un concours oratoire du Club optimiste, à six ans, imaginez ! Une fable de La Fontaine. « Je vous en fais un petit bout ? » Elle démarra *Perrette et le pot au lait*, mais s'arrêta dans son élan, voyant entrer un homme tout dégoulinant de pluie, l'œil inquiet. « C'est l'un des nôtres ! » Hélène accourut à sa rescousse, vite ! Les Boute-en-train se sauvèrent par l'autre porte.

Guy s'était lui aussi fait prendre par la pluie. Hélène emprunta une serviette de table pour lui éponger le visage :

— Pauvre vous ! Vous étiez seul pour visiter ? Fallait me le dire ! On vous aurait embarqué avec nous !

— Non, non, j'étais avec Steve, mais il avait d'autres choses à voir.

— Il vous a abandonné ?

Quelle lâcheté ! Guy précisa qu'après l'aquarium il était entré dans un terminus d'autobus tout à côté et avait pris le premier bus venu.

— Nous avons voyagé en train de surface, pourquoi l'autobus ?

— Je trouvais que ça se ressemblait.

Hélène reconnut en lui tous les timides et derniers de classe manquant de confiance ou de génie, mais n'en blâma pas moins leur accompagnateur : on ne laissait pas les « petits pas fins » seuls dans une grande ville ! Elle se fit un devoir d'accompagner le pauvre hère jusqu'aux ascenseurs :

— Prenez le temps de vous changer, la salle est ouverte jusqu'à vingt heures. Avez-vous un petit plat préféré ?

— Le poulet, si y est pas épicé.

— Je vous en garde une portion au chaud.

Le petit poulet mis de côté pour le petit monsieur, Hélène s'installa à l'entrée de la salle à manger, saluant chacun des « siens » à leur arrivée, s'informant de leur journée et leur racontant la triste mésaventure de son ami Guy : abandonné sous l'orage, il avait été à deux doigts de se faire agresser. (C'était sa petite touche personnelle pour pimenter l'histoire). « Et pendant ce temps notre accompagnateur flânait dans les ruelles ! » Tous en étaient bien étonnés, Hélène s'en disait bien peinée. Elle accueillit sans les juger la gang de fumeurs alcooliques déjà trop bruyants, acoquinés à des Allemands sans envergure, et sa coloc qui riait pour des niaiseries. Apprenant la tragédie de Guy, madame Bruchesi s'esclaffa. « Pauvre ti-pit ! C'était à lui de demander son chemin. Avec une langue, on va partout ! » Hélène lui pardonna son manque d'altruisme, c'était la boisson.

Steve avait texté au guide du musée pour confirmer leur rendez-vous, mais n'obtint point de confirmation : c'était souvent ainsi, difficile de s'engager pour la vie, à quoi bon pour un flirt !

Lorsqu'il entra dans la salle à manger, parfumé, la chemise à peine boutonnée (franchement !), Hélène bondit sur lui comme un fauve sur sa proie :

— Le pauvre Guy a failli mourir à cause de vous !

— Pardon ?

Elle lui fit le récit de la traversée d'horreur de Guy, maintenant quasi mourant d'un typhus contracté sous la tempête tropicale. Steve balbutia qu'il lui avait bien montré – deux fois plutôt qu'une – où était la gare du Cercanía sur la carte, à deux coins de rue de l'aquarium, mais Hélène l'accusa de ne pas l'y avoir accompagné. Avait-il quelque chose contre les poissons ?

Avec calme, Steve rétorqua qu'il ne pouvait être partout et l'abandonna à sa quête de perfection. Il s'engouffra dans la salle à manger salué par un cri joyeux. « Notre beau Steve d'amour, viens que je te présente ! Les Allemands sont jaloux, y ont un gros tapon comme guide. » Hélène remarqua qu'ils avaient déjà DEUX bouteilles de vin ouvertes en MÊME temps à leur table. Et ça mettait du ketchup sur tout ! Elle monta à sa chambre se renseigner davantage sur l'origine volcanique de la sierra.

Seul, à une table au fond, Guy mastiquait son poulet.

* * *

Sa *run* complétée, les voyageurs reconduits aux différents hôtels, Javier s'accorda une bière avant de rentrer à la maison. Il connaissait le secteur Nogalera par cœur pour y avoir travaillé, aimant la nuit et ses amants de passage. Mais la fête fit son temps. Chaque fois qu'il fermait d'un grillage son bar Emoticones, allant retrouver le soleil timide de l'aube, Javier se demandait pourquoi il fuyait le jour. Son père s'était levé immanquablement pour la traite des bêtes et la culture des champs ; cette vie avait paru abrutissante à l'enfant, jamais il ne serait prisonnier de la terre. Il avait fui ses racines en dévorant des kilomètres de route, puis avait fait de la nuit son terrain de rébellion. Mais alors que son père récoltait les fruits de son travail, le fils se butait souvent à des épaves de solitude, telles des pierres émergeant des sillons, des malheurs roulés en boule, balbutiant dans les rues voisines, soûls, *stone.* Vint un moment où Javier se sentit en partie responsable de leur détresse, y entendant l'écho de sa propre peine, qu'il taisait sous des décibels constants de musique. Il vendit alors son recoin de nuit à un jeune entrepreneur hollandais qui pouvait sous le soleil espagnol devenir la femme qu'il rêvait d'être. Javier repartit sous d'autres cieux chercher son bonheur, mais avait l'impression de tourner en rond comme un chien qui court après sa queue. Depuis que les téléphones étaient intelligents, les gens se faisaient stupides; oubliant que parler se faisait avec la bouche, ils se textaient des mots tronqués et n'avaient que des «fuck yeah!» à dire lorsqu'ils jouissaient. Les gais cultivés et politisés semblaient une race en voie d'extinction.

N'allez pas croire que Javier était amer.

Seulement lucide.

À cinquante et un ans, Javier était de cette génération qui fit ses premières découvertes dans la peur de mourir par le sexe. On ne vivait pas vieux si l'on avait le malheur d'être gai. Ado, il fallait conjuguer avec le trouble des sentiments naissants, mesurer la dangerosité de chaque attouchement, tout en voulant s'abandonner dans des gestes condamnés par nos pères et l'Église. Et lorsque, ô beau miracle, le beau se pointait, on bâtissait une relation tendre avec cet être choisi où la confiance gagnée et acquise permettait de cesser les protections élémentaires: passé l'étape de la capote, on pouvait s'ouvrir corps et âme. Mais l'homme, volatil par essence, partait trop vite sous d'autres cieux. Après la chute, souvent bien arrosée, Javier redevenait disponible, tâchant de taire peur et dégoût. Car, oui, il avait fui les figures malades ; oui, la facilité du sexe l'avait écœuré de lui-même. Et voilà, des années plus tard, ayant réappris à s'aimer, il voyait les ravages du crystal, transformant certains gais en zombies ayant faim de chair humaine. Le sexe était devenu la seule obsession, Big Brother l'avait remporté. Le contrôle des cerveaux n'en était que plus facile : sapées, les rébellions ! On avait beau sans cesse ajouter des lettres à l'acronyme LGBTQA2S jusqu'à Z, la communauté était plus divisée que jamais, chaque minorité se sentait exclue et incomprise, blâmant l'autre de son indifférence à sa différence notable, se refusant parfois à comprendre les racines de son mal-être.

N'allez pas croire que Javier était cynique.

Seulement feeling.

« *Hola ! Cachondo !* » Steve ne s'attendait pas à découvrir le chauffeur ici qui lui offrit la première bière et lui fit la conversation, un peu à l'écart des haut-parleurs qui empêchaient toute introspection. Il parlait vite ; Steve pédalait pour le suivre, son espagnol rouillé par des années de paresse. Plus tranquille, sans malice, Javier ne lui faisait penser à aucun amant passé ; dynamique mais cérébral, Steve ne ressemblait en rien aux conquêtes baraquées du conquistador : ils étaient en terrain vierge à défaut de l'être eux-mêmes.

Au deuxième verre, un rien de prévenance et de gentillesse s'installa, comme lorsqu'on retrouve un vieil ami ; au troisième, un agréable silence confortable espaçait les rires complices. Javier s'esclaffa au récit de la contravention de ce matin. « *Pobrecito !* » Voyant que Steve en était froissé, il lui rappela la panique de ces métiers menacés : les caissières et les téléphonistes avaient déjà été remplacées par l'informatique, les guides touristiques étaient les prochains condamnés, les voyageurs pouvant désormais tout savoir sur des applications à télécharger. Quant aux cent vingt-trois euros, pourquoi Steve n'organisait-il pas lui-même ses excursions ? « *Así guardarás más dinero en ves de dar todo al agencia !* » Javier s'offrit même de louer une minivan ; Steve refusa pour la forme, on ne faisait pas travailler un pur étranger son jour de congé, mais Javier insista, et de sa belle main lui frotta fermement la cuisse pour l'en convaincre. Steve ne put s'empêcher d'avoir une réaction assez forte et visible dans son pantalon. C'était un très bon argument de vente. « Est-ce qu'on va faire un tour ? »

Dans l'air tiède du soir, entre bonnes mains, Steve se laissa guider. Javier connaissait tous les recoins de la Nogalera, moins trépidante qu'à ses belles heures, mais encore gage d'évasion et de rencontres. Il savait où trouver de l'herbe ou du shit qui ne serait pas shooté au fentanyl pour rendre accrocs les clients. Sa sollicitude déstabilisait Steve, hérissé par tant d'histoires de queue sans tête : il existait donc encore des gens gentils ?

Javier l'entraîna dans un autre bar, jadis son compétiteur, maintenant son fournisseur. Accoudé au comptoir du Factory, le gardien du musée, complètement bourré, ne reconnut pas Steve, Javier rigola : le gardien était inscrit dans sa colonne des erreurs à ne pas répéter. Il le mit en garde contre « Dents Croquantes », qui sévissait sur les applications de rencontre, accumulant les victimes. En pleine action, il pouvait couper le sac de couilles d'un seul claquement de dents, étouffer un amant en s'assoyant le cul sur son visage ou trancher l'aorte pour un baiser offert. Dents Croquantes changeait la photo de son profil, comme il changeait de téléphone, pour éviter d'être repéré, mais se reconnaissait à la fausseté de son sourire blanchi. Alerté, Steve révisa mentalement les mecs avec qui il avait pris contact, avant de comprendre que Javier le faisait marcher. Ils partagèrent un premier joint.

Le bonheur en boucane !

L'animation ne faiblissait pas dans la rue San Miguel. Bientôt vingt-trois heures, la fameuse « drag queen qui chante pour vrai » chanterait sous peu. Demi-tour ? Ou bien…

Ou bien ça.

Les Français disent « rouler une pelle » pour ce que nous appelons des frenchs cochons, comment ça se disait en espagnol encore ? Steve avait oublié le mot, mais pas la manière ; Javier y mit fin, n'aimant pas tout dévoiler aux inconnus, pour lui, les amants avaient intérêt à garder leur mystère. Il avait stationné le bus au marché municipal, aux portes de la ville, et se devait de rentrer pour une bonne nuit de sommeil, mais Steve s'enhardit. « On descend-tu la côte ensemble ? »

Son amie dirait que descendre la côte est une belle analogie pour vieillir, mais il n'était pas rendu là. Déjà l'invitation à l'hôtel lui parut rapide mais irrésistible. Le bruit des vagues accompagna les frôlements et caresses de cette furieuse rencontre, du sexe long métrage et non pas un court clip à la va-vite, avec des arrêts en gros plan pour bien prendre conscience de ce qu'il tenait entre les mains : toute une pièce d'homme. « *Calmate !* » lui rappela plus d'une fois le chauffeur, l'enjoignant à ralentir le rythme un peu affolé de ces mains qui couraient trop vite sur lui, témoins fidèles des pensées tourbillonnantes. Steve se calma, fit le vide en en ayant plein les bras, savoura chacune des étapes, car ils firent deux pauses avant la grande explosion plutôt sonore.

Javier resta à dormir, repu et en paix ; Steve trouvait que leurs corps s'emboîtaient bien. Ça pourrait vouloir dire quelque chose.

Jeudi 30 mars 2017 – Mijas

Où l'on retrouve madame Bruchesi en kangourou à dos d'âne et Hélène en calvaire

Cohue ce matin à la réception: des Boute-en-train demandaient à changer de chambre, car encore cette nuit, on égorgeait un enfant à l'étage. Dépassée par la grogne, la demoiselle à la réception ne pouvait rien faire avant l'arrivée du gérant. *No, no, now, now!* insista le bilingue de la gang, d'autant plus que sortit alors de l'ascenseur le petit monstre en question. Les Boute-en-train se turent un instant, les parents en short et camisole assortie tranchaient sur leur mer de rides. Cassandra avait proposé à Eddy d'aller jouer dans les vagues tout de suite, pour lui faire oublier son obsession pour sa tablette. Muet, encore remué d'une nuit traversée de crises, le père fermait la marche. Aucun Boute-en-train n'osa se plaindre à eux directement, compatissant un peu pour leurs problèmes d'éducation, mais pas au point de les laisser gâcher LEURS vacances! Quelle idée aussi de venir sevrer un *kid* ici! N'auraient-ils pas dû l'étourdir à Disney comme les familles normales? La réceptionniste avait tout bien noté. « *We'll be back.* » Les Boute-en-train allèrent en parler à Lise Cousineau à la salle à manger, qui leur assura que Steve réglerait tout.

Steve avait dormi sur ses deux oreilles, pelotonné au creux des bras de Javier, et se réveilla surpris, la tiédeur des corps au matin étant bien plus intime que bien des échanges sexuels. Il n'osa d'abord se déprendre de cette douce étreinte: il était rare qu'il revoyait le même amant. Pourquoi s'attarder lorsqu'on doit repartir la semaine suivante ? Pourquoi s'émouvoir d'une mâchoire au repos, de cheveux poivre et sel ébouriffés, de ces avant-bras velus appelant la récompense et de cette cuisse massive sortie des draps ?

— Bonjour, *mi amor*, lui chuchota malicieusement Javier en ouvrant les yeux.

— Ben là, *come on !* fit Steve en se décollant aussitôt et en bondissant hors du lit.

Javier ignorait combien les termes affectueux effrayaient Steve, déjà réfugié sous la douche, prétextant que son groupe l'attendait. Depuis quand était-il pressé de retrouver son monde, lui qui repoussait souvent à la dernière minute ce moment ? Javier n'en rajouta pas, demanda poliment s'il pouvait emprunter son rasoir. De service dans la prochaine heure, il gardait dans sa soute de bus des chemises de rechange, mais fit sa toilette en sifflotant, son beau sexe à l'air, surplombé d'un rien de bedaine. Voyons ! Steve se força à regarder plutôt les carreaux de céramique : moi Québécois, toi Espagnol, nous pas couple, ça finit là, basta !

Ils sortirent discrètement de la chambre, Steve craignant que ses clients, tous sur le même étage, le voient en bonne compagnie. Comme de fait, ils croisèrent les Cousineau déjà revenus de déjeuner pour se brosser les dents avant l'excursion, qu'ils croyaient à huit heures. « Fiou ! on est pas en retard ! » À Lise, curieuse comme dix, Steve présenta leur chauffeur de l'excursion de samedi :

— Vous vous souvenez de lui, on l'a vu à l'aéroport.

— Qui donc pourrait oublier Javier ? lui dit-elle avec des yeux trop gentils posés sur eux.

Gêné, Steve bredouilla qu'il devait y aller, par l'escalier de secours pour éviter les ascenseurs bondés du matin. Hum, hum, bien sûr…

« *Hola capitan! Que tal?* » Accolades, poignées de main senties, sourire désarmant d'un homme qui connaissait sa valeur : Javier semblait connaître serveurs et maître d'hôtel depuis toujours. C'était en fait la complicité du personnel de l'industrie touristique, voyant le monde venir les visiter, sans avoir les moyens de faire de même. Steve gardait en mémoire cette petite fille de dix ans postée sur un quai perdu au fin fond d'une jungle du Costa Rica : elle tentait désespérément de vendre t-shirts et babioles aux quelques touristes amateurs de beauté sauvage. Au mieux, la fillette aura visité San José, la capitale du pays, rêvant toujours de l'ailleurs devant l'écran jauni d'un vieux téléviseur à la cantine de son village.

Javier se contenta de voler un café et une brioche, regardant Steve à la dérobée. Avec aisance, il papillonnait d'une table de clients à l'autre, jouant à merveille son rôle de fournisseur de beaux souvenirs. « C'est ma job d'être de bonne humeur. » Et celle aussi de régler le problème du jour : bannir le petit monstre mal élevé, déjà de retour de la mer, trop froide, que ses parents laissaient courir dans la salle à manger dans l'espoir de l'épuiser. « Tue-le ou fais de quoi ! » le sommèrent des fumeurs moins allègres que la veille. Oh, merde ! La mission impossible que voilà…

Sur son départ, Javier fut intercepté par les sœurs Trépanier. Nadine le dévorait des yeux, ravie qu'il eût fait un détour pour venir les saluer. « Ben oui, il te voit dans son rétroviseur », marmonna tout bas sa sœur, concentrée sur son deuxième bol de salade de fruits. Nadine parlait la langue des affaires, massacrait celle de Cervantès, mais comprit, enchantée, qu'elle avait un rendez-vous :

— C'est avec lui qu'on part samedi ! On s'en va à Granada !

— Avec vingt autres personnes? Wow, c'est romantique au bout, ton affaire.

— Étouffe-toi donc avec ton orange, lui dit sa sœur froissée, dégustant son café encore plus savoureux depuis que Javier avait posé ses yeux dessus.

Yann et Cassandra étaient ravis de le voir se joindre à eux ce matin. Ils comptaient « rester tranquilles aujourd'hui », pas d'excursion, seulement du soleil et du repos bien mérité.

« Justement, parlant de ça... » Steve tournait autour du pot. Oh, comme il détestait régler des conflits trop personnels au sein de ses groupes ! Sentant son malaise, Yann lui tendit une toast tartinée au chocolat. Offre refusée :

— Du Nutella, j'aime pas ça, ils tuent des gorilles pour le produire.

— Y a des gorilles dans le Nutella? fit, surprise, Cassandra.

— Ou des orangs-outans. Faudrait je vérifie. Sont chassés pour l'huile de palme ou de soya. Pas sûr, ça non plus.

Yann se foutait un peu des gorilles et insista pour qu'il goûte à son chocolat noir, une spécialité locale. « Tu m'en donneras des nouvelles. » Steve n'eut pas le courage de lui déplaire en lui mettant sous le nez ses compétences parentales. Ce soir, au souper, il leur parlerait, promis.

En passant près des Boute-en-train, il mentit en disant que tout était réglé.

* * *

« Nous ne sommes pas beaucoup ce matin pour Mijas... » Hélène trouvait que Steve n'avait pas été assez convaincant avec son programme paresseusement affiché à l'entrée de la salle à manger. Il aurait fallu vendre la destination, Mijas avait tant à offrir ! Gentiment, et ça demandait un effort, Steve précisa à sa cliente :

— En vacances, on n'impose rien à personne. Faire de la plage, y a rien de mal à ça, les lézards et les phoques passent leur vie sur des roches à se faire griller.

— Franchement, je vaux plus qu'une otarie !

Et à ce bel insouciant, ainsi qu'aux amis, elle raconta sa peur farouche du cancer de la peau, domptée par un lot de lotions avant, pendant, après le soleil, qui à ce jour, touchons du bois, l'avait épargnée de la maladie. À la trente-quatrième marche des deux cent trente-deux, Steve se distança d'elle pour sympathiser davantage avec les Lycra.

Propriétaires d'un pet shop, ils en arrachaient depuis l'ouverture d'un mégacentre commercial dans leur quartier. Le commerce en ligne ne leur apparaissait pas une solution, trop petit joueur dans une mer de titres, ils voulaient faire autre chose sans savoir quoi encore. Mais ils devaient faire vite. Ils pouvaient tenir au-delà du printemps, mais passeraient-ils au travers de l'année entière ? Le spectre de la faillite, la pénible vente de fermeture, les Lycra évitaient de s'en parler entre eux et voulaient encore moins embêter les autres avec ça. Déçus de ne pas retrouver la petite famille « rafraîchissante » dans l'équipée ce matin – « On est pas beaucoup de monde dans le groupe qui travaille encore » –, ils marchèrent de leur bord.

À la gare d'autobus, sur une immense carte plastifiée constellée de trous de cigarette, Steve montra à ses clients les différents parcours possibles, si jamais ils décidaient d'explorer par eux-mêmes la région.

« Vous vous débarrasserez pas de nous si facilement ! l'avisa Hélène. Et n'est-ce pas notre bus qui vient ? »

En effet ! Elle pressa les « amis » de la suivre. Elle avait préparé la monnaie exacte, Guy sortit sa poignée de dollars pour payer. « Voyons, vous, cachez ça ! » Qui sait s'il n'y avait pas des brigands à bord du bus ! Elle paya pour lui, l'assurant qu'il ne serait plus jamais seul, l'assoyant aux côtés des Cousineau, qu'elle avait kidnappés pour leur montrer ENFIN ses photos fa-bu-leu-ses du Musée de l'Expiation. « Regardez l'expression de la Vierge ! Et le travail des orfèvres dans les candélabres ! »

Madame Bruchesi avait prévu le coup et s'était échappée à temps de sa chambreuse enquiquineuse. Assise à l'avant, elle portait son nouveau kangourou acheté rue San Miguel en prévision des froids de la montagne, mais comme il faisait déjà 22 beaux degrés sur la route en lacets elle eut vite fait de l'entrouvrir, laissant voir sa blouse fleurie, mais rata de ce fait deux chevaux qui galopaient et auraient fait une mautadine de belle photo.

Steve resta debout à espionner la conversation amoureuse de Mariana y Braulio qui planifiaient leurs vacances d'été. Les sœurs Trépanier sympathisaient avec les Lycra. Nadine vivait seule depuis que son ex l'avait quittée pour une plus jeune « qui a l'air plus vieille que moi » ; Bouboule était veuve de son Michou, chauffeur de truck. Ils avaient emménagé en bordure de l'autoroute métropolitaine, c'était plus pratique pour lui de se rendre aux petites heures aux quatre coins de l'Amérique, alors qu'elle travaillait à deux pas, au métro Crémazie, six pieds sous terre. Coincée à vie dans sa guérite de métro, elle passait huit longues heures à se parler souvent toute seule depuis que les usagers achetaient leur ticket à l'aide des bornes électroniques. Par chance, parfois, une dame voulait savoir « si Laval était bien de ce côté. » Le soir, Chantal regardait la télévision, et au bout de quelques jours sur la route son chum lui ramenait sa dose d'évasion. Des récits et une surprise, allant des premières poires récoltées au Sud, des crevettes de Matane (qui viennent de Sept-Îles) ou des beignes aux patates lorsqu'il passait par Lanaudière. Deux fois l'an, ils partaient en vacances : l'été à Ogunquit, ou à Varadero l'hiver. Sa sœur interrompit sa confession pour préciser aux Lycra : « C'est son premier voyage en Europe. Y était temps qu'elle se déniaise ! » et qu'elle sorte de sa dépression à la suite de la mort de Michou. Un accident bête pendant un voyage de chasse : le VTT qu'il conduisait à toute allure avait glissé, il mourut les côtes fêlées, écrasé par le poids du véhicule. Ses amis de chasse rapportèrent à l'épouse deux lièvres et la confidence suivante : Michou avait expiré dans son dernier souffle : « Chantal… »

Sa voix en tremblait. Elle s'excusa de pleurer par une aussi belle journée, sa sœur lui enserra la main. « Voir autre chose, ça lui fait du bien. »

Et plus jamais Steve ne l'appellerait Bouboule.

Terminus ! Les Québécois descendent !

Une rue étroite s'ouvrait en Y devant eux : d'un côté, un dédale de ruelles aux maisons blanches et aux toits de tuiles rouges ; de l'autre, des escaliers escarpés menant aux sentiers de randonnée. Faites votre choix !

« Nous, on marche ! Bonne journée ! » Les Lycra filèrent sans attendre le reste du groupe. Madame Bruchesi trouvait ça bien épouvantable de se donner du trouble quand « on pouvait marcher sur du plat ». Elle visait les petites boutiques : hier, les Allemands au bar lui avaient dit avoir trouvé ici du miel (ou des marionnettes, elle n'était pas certaine).

Robert Cousineau se voyait déjà gravir la montagne, pas sa femme. « Je me lève le matin, je peux revirer le monde à l'envers ; rendue le soir, je suis pus bonne à rien. » Steve la rassura qu'elle aurait toujours sa verve et son élan. Oh pour ça, vieillir, ça se passait entre les deux oreilles : si, à trente ans, Lise avait braillé, se sentant finie, Robert, maintenant passé les soixante-dix, rêvait de frapper les quatre-vingts ! L'important restait d'avoir de bonnes heures ensemble, et ça, il ne les comptait plus. Lise donna à son mari ses pilules d'arthrite et de pression au cas où ils ne seraient pas revenus pour le dîner.

« Nous serons de retour à midi pile, comptez sur moi ! jura Hélène, prenant Steve à témoin. Nous ne partons pas à l'épouvante, n'est-ce pas ? Vous savez où vous nous emmenez ? » Steve jura que oui, un rien étourdi par le soleil triomphant.

Moins agressives l'une envers l'autre, les sœurs Trépanier avaient besoin de prendre leurs distances. Mijas leur souriait : Nadine adorait la marche, ça faisait des belles fesses, Chantal ne se voyait pas suer au plein soleil, ayant pour projet de s'écraser « avec une vue et un *drink* ». Elle marcherait de concert avec madame Bruchesi et Lise Cousineau, « pourvu qu'on aille pas trop vite ». Salut les explorateurs ! Ciao les magasineuses ! Alors que les deux moitiés de groupe se quittaient, ils virent sur un poteau de téléphone la photo d'un jeune disparu en randonnée le mois dernier. Personne n'en souffla mot.

* * *

La ville de Mijas, accrochée à flanc de montagne, semblait à tout moment vouloir sombrer dans l'océan. Ses rues étroites offraient un peu d'ombre bienvenue, car pas un air de vent ne soufflait en cette chaude matinée. « Maudit kangourou », pestait madame B., le portant à la taille. Lise Cousineau boitait un peu, s'étant fait deux ampoules en autant de jours de marche. « J'aurais dû mettre mes bas supports. » Elles se parlaient ainsi chemin faisant de leurs petits bobos, plaignant les vaillants randonneurs lorsque, tout à coup, elles furent sauvées. « Des tours d'âne pour pas cher ! Ça vaut la peine ! »

Des couvertures aux couleurs de la région empêchaient la selle de glisser ou de heurter l'animal. Madame Bruchesi les trouva surtout assorties à son kangourou qu'elle enfila de nouveau le temps d'une photo. « Comme ça, je l'aurai pas emmené pour rien. » L'œil triste, l'âne de Chantal semblait dépressif, comme ces dauphins captifs de lagons d'hôtels forcés de nager en rond avec des humains. Lise s'abstint, souffrant de vertige, craignant que l'âne ne s'approche trop des précipices en contrebas des remparts. À leur retour, madame Bruchesi lui dit qu'elle avait manqué quelque chose. « Ça faisait des sensations dans le bas ventre, mais c'est peut-être juste parce que j'ai faim. »

* * *

« Quatre kilomètres, y a rien là ! » Laissant la ville en contrebas, les randonneurs s'engagèrent en direction de la petite chapelle du Calvaire « la plus haute de la région » dont on devinait le clocher là-haut entre deux pins rabougris et des bosquets fleuris. En plein maquis méditerranéen, ça sentait la terre sèche, le pin et un je ne sais quoi qui piquait le nez. Steve se sentait surtout heureux sans bon sens. L'ivresse des hauteurs ? Il aurait parié devoir attendre après monsieur Cousineau, mais c'est plutôt Hélène qui traînait de la patte, s'arrêtant à tout venant pour reprendre son souffle, mais jurant que c'était pour lire les pancartes. « Ils ne les ont pas plantées là pour servir de nichoir aux corbeaux ! » Judicieusement placées à tous les demi-kilomètres, les pancartes « pour apprendre des affaires » devinrent les stations de son chemin de croix. Elle en lisait chaque mot, faisant remarquer à ceux qui ne s'y n'intéressaient pas des détails fas-ci-nants : la tradition voulait que les aînés du village montent à la chapelle chaque printemps pour remercier Dieu d'une autre année accordée. Mais pourquoi diable l'avoir placée si loin ? Nadine, voulant marcher d'un bon pas, proposa de les attendre en haut. Monsieur Cousineau et Guy s'offrirent aussitôt de l'escorter. Steve resta seul avec son amie Hélène qui le remercia de savourer avec elle le paysage. « Nous ne sommes pas à la course après tout ! » Elle suait abondamment, son fond de teint lui coulant dans le cou tel un cierge votif, mais rien ne l'empêcherait d'aller voir cette exquise petite chapelle !

— Vous allez souvent à l'église ? lui demanda Steve en chemin.

— Rarement, ils ont trop détourné le message, mais je trouve que ça fait des belles légendes quand même. C'est notre héritage après tout ! On ne va pas le renier, non ?

Normalement, Steve se serait abstenu de répondre, la religion étant un sujet glissant, surtout lorsqu'il fallait gravir un sentier rocailleux. Mais il avoua rêver d'un moratoire de quatre ans où personne ne se disputerait la suprématie de son dieu et que tous se dédieraient plutôt à réparer notre paradis terrestre. Comprenant enfin notre précarité, toutes les armées du monde iraient nettoyer le continent de plastique plutôt que de stériliser des pans de pays par leurs conflits. Et tous les zélotes religieux, plutôt qu'inculquer à leurs enfants la peur de l'autre, les éveilleraient à d'autres réalités par autant de films et de livres. Hélène redécouvrait son ancien élève : l'inculte avait donc une âme ?

Il lui apprit que l'insulte *faggots* venait des fagots placés sous les hérétiques gais pour les brûler vifs. Elle surenchérit sur les pauvres sages-femmes, esprits libres taxés de sorcières, et tuées elles aussi. « Mais parlons plutôt de choses agréables ! »

Rien ne lui vint à l'esprit.

La marche rendit le silence plus confortable entre eux, Hélène s'extasiant à maintes reprises combien il était bon d'avoir de l'horizon, ces bleu ciel et de mer qui s'embrassaient avec des frissons, de fines lignes blanches témoignaient de leur union bien plus que du mouvement des vagues.

La harpie était donc romantique ?

En paix, Steve remercia la providence d'être là. Lui qui voyage sur le bras tendit la main à sa cliente pour l'aider à gravir trois marches sculptées dans le roc. Il fut surpris de la petitesse de ses doigts. Elle laissa échapper un merci reconnaissant puis dévia aussitôt la conversation sur ces exquises fleurs bleues qui tiraient sur le mauve. « Comment s'appellent-elles ? » Avec ce joli prétexte pour reprendre son souffle, elle chercha sur son portable à identifier les jolies fleurs du Bon Dieu, mais achoppa, la communication étant mauvaise en altitude (ou peut-être voulait-elle simplement éviter de payer des frais…). Elle chargea Steve de trouver la réponse pendant qu'elle prenait une photo « pour montrer à nos amies tout ce qu'elles manquent ».

* * *

« Des fleurs en plastique, c'est aussi beau ! » La grotte Virgen de la Peña en est remplie ainsi que de colliers en fleurs de soie délavées par les années, entourant une statuette de sainte Quelquechose, murée derrière un plexiglas. Partout des cierges noircis fondus, dont les cires multicolores formaient un plancher éblouissant… et glissant. « Attention à vos hanches ! J'ai pas envie d'aller rejoindre les pisseuses. » Madame Bruchesi avait détesté les religieuses qui lui avaient enseigné la honte d'être femme :

— Hey ! Toutes leurs maudites saintes étaient soient vierges ou violées. La religion nous donnait aucune chance d'être bien dans notre peau.

— Ma mère m'a toujours dit que la Sainte Vierge, c'était une fille mère comme ma cousine.

— Ta cousine a-tu une grotte à son nom ?

Faisant la joie de ses amies, madame Bruchesi mima ces nonnes qui faisaient du vélo sans selle, pleine d'élans et de visions jouissives. Chantal s'esclaffa, ses rires chassèrent deux dévotes. Tant pis pour elles ! Rire ici lui permettait de ne pas penser à son mari têtu en Amérique, qui n'espérait plus un miracle médical, serein quant à son heure venue. Même si elle ne croyait plus vraiment en Dieu, madame Bruchesi pria un peu pour lui, au cas où.

Lise et Chantal mouraient de faim. Ça tombait bien : au sortir de la grotte, une place à hamburgers n'attendait qu'elles. Avec une terrasse donnant sur la mer !

— Pour moi, c'est sainte Quelquechose qui nous porte chance.

— A va-tu payer pour nous autres ?

Elles s'esclaffèrent en chœur de la vivacité d'esprit de madame Bruchesi. Eh qu'est folle ! Et comme elle a soif ! De la sangria à la santé des femmes libres !

* * *

La route était plus ardue qu'elle ne le croyait, mais Hélène n'abandonnerait pas. « Calvaire ! Je vas l'avoir méritée, ma petite chapelle ! » Hallucinait-elle ou était-ce bien le VIEUX monsieur Cousineau, minuscule vu d'ici, qui lui faisait de gros saluts de là-haut ? « C'est ben eux autres. » Son orgueil fouetté, Hélène reprit la route, regardant sa montre aux cinq minutes, se maudissant de « marcher moins vite quand c'est à pic ». Steve ne la pressait pas, savourant les rares instants de brise, délicieusement en paix avec lui-même. Il croyait bien devoir cette félicité à sa belle soirée en amoureux. Amoureux, woh ! il corrigea son cerveau d'aller trop vite en affaires. Disons plutôt en pays de connaissance, comme si Javier et lui s'étaient connus dans une autre vie… ou avaient celle-ci pour approfondir une curiosité mutuelle.

— Pourquoi vous souriez ? lui demanda Hélène.

— Je trouve que ça sent bon. Le thym sauvage, je pense.

Exactement. Avec la persistance des aiguilles de pin séchées puis un rien d'odeur de transpiration d'Hélène se mêlant à l'âcre de son maquillage. Elle n'osait pas s'essuyer le visage, replaça le bandeau qui lui retenait les cheveux comme une tenniswoman, mais sans la forme. « Quasiment midi… » soupirait-elle, stressée, regardant tour à tour cette maudite chapelle qui la narguait et le village tout en bas.

« Salut ! » Dévalant la côte si ardue, frais comme une rose, les Lycra sifflaient sur le chemin du retour et se vantèrent d'avoir fait une petite boucle supplémentaire de deux kilomètres pour atteindre l'autre sommet.

— Et la chapelle valait le détour ? les pria Hélène.

— Y a rien à voir, fit Miss Lycra. Derrière le grillage, y a juste des graffitis pis une statue cachée dans le noir qui a peur de voir le monde.

La bombe larguée, le couple repartit, gambadant, sautillant de roche en roche comme des boucs de montagne. Hélène était complètement défaite. Lisant sa déconvenue, et son épuisement, Steve proposa à sa cliente de redescendre. Elle se braqua :

— Jamais de la vie ! Tous les voyageurs vont me demander ce que j'ai pensé de la chapelle !

— On peut dire qu'on y est allés, je vous stoolerai pas…

— C'est bien votre génération, ça, de faire les choses à moitié.

— Et la vôtre ? Qui a pas fait l'indépendance, juste d'en parler.

Piquée au vif, Hélène le tassa pour prendre d'assaut le sentier. Elle s'accrocha les mollets au passage dans des arbustes piquants, des roches glissèrent sous son pied droit et la firent trébucher. « Je suis correcte ! » lança-t-elle, orgueilleuse, se relevant, gardant le cap sur cette « câlisse de chapelle à marde ». Sainte Hélène avait-elle vraiment dit ça ? Steve commencerait-il lui aussi à halluciner sous la chaleur ?

* * *

Chantal Trépanier se délectait du meilleur hamburger d'Espagne, et madame Bruchesi la prit en photo, avec des frites de patate douce « pour faire différent ».

« Votre mari voulait pas venir avec vous ? » voulut savoir Lise, intriguée. Mam'Bi n'avait pas trop envie d'en parler. Faisait-elle partie de ce gros contingent de femmes qui voyageaient sans leurs maris, ceux-ci ne s'émerveillant plus de rien, la télé et les écrans d'ordinateur ayant asséché leur curiosité et leur tendresse pour leur douce moitié qui n'occupait plus le quart de leurs pensées ? Faux, archifaux dans son cas.

« Mon mari s'est organisé un voyage de golf avec ses chums en Caroline du Sud. Qu'il coure après sa petite balle blanche. C'est bon de s'ennuyer de l'autre dans un couple. » Ah ça, elles lui donnaient raison !

N'ayant trouvé ni miel ni marionnette, madame B. s'était rabattue sur du vinaigre de vin pour son garçon qui de toute façon ne le trouverait pas bon. (Il n'aimait rien, sinon la critiquer.) Lise déballa un des paquets de turon, friandise locale, sorte de nougat aux amandes qu'elles avaient toutes acheté pour leurs proches. « On va toujours ben y goûter ! » Le turon collait au palais, Lise se cacha pour l'en dégager, mais c'était délicieux, un peu comme la consistance d'un gland mou qu'on mâchouille pour le faire durcir. Chantal rougit, étonnée des propos de la vieille dame. Ah ben là ! Lise ne s'en cacha pas : « La vie, ça se célèbre même à nos âges ! On arrête pas de boire du vin, pourquoi on lâcherait les autres plaisirs ? On a la chance d'avoir tous nos membres, faut que ça serve. Moins longtemps, moins souvent, mais j'aime ça sentir la chaleur de mon homme pressé contre moi. C'est froid longtemps, au Lac-Saint-Jean. C'est pas pour rien qu'on était si peuplé, tous les couples avaient leur camp de pêche ou leur motoneige pour sortir du rang et avoir leur moment d'éternité. Les maudites religions ont démonisé le sexe pour nous rendre malheureux. De même, y nous contrôlaient mieux. » Chantal reprit un autre morceau de nougat, et effectivement ça lui rappelait un bon bout de son Michou. Lise conseilla de laisser ramollir la friandise doucement, de la gorger de salive, de la presser entre la langue et le palais puis de mordre dedans une fois bien molle, faisant exploser les goûts de la pâte sucrée. « Coudonc, ça a ben l'air cochon ! » Madame Bruchesi voulut essayer ça elle aussi ! Elles étaient ravies de leur matinée. « Une journée sans achat, c'est une journée sans soleil. » En repartant, ses sacs lui parurent un peu pesants. Lise s'en désola : « Si mon mari était avec nous, il vous aurait traîné ça. » C'est pratique un homme, des fois.

* * *

Robert Cousineau laissait toujours sa femme décider car elle avait souvent raison. Ils ne perdaient aucune minute à s'engueuler et discutaient pendant des heures, les années s'étant écoulées dans la parole libre et célébrée. Bien trop vite ! On ne le dira jamais assez à ces ados qui se morfondaient et glandaient sur le Net. Oh s'ils savaient ! Ils couraient eux aussi après chaque occasion inédite, chaque envie de l'autre à satisfaire – un repas improvisé, un spectacle, une marche au parc et deux virées par année pour parcourir le monde, jadis en sac à dos, pour l'heure, en valise à roulettes. Robert était reconnaissant de l'énergie de Lise et de son flair à ce jour. Elle avait encore tapé dans le mille avec la Costa del Sol : la variété des lieux visités l'enchantait et arrivait presque à lui faire oublier ce Nouveau Monde sabordé. Leurs idéaux mis en branle furent torpillés comme les premières autos électriques, car les bonzes du pétrole régnaient sur l'ordre du jour de sa nation. Était-il le seul à se méfier des premiers ministres souriants qui maîtrisaient l'art du *selfie* et du détournement de priorité, ayant les mains liées par les mêmes intérêts et clans mafieux qui les finançaient ? Où s'en étaient allés tous ceux qui rêvaient comme lui d'une société différente ? Divisés et montés les uns contre les autres.

Robert s'efforça d'oublier le pays quitté pour revenir au fameux moment présent, comme lui rappelait sans cesse sa Lise-madame-chasse-regrets.

À l'ombre de la chapelle, il reluqua la jolie femme d'affaires qui lisait un livre de poche, ses mamelons tendant joliment son t-shirt. Robert reconnaissait en elle ces universitaires fières et farouches qui aimaient bien s'éclater la nuit tombée, il sait, il partage sa vie avec une forte tête. Il aurait aimé pouvoir en jaser avec Guy, mais gardait une distance appréciable avec lui car il sentait fort, comme si la douche de sa chambre était brisée depuis leur arrivée. On devrait dire aux gens qu'ils puent ou qu'ils sont cons comme des balais. Robert demanderait à sa femme de s'en charger.

« Oh ! Comme c'est exquis ! Quelle éblouissante vue, on se croirait à l'Olympe ! » Dès son arrivée, Hélène en fit des tonnes. Elle refusa la gourde d'eau tendue par Nadine tant elle avait soif de beauté et alla illico s'extasier devant la petite chapelle. Elle se pâma sur les « merveilles » de l'ouvrage : le petit toit en ardoise (aux vingt tuiles manquantes), la croix ouvragée (rouillée), l'exquis portail (cadenassé), les petits bancs sculptés à la main (tapissés de toiles d'araignée) et le plancher de tuiles du pays (jonché de détritus, de condoms souillés et de feuilles mortes). Elle prit en photo la chapelle sous son meilleur angle (il lui fallut chercher longtemps) afin de montrer aux trois païennes restées en bas ce modeste hommage au Créateur qui disait l'amour de l'ouvrage bien fait.

Heureux de voir son ami Steve, Guy vint valider avec lui si les villes qu'il apercevait en contrebas étaient au programme :

— C'est Séville ou Granada, ça ?

— Ni un ni l'autre ! Granada, c'est vers l'est, en s'enfonçant dans les montagnes. Ça, c'est Marbella, je pense.

— Vous pensez mais vous n'êtes jamais sûr de rien, lui reprocha « gentiment » Hélène, son naturel chiant revenu au galop. Moi, lorsque j'enseignais, je révisais mes notes avant chaque cours.

Et vous les récitiez de façon monocorde, se souvenait Steve, s'abstenant de commenter, amorçant plutôt le retour.

« Prenez garde à vos mollets, la côte est plus raide en descendant ! » Monsieur Cousineau ouvrit la marche, fier de pouvoir en montrer aux plus jeunes, mais Hélène retint Steve un instant en s'excusant aux amis. « On vous rejoint ! Une petite urgence. » Même les grandes dames ont des besoins pressants, pensa Guy. Mais Robert fit rigoler Nadine en insinuant qu'elle voulait plutôt se perdre dans les buissons ardents avec son guide. La descente se fit plus allègre.

Sérieuse comme une papesse, Hélène pria Steve de lui prêter son téléphone :

— Je n'ai aucun signal ici. Je vous rembourserai.

— Pas de problème, j'ai un forfait prépayé !

Elle lui arracha l'appareil des mains tant l'appel pressait. Déjà midi dix !

Un mystérieux amoureux ? Du travail ? Steve s'en foutait un peu, se perdant dans la lecture des graffitis obscènes gravés dans la chapelle, dont d'immenses phallus lui ramenant à l'esprit un certain Javier. C'était quand même un sacré coup ! Il savait bouger, le diable de chauffeur, avec des mains pour vous empoigner et une peau si douce à caresser ! Trahi par son érection, Steve porta son attention sur Hélène, cachée du vent derrière une roche. Son ton d'ordinaire plus cassant se fit enjoué. « Bonjour ! C'est la maman de Fripon. Est-ce que je peux lui parler ? » Fripon ? Steve en oublia aussitôt Javier. Hélène avait donc un amoureux ? « Allô mon beau Fripon ! Ben oui, c'est Lélène ! As-tu mangé le bon miam miam au poulet ? » En fait de clients excentriques, Steve en a entendu des vertes et des pas mûres, mais ronronner à son chat dépassait tout. « Brr... Brr... Gros minou s'ennuie beaucoup, maman Lélène aussi. As-tu fait des belles promenades ? As-tu joué dans la glissade ? » Steve tenta d'étouffer son rire, mais c'était plus fort que lui : l'écho moqueur de ses rires provoqua presque un éboulis de cailloux et emmena l'orage aux yeux d'Hélène, criblant l'impie de haine, coupant court à son appel : « Sois gentil avec tes amis minous, maman t'appelle demain. » Gros bec mouillé qui rajoute à l'hilarité incontrôlable de Steve. Hélène lui lança presque son téléphone par la tête ; n'avait-il jamais vu une mère inquiète avant? Fripon faisait la grève de la faim lorsqu'elle s'absentait trop longtemps ; l'hôtelière lui confirmait qu'il terminait toujours son plat après lui avoir parlé !

— Fripon est à l'hôtel ?

— Je ne suis pas pour le laisser seul à la maison ! Vous ne savez pas ce que c'est faire des sacrifices pour un être aimé. Espèce de mal embouché !

Et sans attendre, elle descendit le chemin en sens inverse. Steve dévalait à sa suite, se répandant en excuses ; mais elle n'en décolérait pas, les sourcils froncés comme des accents circonflexes (ça faisait peur). Ils rejoignirent assez rapidement les trois autres marcheurs, qui faisaient la pause et qu'Hélène bouscula pour les dépasser. À ceux-ci, perplexes, Steve fit une grimace. « Y a rien. »

Hélène stoppa net :

— Il y a que nous avons un inculte et un impoli comme guide !

— Je suis un accompagna...

— Un parasite ! Un paresseux lamentablement mal organisé, méprisant pour le bel âge ! Attendez que je dise à votre agence comment vous m'avez traitée... ce sera votre dernier voyage !

Elle prit la tête du groupe. Personne n'osa rajouter un mot. Yeux rivés sur leurs souliers, le retour à Mijas eut l'air d'une procession funéraire.

* * *

Il avait été convenu que les acheteuses et les marcheurs se texteraient à leur arrivée. Car oui, ils étaient des vieux modernes branchés, madame Bruchesi ayant d'ailleurs déjà posté sur Facebook sa photo avec son âne, meilleure que celle avec ses deux amies, mais elle ne leur avait pas dit.

Lise Cousineau embrassa son mari sur la bouche, le nourrit d'un morceau de turon découpé exprès, deuxième bec plus sucré. Lui ayant ainsi redonné des forces, elle pouvait lui confier ses achats à porter.

Les marcheurs se mouraient de faim, mais refroidis par la tension à couper au couteau, optèrent pour prendre le bus du retour. On pourrait manger aux abords de la piscine. La mégère s'enflamma : « Franchement ! S'écraser sur du ciment pour manger des chips ! Est-ce que notre pseudo-accompagnateur a de meilleures suggestions pour digérer l'affront qu'il m'a fait ? Ou s'il avait prévu se sauver encore de nous cet après-midi ? » Steve balbutia qu'on pourrait aisément filer vers une plage tout bas. Vite, madame Bruchesi et les sœurs Trépanier prirent le premier bus vers l'hôtel sans se faire prier. Guy et les Cousineau se réjouirent de l'idée de Steve et embarquèrent à bord du bus vers Marbella / Cabo del Pino. « Je veux une fenêtre ! » ordonna Hélène, on lui laissa toute la place ; elle grignota une barre protéinée, étant capable de maîtriser ses appétits jusqu'au buffet de ce soir (« Contrairement à certains insatiables que je connais ! » ajouta-t-elle mais on la laissa marmonner dans son coin.) Elle mastiqua sa barre brune et sèche alors que Lise partagea les turons avec les hommes du clan. À Hélène, qui les regardait envieuse, elle en offrit : « Vous êtes certaine que vous en voulez pas ? » Non, mais elle prendrait une gorgée d'eau si c'était pas abuser de sa bonté. Ça aidait à faire passer les idées noires.

En voyant cette plage plus sauvage, sans commerces vulgaires comme ceux jouxtant leur hôtel, Hélène retrouva un semblant de sourire. « Bon, c'est mieux ! » Steve en fut soulagé.

« Y a beaucoup de foin... » se désola Guy devant ces dunes. Mon pauvre ami ! Hélène lui fit la leçon, lui apprenant combien les hôtels et le développement de condos avaient asséché le littoral, appauvri les sols et mis en danger la faune et la flore locale. Guy se sentit presque coupable, pas les Cousineau déjà en route vers l'océan. Le dos détrempé par la cuirette du bus, ils ne souhaitaient qu'une chose : se garrocher à l'eau. Oh, et aussi : « Ramenez-nous des bières, braves hommes ! » lança Lise avant de filer main dans la main avec son homme qui la suivait depuis le premier été de leur rencontre. Vieux fous ! Hélène partit marcher seule de son côté. « Je ne veux pas être cantonnée à un carré de sable, j'aime me perdre dans mes réflexions. » Qu'elle se perde donc pour de bon !

Guy insista pour offrir le dîner à Steve : calmars frais et sangria, ça irait ? Ils allèrent passer la commande au chiringuito, petit casse-croûte en bord de plage.

Lorsqu'ils retrouvèrent les Cousineau, ce fut pour les découvrir flambant nus, les fesses à l'air sur leurs vêtements étalés en couverture de fortune. Le maillot n'avait pas été prévu au départ ce matin et la gêne encore moins. Épuisé malgré sa bravade de « je suis encore capable », Robert dormait paisiblement, la main toujours dans la main de sa Lise. Elle se redressa pour accueillir le lunch et surtout la bière tant attendue. Steve eut un rien de difficulté à se concentrer sur son visage, surpris par l'élongation de ses seins. Il y a longtemps que Lise ne portait plus de brassière, elle l'avait brûlée un samedi sur les plaines d'Abraham dans une grande manifestation féministe ; Robert tenait la pancarte pendant qu'elle scandait des slogans. Son père, machiniste au CN, avait passé sa vie les mains noires de cambouis qu'il lava soigneusement le jour de sa retraite en disant à sa fille : « J'aurais aimé ça, vivre les mains propres. Profite de ta chance, ma fille, étudie. » Ce qui fut fait. Quarante ans d'interventions syndicales plus tard, Lise profitait de sa retraite à plein, donnant encore quelques heures à une maison pour femmes battues à Chicoutimi. Jeune, elle avait pensé qu'une fois la religion chassée de nos vies, ce refuge ne serait plus nécessaire. Hélas ! Lise se désolait de voir débarquer chaque semaine de jeunes filles de seize ans malmenées par leur chum « qui m'aime ; c'est de ma faute, c'est moi qui l'ai poussé à bout ».

Guy n'osait pas non plus déranger l'intimité du vieux couple et grignotait un rien en retrait. Lise lui conseilla vivement d'aller faire trempette, mais il n'aimait pas se baigner en public, honteux sans raison de cicatrices dans le dos causées par un accident du travail, une machine qui avait failli l'avaler tout rond. La compagnie avait été « ben cool » avec lui et lui avait payé des fleurs.

Lise Cousineau entreprit son éducation de citoyen indigné. N'avait-il pas lu *Germinal*? *Le meilleur des mondes ?* Ne connaissait-il pas sa valeur et l'importance de se faire respecter? Euh...

Au bout de ce pique-nique arrosé de bières et sangria, Guy était prêt à poursuivre la compagnie pour négligence criminelle. « Commencez par aller vous baigner ! C'est bon pour tout le monde de se sentir frais. » Le message qu'il puait comme le câlisse avait été passé subtilement. Guy confia à sa conseillère son porte-monnaie, mais n'osa pas la nudité frontale : il se baigna en slip usé, à l'élastique asséché, qui tombait en poche encore moins flatteuse que la peau des fesses qu'il avait peur de montrer.

Par souci d'égalité avec ses clients, Steve pique-niquait nu.

Il reçut un texto bienveillant qu'il lut et relut. Après un holà amical, Javier lui confirmait la location d'une minivan pouvant contenir jusqu'à trente-six passagers ; une ancienne collègue leur servirait de guide officiel sur le site patrimonial, et il les emmènerait à de bonnes tables. Puis trois petits X *para los buenos recuerdos.* Steve dut se retourner sur le ventre pour ne pas trop en dévoiler de son imposante nature. (Oh le vantard !) Intriguée, Lise voulut savoir qui lui écrivait ainsi, il banalisa le tout :

— Oh, c'est juste Javier pour le travail.

— Mais on dirait que ça vous travaille… souligna-t-elle d'un sourire coquin et l'œil allumé.

Rougissant, Steve essaya de s'aplatir davantage dans le sable et de chasser tout soupçon qu'il pouvait y avoir anguille sous roche et intérêt sous un texto :

— C'est juste plaisant d'avoir un allié local.

— Mon Robert était juste une passade le premier été aussi. Mes amies « Folles Alliées » ont failli voter une résolution pour l'évincer de nos soupers ! Un mâle parmi nous, le mal incarné ! Mais il me faisait un bien fou : j'avais la colère moins flamboyante et les convictions plus lumineuses. La doyenne de la gang, une militante des premières heures qui s'était battue pour que les femmes puissent voter, m'avait demandé c'était qui le fameux Robert. « C'est rien », que j'ai répondu.

— Ben regarde aujourd'hui, je suis toute sa vie, fit l'intéressé, réveillé, affamé pigeant une dose de calmars refroidis mais encore bien épicés.

— Mon grand prétentieux, toi !

Lise le bouscula pour rire, il tomba à la renverse et l'entraîna à sa suite. Ils en rirent pour se plaindre aussitôt d'avoir du sable partout. Ils s'époussetèrent l'un et l'autre comme les singes qui s'épouillent consciencieusement. Gêné par trop de tendresse, Steve les laissa finir la sangria aux glaçons fondus et fila à son tour se baigner.

Oh la joie de se laisser flotter dans les vagues et divaguer ! Que les pensées contradictoires se bousculent, se diluent dans le grand tout ; que les soucis s'évaporent par tous les pores de la peau, « que ma joie demeure » !

Eh non ! Au sortir de l'eau, il reconnut la belle Hélène marchant d'un pas décidé sur la plage, tête basse. Voyant ses amis Cousineau trop nus à son goût, elle voulut les éviter comme la peste. Steve se couvrit le sexe de ses mains (mais ça dépassait) pour entendre dignement sa plainte. « M'emmener dans des endroits pareils ! Attendez que vos supérieurs l'apprennent ! » Elle détala aussitôt en direction de l'arrêt d'autobus. À la hâte, Steve remit son short ; confortablement étendue, un sein étendu de chaque côté du corps pour ne pas nuire au bronzage, ce qui lui faisait une deuxième paire de bras, Lise lui conseilla de lâcher prise.

— Elle sera jamais contente ; elle devait engueuler le père Noël parce qu'il lui emmenait pas ce qu'elle voulait.

— Y a assez que j'ai ri de Fripon ! dit-il en courant rejoindre Hélène.

Il n'osait lui crier après et la rejoignit à l'arrêt de bus. Rougissante « et pas à cause de la chaleur », elle lui avoua tout bas avoir vu des choses. Des gens sans maillots. « Ben voyons donc ! Y a des sections nudistes dans presque toutes les plages d'Europe ! » Elle vociférait : « Si vous souhaitez étaler vos chairs flasques à la vue de tous, c'est votre affaire ! Mais de les utiliser par contre ! De faire la chose ! Vous avez fait exprès, je suppose ! » Steve avait le dos large, ainsi que la queue, mais de là à être blâmé pour les hauts faits sexuels des étrangers, il y avait un monde ! Il savait que derrière les plus prudes se cachaient parfois des pervers et pensa détendre l'atmosphère avec une blague :

— Vous les suiviez ?

— Je chassais les oiseaux ! Des adorables pluviers ou des étourneaux, je dois vérifier, je voulais voir où ils nichaient. Mais là, dans ces dunes, un duo de contorsionnistes nudistes forniquait au vu et au su de tous…

— Ils devaient quand même être en retrait !

— Ils n'étaient pas dans leur chambre, c'est tout ce qui compte ! Vous devez avoir trouvé cette plage sur vos sites pornographiques. Je ne suis pas venue en Europe pour vous accompagner dans vos déviances !

L'autobus arriva, enragée, elle grimpa les marches et lança au chauffeur un sonore « Torremolinos ? » ; il lui répondit un *Si !* apeuré. Hélène s'engouffra tout au fond du bus, calmer sa colère et chasser les images des oiseaux trop humains.

Le séjour à la plage fut quelque peu écourté, le temps que Lise se réveille à son tour d'un *power nap* bien mérité. Robert veillait à ce que personne ne dérange sa douce, Steve eut toutes les misères du monde à penser à autre chose qu'à Hélène. Ils revinrent à l'hôtel Mélies autour de dix-huit heures, Steve fila se déguiser en vitesse en vendeur d'excursions et redescendit à la salle à manger dénombrer ses clients intéressés par la virée de samedi à Grenade.

« Granada ? On a déjà confirmé », lui répondirent ses clients les uns après les autres. Même les *speedy gonzales* Lycra s'étaient fait convaincre par une belle brochure couleur de l'excursion. « Il va y avoir un VRAI guide ! » vendait Hélène à tout un chacun depuis seize heures trente, heure d'ouverture du buffet. Elle avait convaincu les moins curieux « qu'il fallait avoir vu ça une fois dans sa vie », encouragé et rassemblé les couples d'amis – « Si les Tourangeau de Sorel y vont, on y va nous aussi » –, même les jeunes parents incapables d'élever leur enfant y seraient ! Yann et Cassandra s'en excusèrent à Steve. « Avoir su, on l'aurait fait avec toi. »

À table, Eddy se goinfrait de morceaux de steak coupés menus, pigeant à deux mains dans ses patates pilées ; sa mère le laissait faire : cette régression pouvait partie du processus de sevrage, lui avait expliqué sa pédopsychiatre. Le toujours *daddy cool* demanda à Steve s'il avait aimé son chocolat d'à matin : « Bon buzz, hein ? Smooth, juste un petit *edge*, on est capable de fonctionner pareil. » Steve alluma enfin (des fois, y est pas vite). Voilà donc la raison de sa félicité de ce matin ! Une joie si lointaine en regard du cauchemar actuel : son excursion était à l'eau ! Lisant sa déconvenue, Cassandra pensa lui offrir une rosette et sortit discrètement de son sac de toile son petit pot, du haschisch grand cru, baratté avec un chocolat noir mi-amer, camouflé sous une ganache au chocolat pour en faciliter le transport. « C'est bon d'avoir des amis locaux, hein ? » Mais Steve refusa poliment : pas de chocolat avant le repas ! Encore moins devant l'ennemie qui terminait sa tournée de vente sans pression, en grande conquérante.

« Granada sera un succès sur toute la ligne ! » Elle lui mit sous le nez la belle brochure couleur de professionnels « pour t'inviter à te dépasser » ; pour l'achever, elle lui montra la liste de tous ses amis, avec cochés aux côtés du nom ceux qui avaient payé en entier, ceux ayant donné un dépôt : voilà comment une BONNE accompagnatrice travaillait. Yann et Cassandra assistaient, muets, à l'humiliation et au coup final : « Voilà, des nouvelles envoyées à Montréal. » Elle montra clairement l'écran de sa tablette à Steve alors qu'elle envoyait un courriel « à qui de droit ».

Aussitôt, le petit Eddy se mit à hurler pour toucher lui aussi l'écran. Crisse, une rechute, ça allait trop bien ! Hélène ne s'en excusa point et fila saluer « ses amis » encore attablés.

Quinze minutes plus tard, Steve recevait un appel de sa patronne chez Vacances Voyages.

VENDREDI 31 MARS 2017 – TORREMOLINOS (*BY NIGHT*)

Où la compétition fouette les ardeurs de Steve

Jadis, revenir de Séville avec cinquante-quatre Japonais à bord du bus tenait du feu d'artifice. Après une visite éclair de trois monuments, deux boutiques « exclusives » et un souper arrosé de bon vin, les cinq heures de route filaient comme l'éclair, car les Japonais, d'ordinaire si réservés, s'éclataient en un furieux karaoké. Oh ! Le plaisir de voir des adultes retrouver la joie folle des vacances scolaires ! Ces travailleurs massacraient allègrement des standards pop ou faisaient découvrir à leur chauffeur des mélodies coréennes et nippones, en une joie allègre et contagieuse : un refrain, même mal chanté, donnera toujours une erre d'aller.

Mais eux aussi, ils les ont fait taire.

En installant le wifi.

Ces gens qui voyageaient en groupe pour se sentir moins seuls se branchaient maintenant sur l'une des cinq chaînes musicales offertes ou surfaient à satiété sur l'un des milliers de sites Internet à leur disposition. Souvent, ils allaient lire les nouvelles de leur pays d'origine, brisant le peu de dépaysement acquis. Tué le pouvoir curateur du voyage ; rayé tout moment de contemplation en ramenant chacun à son petit écran, son malheur confiné et confirmé à coups de mails et de posts Facebook.

Depuis, Javier trouvait la route interminable car un silence de mort régnait à bord des autobus : les voyageurs n'avaient plus rien à se dire et ainsi restaient étrangers en tout pays.

* * *

« YAAAAHHH !!!! » Eddy hurlait depuis trente minutes. Il avait toujours gagné ainsi, venant à bout des nerfs de ses parents. Yann avait le chocolat spécial tout prêt. « Juste une lichette pis on va avoir la paix. » Pas question ! Sa blonde persistait à offrir en remplacement du iPad le gentil toutou des premiers mois. « Monsieur Lapin veut faire dodo avec toi comme quand t'étais bébé. » Le pauvre toutou revola de bord en bord de la chambre. Patiente, Cassandra remit le joli ti-nami entre les mains de son fils, une idée de sa pédopsychiatre. Eddy vociféra et lança monsieur Lapin si bien qu'il fit tomber une lampe qui se fracassa au sol.

Fuck you, monsieur Lapin !

Depuis des mois, leur colosse dormait toutes les nuits avec sa tablette serrée contre lui. Comme ces gens seuls enserrant un oreiller ou leur chien, pensait Yann, mais Cassandra ne cessait de lire sur les dommages causés à son apprentissage. Elle l'avait condamné à être poche en classe, ils avaient tué ses capacités à socialiser ! Yann trouvait que sa blonde charriait un peu. « Nos parents rushaient de nous voir toujours sur le téléphone. Chus devenu un spécialiste des comms pour les Forces armées, pis toi une pro du réseautage pour nos ventes. Eddy, il va devenir un *wizz* en quelque chose. » Pour l'instant, il avait plus l'air d'un gros zombie un peu retardé. Cassandra le comparait sans cesse aux autres enfants : il parlait moins que la petite voisine, avait moins d'entrain que le fils de leurs amis. « Sont tous plus vieux que lui ! Compare au moins avec des *kids* de son âge ! » s'impatientait Yann. Il ne comprenait pas la pression sociale d'être une bonne mère. Comme Cassandra se sentait bien seule dans l'éducation de leur fils, la pédopsychiatre devint son gourou qu'elle ne cessait de citer, ce qui tombait royalement sur les nerfs de Yann.

— Hey, on peut-tu la laisser dans son bureau à Saint-Bruno pour deux semaines ? Elle en a même pas d'enfants, elle a juste lu des livres !

— Qui disent tous que les ados se suicident davantage et sont plus déprimés depuis que leur meilleur ami est leur téléphone ! Notre fils est sur une mauvaise pente.

Qui hurlait davantage que les plus peureux dans les montagnes russes. Cassandra serra la main de son chum :

— Elle a dit de l'ignorer.

— Impossible ! Tout l'étage pense déjà qu'on est des mauvais parents !

Cassandra tenait bon et ramena monsieur Lapin en renfort. Elle ne comprenait donc rien, cette mère stupide ? Eddy la mordit pour montrer combien il la détestait. Il avait dépassé les bornes. « OK, bonhomme ! Ça fera ! » Yann souleva son gros rejeton à bout de bras et le flanqua sur le lit entre deux oreillers. « Toi, tu bouges pas de là, compris ! » En un instant, Eddy passa de la surprise – quoi, on l'avait contredit ? – à une rage aveugle et beuglante. Rouge de colère, il vidait ses poumons à en faire défoncer les plafonds. Il se cognait la tête sur le mur quitte à se faire pousser une prune !

Surtout, ne pas le regarder. Faire comme si on ne l'entendait pas des lieues à la ronde (heureusement, ils avaient pensé fermer la porte du balcon).

Réfrénant ses larmes, Cassandra s'en voulait tellement d'avoir trouvé le truc du iPad qui mettait fin aux crises d'angoisse de leur fils. Et Yann s'était cru intelligent d'ajouter « temporairement » une petite *puff* pour dompter les poussées de rage, même la reine Victoria en prenait pour soulager ses crampes menstruelles. Mais un enfant de deux ans ! Cassandra paniquait à l'idée des dommages irréparables au cerveau et ne voulait plus plier, caressant son enfant qui lui donna des tapes en retour. « Doux, Eddy, doux… » Il allait venir à bout de leur patience avec ses hurlements plus aigus et plus désespérants. On cogna à la porte.

Shit.

Yann alla répondre. C'était une Boute-en-train « qui avait eu elle aussi des enfants tannants ». Voulaient-ils des trucs ? Non, merci, ça achève, excusez-nous. Elle insista, disant que sa fille avait deux enfants qu'on entendait pas.

— Des amours, y font leurs affaires dans leur coin en jouant sur leur « téléphone ».

— C'est ça, le problème, cria Yann à la voisine bienveillante, on y a coupé la ligne !

Il s'excusa aussitôt puis referma gentiment la porte. Déconcerté un instant par cette visite, Eddy avait suspendu un court instant son concerto de « yaaaah ! » en si bémol.

Les parents lui tournèrent le dos, allumèrent la télévision, faisant semblant de s'intéresser à une téléréalité, lui montrant combien il n'était qu'un enfant insignifiant.

Ils tinrent bon malgré la progression des hurlements. Puis, n'en pouvant plus des aigus « yaaaah ! », Yann ressortit le pot de chocolat et supplia sa douce de céder :

— Dans *Dune*, les petits prenaient de l'épice et développaient des pouvoirs.

— Sur une autre planète peut-être, mais sur Terre notre fils a des retards !

— Tu prenais du speed à treize ans.

— Regarde-moi aussi : coiffeuse obligée de faire deux fois plus de clients pendant que monsieur fait son *burnout* imaginaire de l'armée !

Elle envoya son chum faire un tour « le temps que je l'endorme ».

De la plage, Yann entendait encore son fils hurler.

* * *

« Ma chère coloc… » Hélène, épuisée par sa randonnée et sa traversée d'une plage nudiste, avait gentiment demandé à son amie de s'abstenir ce soir d'écouter la télévision. N'avait-elle pas un livre à lire ?

Oh ! Bien sûr !

Mais madame Bruchesi avait de la difficulté à se concentrer. Est-ce que ses quatre jours de bouderie et de silence constituaient une punition assez grande pour son entêté de mari ? Ne serait-il pas temps de lui faire signe ?

Elle regrettait les mots de la dernière chicane, lancés avant de claquer la porte. Ça ne pouvait être les derniers mots.

Comme ceux sur la page de son livre qui semblaient danser et qu'elle relut pour la troisième fois. Elle abandonna, pensa fuir sa tristesse par une partie de Scrabble, mais la tablette valsa au bout de ses doigts, une fois, deux fois et madame Bruchesi s'endormit, le iPad contre son cœur.

En rêve, elle retourna à leur maison de banlieue, mais son mari n'eut pas le temps de la rejoindre : un Fripon coupa court à leurs retrouvailles. « Mon minou ! » Hélène avait bondi du lit, terrassée par un horrible cauchemar (où Fripon était dévoré par des ratons laveurs lubriques). Allumant sa lampe de chevet, sans égard pour sa coloc, elle alla pisser (en laissant le lavabo couler pour s'inspirer) puis revint se coucher sans une excuse ou un regard pour son « amie », maintenant complètement réveillée.

Madame Bruchesi s'empara de son Ziploc orangé, contenant une robe soleil passe-partout, et sortit réfléchir à la mer : la lune lui porterait conseil.

* * *

Chatouillés par la brise, les Cousineau éclusaient leur dernière bouteille au balcon, demain faudrait aller chercher d'autres provisions. Ils s'étonnaient de l'absence de moustiques, débarquaient-ils en août comme les Français ? Ou les snobaient-ils, allant plutôt voltiger vers la chair fraîche des autres couples ? « Y manquent quelque chose ! » claironna Lise en caressant doucement la cuisse de son homme. Et c'était parti. Madame avait envie d'amour, Robert sauta sur l'occasion. Ils s'excitèrent d'abord au grand vent, étant enfermés neuf mois par année, puis, les becs et mains ne suffisant plus à la tâche, ils retournèrent brasser au lit.

Comme tous les gens du Saguenay, les Cousineau aimaient jouer de la cuillère. Couchés sur leur petit lit jumeau, à l'étroit et au chaud comme dans un tiroir, Lise se laissa enserrer par les bras de son homme, qui l'aimait toujours. À preuve ce trait d'union entre eux deux qu'il avançait doucement en elle afin de les souder pour qu'ils se réchauffent mutuellement. « Vive les cuillères ! » vous diront les vieux amants.

Oh, ce n'était plus la chevauchée énergique des débuts, « pas avec ma nouvelle hanche », mais c'était moins forçant pour les deux. Collés-collés, comme avec un cadeau précieux, ça faisait plus de quatre mille fois qu'ils s'aimaient ! Habile joueur de cuillère, Robert savait toucher les bonnes notes.

Il ne giclait plus comme avant, puissamment, au point où elle pouvait le sentir couler en elle. Mais il avait toujours la jouissance rieuse. Aucun cri de souffrance ou de gémissement trouble étouffé, non, des rires en cascade, la joie d'avoir fait taire le mental pour laisser exploser l'animal bondissant ! Étudiants, à la résidence de l'Université Laval, leur chambrette résonnait souvent de ces rires satisfaits. Dans les corridors, les voisins offraient toujours à Lise des sourires complices lorsqu'elle venait visiter son prétendant. « Le festival de l'humour encore à soir ? » Les devoirs mis de côté, la pile de livres souvent renversée pendant les ébats, ils dormaient sur un lit minuscule et refaisaient le monde. Un soir, Robert lui avait fait la grande demande d'être ensemble pour neuf ans au cube. La vie selon lui marchait par cycles de neuf, les neuf mois du fœtus au chaud, les neuf vies d'un chat et… bon, sa théorie ne tenait pas, mais par peur de s'engager à vie, ils avaient convenu de renouveler leurs vœux aux neuf ans. « Moins qu'une hypothèque, mais plus qu'un yogourt ! » Et, à ce jour, Lise n'avait aucun reproche à faire – elle se faisait obéir au doigt et à l'œil, comme il savait la faire jouir de ses mains baladeuses. « Des doigts de pianiste », lui avait dit la belle-mère. Lise lui avait répondu que « votre fils sait jouer de la cuillère comme pas un ! »

Et cette nuit à Torremolinos s'ajouta donc à tant d'autres : Robert l'amena à l'explosion du Vésuve.

Les Cuillères Cousineau restèrent l'une contre l'autre à regarder le coin du ciel étoilé, leur respiration aussi régulière que les vagues discrètes.

Voilà, se disaient-ils, la baise de vacances est faite, demain, on ira voir un spectacle. Lise ne voulait pas attendre à demain et proposa une balade dans la tiédeur du soir. Robert protesta :

— On fait jamais ça, on est des lève-tôt.

— Ouin, mais on est en vacances de nous autres.

* * *

Un bien mauvais quart d'heure.

Maggie, sa patronne à l'agence, était tombée des nues de recevoir une plainte écrite qui détaillait tous les manquements de « cet accompagnateur sans talent ». Steve amorça bien mal sa défense : « C'est la *queen bitch !* Tout le monde l'haït ! Elle parle à son chat tous les midis. » Maggie connaissait ces voyageurs acariâtres, véritables usines à problèmes, mais ils étaient aussi les plus prompts à faire des plaintes sur les médias sociaux. Elle apprit ainsi à Steve qu'Hélène était encore active au sein de la Fédération des enseignants, un gros bassin de clients potentiels ; il comprit qu'il devrait mettre de l'eau dans son vin ou…

— Moins de drogue dans tes journées, insinua Maggie, se faisant l'écho de la plaignante.

— Je fume pas sur mes heures de travail et jamais assez pour perdre la carte !

Un rien hystérique, ce qui n'aidait pas sa cause, Steve rappelait qu'il avait un dossier impeccable : ne lui confiait-elle pas des groupes depuis tant d'années ? Maggie exigea tout de même de voir un horaire détaillé pour les jours à venir. Il se braqua :

— C'est pas un voyage organisé, c'est un séjour libre ! Je vas quand même pas lui sortir un plan de cours !

— TU VAS PLANIFIER TES ACTIVITÉS.

Rarement Maggie haussait le ton avec lui, mais sa confiance était fragilisée. Elle attendait un « programme rassurant » sans faute pour demain. Bonne nuit.

Issu de ces générations montantes s'attendant à être louangées pour la moindre tâche, parce qu'ils avaient « bien participé », Steve douta de lui-même un gros trente secondes. Comment, il n'était pas parfait ? Il devait faire un effort supplémentaire ? « Hostie de folle à Fripon… » Bon, voilà qu'il se parlait tout seul à présent ! Troublé de lui accorder autant d'importance et pour la chasser de ses pensées, Steve descendit fumer, craignant que de leur balcon les voisins Boute-en-train sentent sa mauvaise humeur… et son remède.

Passant devant le minuscule *business center* de l'hôtel, reliquat d'une autre époque, il pensa qu'il vaudrait mieux fumer une fois son plan terminé. Il avait parfois des sursauts d'intelligence.

Depuis son inutile diplôme d'urbanisme, Steve végétait en récréation indéfinie, en retard sur les logiciels, comme si l'on cessait d'apprendre passé un certain âge. Faudrait bien un jour qu'il apprenne à être moins con, son téléphone pouvait faire tellement mieux que juste envoyer des photos de cul. Comme de recevoir un providentiel texto : *HOLA !*

Javier.

Steve lui téléphona pour lui parler de vive voix.

— *No te molesto ?*

— *Claro que no !*

À une halte routière, Javier compatit avec sa déconfiture. Il fallait annuler l'autobus du samedi : un vrai fiasco, il n'avait pour l'heure que trois passagers confirmés ! « *Soy un fracaso !* » Javier s'entendrait sans problème avec son amie guide historique à Granada, *por supuesto,* mais le dépôt, cash, au garage, devait déjà avoir été dépensé par le boss. On pourrait changer pour une plus petite navette : Steve ne pourrait-il pas intéresser une partie du groupe à autre chose ? La belle idée, *pero, a donde iremos ?* « *Mi Costa del sol, mi amor !* » Ils rigolèrent du *mi amor* lancé par exprès, mais Steve devait être plus précis à cause « de la crisse de vieille prof qui était ennuyante dans le temps et avait empiré avec les années ». Sa colère se passait de traduction, et Javier lui conseilla d'annoncer à ses clients « *un dia tipica*». Steve voulut savoir quoi vendre à ses clients. «*Sólo el típico!*» Le typique, ça rassurait son homme et sa compagne, ravis de ne pas tomber dans le panneau d'un attrape-touristes. Javier lui recommanda aussi vivement d'ajouter Antequera à son programme de la semaine suivante, mais il devait le quitter: c'était la fin de sa pause sur la route, ses Japonais robotisés l'attendaient.

— *Ten cuidado.*

— *Tú también.*

Des petits mots simples qui rassurent. Prends soin de toi. Avec une tendresse sous-entendue perceptible malgré la distance, un rien d'attachement sans fil.

Détendu, Steve se planta devant l'ordinateur pour défendre sa réputation d'organisateur culturel. Il rassurerait sa boss et montrerait à la frustrée en chef combien il connaissait les voyages! Il pesta contre la lenteur de l'appareil, ah ces vieux modèles qui prennent le temps de lire! Ce clavier aux lettres effacées lui jouait des tours en cachant les accents; ce logiciel pas tout à fait pareil à celui qu'il connaissait l'empêchait de condenser tout sur une même page, à moins de réduire encore la hauteur du lettrage et ainsi les chances de se faire comprendre. «Câlisse de machine!» Son impatience n'aidait en rien. Finalement, le joint aurait du bon.

Il allait sortir lorsque sa bonne étoile intervint: fuyant sa sœur malade comme un chien, et irascible comme une louve, Nadine venait répondre à des urgences au bureau. Être irremplaçable et femme dirigeante avait un prix. Nadine se fit un plaisir de dépanner Steve avec son tableau, une niaiserie! Le temps que sa sœur finisse de régurgiter son burger, ce serait réglé. Pauvre Chantal! Elle qui ne buvait que de l'eau en bouteille, ne touchait à aucun plat trop exotique de peur de ne pas le digérer, refusait de croire qu'un hamburger, « le repas le plus universel au monde », l'ait intoxiquée. Elle blâmait plutôt sa sœur qui la stressait à toujours penser au travail et consulter son maudit cellulaire. « Laisse-moi vomir tranquille ! » Exaspérée, elle l'avait chassée hors de la chambre. « Tu veux toujours avoir raison ! »

Pour l'heure, Steve lui accorda un génie et une efficacité informatiques. Sans effort, madame Trépanier, directrice de succursale, lui imprima une copie de son programme qui l'épata.

— C'est ben plus clair.

— C'est surtout plus invitant ! C'est important pour le client.

Nadine s'y connaissait en marketing, et la Banque ne voulait pas la laisser partir. Elle n'y tenait pas tellement d'ailleurs, elle carburait aux changements constants du bureau, effrayée à l'idée de la routine de la retraite. « Je connaîtrai jamais ça, moi », marmonna Steve, pigiste à vie, avec des poussées de colère chaque fois qu'il lisait sur les parachutes dorés consentis à l'un et à l'autre. Ces dirigeants de Bombardier qui s'étaient voté des primes après avoir quêté des milliards en subventions à l'État l'avaient choqué lui aussi. Nadine lui proposa de l'aider avec un plan REER à son retour à Montréal. Pourquoi attendre ? Il voulut la remercier illico par un verre, Nadine accepta, mais dans cinq minutes, les « urgences » du bureau ne pouvaient pas attendre.

Steve en avait profité pour photocopier son programme bonifié pour tous ses clients – « Que j'en voie pas un se plaindre ! » – et surtout l'envoyer par mail à sa patronne.

Ils firent un détour par la salle à manger pour en afficher une version agrandie à l'entrée sur le babillard.

Horreur, il vit en grosses lettres ce mot prendre toute la place :

FORMIDABLE !
NOUS SERONS 18 À GRENADE !
DÉPART 7 AM DU HALL ! À SAMEDI !
VOTRE AMIE, HÉLÈNE

Assorti d'un beau cœur et d'un soleil dessinés à la main, le message enflamma Steve. Elle avait affiché sur SON panneau ! Non, mais de quel droit ! « Elle veut votre emploi », l'informa tout bas Nadine. C'était manœuvre connue : on discrédite le travail du rival pour se porter en sauveur de la situation. Steve resta un instant sous le choc. Déjà qu'il lui avait fallu des années avant d'avoir une place au soleil, les baby-boomers occupant TOUTE la place, ceux-ci voulaient revenir la lui ravir ?

« Allons nous soûler ! » L'ascenseur s'ouvrit alors pour laisser sortir madame Bruchesi. « Shit ! je me suis encore trompée d'étage. » Elle n'avait pas faim – resto au SS sous-sol –, mais soif – bar au L, Lobby ! Steve lui proposa de les suivre plutôt à la plage, il connaissait une place cool à deux pas. Se sentant en confiance, et son *shift* étant terminé, il osa :

— Ça vous dérange pas si je fume du comique ?

— Si je peux essayer, s'afficha madame B.

* * *

Sur la plage, chaque établissement a sa niche : les cafés du matin, les casse-croûtes du midi et les buvettes pour noctambules. Ils trinquèrent sous ce beau ciel sans nuages, éclairés par une demi-lune complice.

Attirée par des rires, Nadine marcha, verres à la main vers les vagues. Des courageux nageaient sans crainte des requins imaginaires et des créatures des profondeurs qui devaient bien pulluler une fois la noirceur tombée.

Sur un banc aux coussins disparates – « ça fait jeune » –, madame Bi toussotait en fumant son premier joint à vie avec Steve. (Bon, en fait, son deuxième : à un spectacle de Ginette Reno au centre Bell, son fils lui avait dit qu'elle ne pouvait pas entrer dans un temple du rock sans fumer ! Elle avait eu la honte de sa vie : sa belle-fille, qui les accompagnait aussi (Ginette restait le cadeau idéal de la fête de toutes les mères), trouva que ça sentait les drogués.)

« Tiens, les Cousineau dorment pas non plus… » Ils marchaient main dans la main sur la plage et découvrirent à leur tour la buvette, arrivant trop tard pour le joint. L'odeur les trahit, l'hilarité de Mamie Bi aussi. Heureusement, Steve avait sur lui son sac pour en rouler un autre :

— Je savais pas que c'était votre genre.

— *Come on*, on a milité pour le Parti québécois ! On aurait dû légaliser le pot avant Justin au lieu de se déchirer pour un voile. Tous les anglos cool auraient été avec nous, se désolait Robert en expirant sa boucane salutaire. Hostie de division du vote…

— Reprends une *puff*, lui conseilla sa douce qui ne voulait pas le voir sombrer de nouveau dans sa tristesse des idéaux rouillés.

Sourire béat de koalas drogués, les Cousineau restèrent enlacés sans rien dire, fixant la noirceur de l'océan où on pouvait deviner quelques nageurs sous l'éclat blanchâtre de la lune, mais pas assez pour reconnaître Nadine, se baignant nue, enhardie par la vue de ce beau militaire qui survolait les vagues en *body surf*.

Robert mit son bras autour de Lise qui frissonnait, un petit digestif ne serait pas de refus. Il la cala tendrement entre deux coussins et alla lui en chercher un. Steve s'étonnait de cet amour survivant à l'outrage des années, lui qui paniquait de voir son corps flétrir aussitôt qu'il négligeait le moindrement l'entraînement. Ah, la tyrannie d'être lisse, exempt de toute boursouflure, mais gonflé comme ces grenouilles voulant impressionner le bœuf imbu de lui-même.

— Slaque un peu, sinon tu te rendras jamais jusqu'à cent ans, blagua madame B.

— Je veux mourir avant.

Mam'Bi trouva ça épouvantable de penser une chose pareille : la vie valait la peine de continuer, même si dans son cas, elle s'éreintait encore à faire des ménages pour la gagner. Steve n'en revenait pas qu'elle soit obligée de torcher des planchers encore à son âge. « J'ai pas de fonds de retraite, moi non plus. » Elle et son mari, simple journalier, rénovateur de fins de semaine, s'étaient sacrifiés pour envoyer les enfants dans les meilleures écoles, « et pouvoir voyager et jouer au golf une fois de temps en temps nous autres aussi. La classe moyenne aime ça avoir les moyens de fêter une fois de temps en temps. »

Tout allait bien.

Puis un matin de mars, célébrant l'ouverture des greens, Pierre-Paul Gauthier s'était senti mal au huitième trou, bang ! le constat de mort annoncé le surlendemain. Côlon, foie, poumon droit infestés de métastases. Madame Bruchesi perdit de sa joie. « Y refuse les traitements, voir si ça a du bon sens ! Y a peut-être des chances de s'en sortir, mais non, y boque ! » Une fois son diagnostic appris, il avait caché son trouble en préparant la terre de son jardin pour ses derniers plants de tomates. Peut-être ne serait-il pas là pour faire la sauce à l'automne, mais il comptait sur elle pour en donner aux enfants, comme avant. Qu'elle fasse cela en mémoire de lui.

Elle voulait plutôt lutter, mais ils en vinrent vite aux cris. Son cancer était trop avancé, et son idée, faite : non seulement il refusait tout protocole et traitement, mais il en était serein. « À un moment donné, y faut accepter. Y feront pas des expériences sur moi ! » Madame avait mandaté une de ses filles d'essayer de lui faire changer d'idée, mais elle n'eut guère plus de succès. Il lui rappela la fortune engloutie pour sauver son chien laid de la vieillesse. « Huit mille dollars ! Y est mort pareil ! » En plein souper de rosbif, il leur avait rappelé le voisin de quarante ans opéré pour un cancer aux intestins, en rechute la semaine suivante et aux soins palliatifs le mois d'après, ou ce petit cousin à qui on avait fait miroiter la guérison, mais la mort avait eu aussi raison de l'arrogance des médecins qui, trop souvent, imposaient leur acharnement thérapeutique plutôt qu'aider les gens à accepter la mort. Il pestait encore contre ces exploiteurs de la maladie qui avaient gardé inutilement son propre père en vie. « Trois ans à pus parler, couché dans un lit, à manger tout en bouillie pour le chier dans ses culottes, c'est ça, une qualité de vie ? Mon père était juste une excuse pour vendre plus de pilules ! » Ainsi parlait Pierre-Paul.

Pierre-Paul Gauthier refusait qu'on fasse de même avec lui, quoi qu'en pensât sa douce et fidèle Yvonna Bruchesi. Ils s'étaient engueulés encore le matin de son départ précipité : Pierre-Paul lui avait sorti du frigo des fruits oubliés, tachés de moisi, comme lui. « C'est ça que j'ai en dedans, accepte-le ! » Elle avait pris la porte et l'avion pour la Costa del Sol.

Au retour, adieu la banlieue, ils iraient faire des dernières folies à la maison familiale de Charlevoix, se vautrer du paysage plutôt que perdre de précieuses heures dans des corridors d'hôpital. Et, pour vaincre le mal qui gagnerait, il avait besoin d'une femme souriante. « Va réfléchir à l'hôtel et te reposer, ma belle. Ça sera pas toujours drôle tantôt. »

Son récit fait, madame B. pleurait à chaudes larmes, et Steve l'enserra maladroitement. « Avez-vous assez réfléchi ? Voulez-vous appeler ? » Il lui prêta son téléphone qu'elle accepta. Elle tomba sur le répondeur et se contenta de dire qu'elle comprenait « à moitié » sa décision, qu'elle avait hâte de le revoir et de prendre soin de lui, grand fou. Vivre avec du ressentiment était trop pesant.

« Ça te dérange pas si je reste collée un peu ? » Blottie contre son accompagnateur, elle chercha la Grande Ourse qui lui parut un peu croche, comme elle. Elle se rassura en se disant que la nature si généreuse le serait un jour avec elle : s'il y avait une justice cosmique, sur l'herbe comique, elle y croyait.

* * *

Au matin, même s'il lui manquait quelques heures de sommeil au compteur, Steve affichait le sourire ravi de celui qui marque un bon coup. « Bonjour, la maman de Fripon ! » Aussitôt, Hélène sortit les griffes.

— Je rapporterai la moindre remarque, jeune homme.

— Vous allez être la première à envoyer une lettre de félicitations pour mon beau programme !

Bien composé, bien aéré, qu'il lui tendit fièrement et qu'elle parcourut en diagonale. Elle trouvait la corrida de ce soir inappropriée et cruelle, ne comptez pas sur elle ! Puis le félicita d'avoir gardé Séville à la deuxième semaine. Mais pourquoi deux jours ? « On ne fera pas dix heures de route pour visiter deux trucs à la course. » Elle se contenta d'approuver d'un discret « hum… » puis se vanta d'avoir rassemblé « un beau GROS groupe pour demain à Granada ! »

Bon joueur, Steve s'inventa un sourire qui put paraître sincère.

— Gâchez pas vos vacances à trop travailler.

— C'est dans ma nature d'aider mes amis !

Qu'elle saluait affectueusement par leur prénom à leur entrée, s'intéressant à leur soirée d'hier puis collectant les coûts de l'excursion. « Avez-vous hâte autant que moi ? » Steve se sentait le sous-fifre qui la dérangeait dans ses amitiés complices pour donner une copie de son nouvel horaire.

Devant le programme amélioré et détaillé, les fumeurs lui avouèrent avoir hâte au marché public, mais il ne fallait pas compter sur eux pour les affaires payantes. « On a déjà un méchant *bill* au bar. » Ils auraient dû faire comme les Schmidt et faire le party à la chambre, mais bon, les spectacles du bar valaient toujours le déplacement. Steve leur proposa une excursion pas chère du tout pour demain, il partait à neuf heures, c'était moins rushé que l'autre excursion. Les fumeurs allaient y penser, et Hélène vint l'attaquer : une journée « typiquement espagnole » demain ? En même temps que SON Granada ! Ça la contrariait, grandement, de la rater, pourquoi ne l'organiserait-il pas un autre jour ?

— Ma boss me demande une variété d'activités. Ça prend de tout pour faire un monde, des gens à chat, des gens à chien.

— C'est pas nécessaire d'être bête avec moi !

Elle planta son regard dans le sien jusqu'à ce qu'il cède, pour avoir le dessus et surtout avoir raison.

Steve se rabattit sur un client sympathique. Méprise : c'était un voyageur allemand. « Il ne connaît même pas ses propres voyageurs », ironisa Hélène, le tassant pour aller informer les Tourangeau – « Allô ! » – des merveilles qui les attendaient en sa compagnie.

Le caquet bas, Steve alla faire le tour des tables.

Parmi les derniers à déjeuner, Yann et Cass se cachaient derrière des lunettes fumées. Nuit d'horreur pour eux, le tyran avait tenu bon et hurlé jusqu'à plus soif. Cassandra avait capitulé, lui fourguant le iPad dans les bras où, malgré l'heure tardive, il prit sa dose de YouTube. Cass avait caché son dépit dans le chocolat; Yann n'avait rien dit en entrant dans la chambre mais comprit sa tristesse. Ils s'étaient enfermés dans la salle de bain pour baiser sous la douche, vidant les réservoirs d'eau chaude de l'hôtel tant ils avaient besoin de se réconforter. Quand ils sortirent, leur petit monstre avait l'air d'un ange, dormant paisiblement éclairé par la lueur de sa tablette.

Ils étaient partants pour la corrida de ce soir. Les sœurs Trépanier en doutaient, Chantal étant encore trop remuée de son indigestion. «J'ai de quoi pour vous!» fit Steve, allant chercher du riz brûlé demandé exprès en cuisine.

Elles l'aimaient, leur guide gai! Mais pas autant que madame Bruchesi, qui l'embrassa avec effusion, le remerciant pour la belle soirée. Parler soulage tellement! Elle plia négligemment le programme tendu. «Tu me diras où tu vas pis je serai là. Avec toi, je sais que je m'ennuierai pas.»

En parlant de ça, justement…

Elle l'emmena un peu à l'écart pour savoir si elle pouvait lui emprunter un peu de boucane. Steve ne voulait pas démarrer une carrière de pusher et la dirigea vers la petite famille. «Y ont peut-être de quoi pour vous.» Steve ne se doutait pas de l'escalade qui s'ensuivrait.

* * *

La plage bourdonnait des conversations animées de tous ces nordiques ravis de l'exceptionnelle chaleur sur la côte en ce temps-ci de l'année. Comme un ours polaire déstabilisé par la fonte de ses banquises, Guy cherchait l'ombre. Il n'aimait guère le soleil qui tape alors il longeait les boutiques de la promenade, les remerciant pour leurs proverbiaux auvents. Il ne prêtait pas attention aux aubaines, concentré sur les kilomètres à enfiler : huit kilomètres le séparaient de Benalmádena, la prochaine station balnéaire. Pas le temps de sourire aux passants, de répondre aux vendeurs qui cherchaient désespérément des clients, il avait un but à atteindre.

Il mit cinquante-deux minutes pour ce faire. Il était neuf heures vingt-quatre. « Je fais quoi du restant de ma journée ? » Pourquoi diable Steve avait programmé la corrida si tard ? Qu'est-ce qu'il pouvait bien faire en attendant ?

La marina avec ses centaines de voiliers et yachts amarrés lui parut un bon passe-temps, comme lorsque, enfant, il allait au centre commercial au bout de la rue. Il errait dans le stationnement pour apprendre par cœur les différentes marques de voitures, yahoo une Coccinelle, la *station wagon* rouge camion de pompier de son oncle ou la même Chrysler de son père, « un maudit citron » qu'il devait faire réparer chaque année. Guy raffolait des plaques d'immatriculation, ravi lorsqu'il en croisait avec les chiffres de son année de naissance. Ça tuait le temps et ça lui faisait prendre de l'air.

À la marina de Benalmádena s'ajoutait à la brise le clapotis des vagues sur les brise-lames. Bronzés, quelques propriétaires présents caressaient amoureusement la coque de leur yacht pour la laver, comme d'autres le faisaient avec la cuisse de leur blonde qui lisait distraitement sur le ponton. Les croisant, Guy ne savait s'il devait dire *hi* ou *hola*, alors il regarda ses pieds, gêné.

Marchant d'un ponton brinquebalant à l'autre, il commençait à avoir fait le tour. Il devrait se trouver une autre activité, car il était juste dix heures onze, et le rendez-vous n'était prévu que pour seize heures.

Il n'en crut pas ses yeux lorsqu'il reconnut le drapeau fleurdelisé du Québec au mât d'un petit voilier amarré. Qui était assez fou pour traverser l'océan jusqu'ici ? Voyant un couple laver les vitres du cockpit, ce fut plus fort que lui, il lança en un cri du cœur : « Bonjour ! »

Pierre et Dominique s'étaient promis à leur retraite de faire le tour du monde et ils avaient tenu parole. Après avoir exploré pendant des années le golfe du Saint-Laurent, les Maritimes et la côte Est, ils mirent le cap sur l'Europe, donnant des nouvelles aux enfants restés derrière, jeunes adultes assez grands pour faire leur propre apprentissage de la vie, avec ses erreurs et ses errances.

Guy était excité de parler français en Espagne et raconta au couple, d'un trait, son beau voyage jusqu'ici. Il ne voulait pas déranger leur intimité plus longtemps et s'excusa, prêt à détaler, leur souhaitant une bonne journée.

— Vous voulez pas un petit jus d'orange ? lui proposa la dame.

— Ça vous donnerait des forces pour retourner à l'hôtel, renchérit son Pierre.

Guy n'en revenait pas : ils étaient gentils avec lui ! Personne ne les avait avertis qu'il était ennuyant ? Tout content, il monta à bord d'un voilier pour la première fois et se sentit un peu riche, d'autant plus que c'était du jus pressé à la main par Dominique et que Pierre le laissa toucher au gouvernail et aux cordages des voiles. Ah, s'il avait quelqu'un à qui tout raconter cela !

Le jogging donnait du tonus et de la clarté aux idées. Steve revint à sa chambre avec une *to do list* détaillée, fit quelques appels pour les activités à venir puis une mission délicate. Sur le beau papier à en-tête de l'hôtel Mélies, il rédigea un avertissement formel mais sympathique à Yann et Cassandra pour les aviser que les cris de leur bel enfant nuisaient au calme sur l'étage et au repos des clients. Pouvaient-ils voir à remédier à la situation ?

Le mot fut glissé sous la porte de la chambre puis chiffonné aussitôt après sa lecture par un Yann en furie. « Crisse d'épais ! Y sait pas c'est quoi, avoir un enfant ! » Cassandra s'accabla davantage, s'expliquant la froideur et les visages sévères à leur endroit depuis hier : « Tout le monde le sait, astheure, je suis une mauvaise mère. » Yann lui dit d'arrêter de capoter avec ça, éteignit les *cartoons* à la télé, qui calmaient les rages d'iPad du petit coupable. Tous à la plage !

Ses confirmations faites, ses prix négociés, Steve s'installa au bord de la piscine où il s'endormit, serein, après avoir lu trois pages du roman qu'il ne finirait jamais ; ratant quelques offres de poilus anonymes qu'il ne regretterait pas.

La Costa del Sol contentait son homme.

Guy avait fait le chemin du retour en cinquante-six minutes, quatre de plus qu'à l'aller, car il s'était arrêté pour voir un crabe mort que les goélands (ou les mouettes ?) terminaient de déchiqueter.

La piscine était animée, mais Guy n'y plongea pas : le chlore lui piquait la peau (s'il s'était renseigné, il aurait appris qu'ils utilisaient du brome). Il buvait lentement une bière en zieutant ceux qui savaient s'occuper. Ça faisait de la vie dans sa vie ; parfois aussi, des gens le saluaient.

Aussitôt que Steve émergea de sa sieste réparatrice, il l'accrocha pour être certain que le départ de la corrida était « vraiment » à seize heures trente comme c'était écrit sur la feuille. « Oui, oui ». Il ne lui restait alors plus que quatre heures à attendre en tétant son *drink*.

La désolante solitude de son client toucha Steve en plein cœur. « Joues-tu au billard ? » fit-il en l'attirant vers cette table au tapis élimé sous les palmiers, que personne n'utilisait pour l'instant. Guy eut un grand sourire content.

— Je suis pas très bon.

— Moi non plus, mais on sera jamais meilleurs si on se pratique pas.

Steve connaîtra plus tard la suite de son roman – pour l'instant, il redonnait vie à un plus mal pris que lui.

Guy se sous-estimait en tout, s'autoexcluant d'amitiés et d'amours, mais côté pool, il devait réviser sa cote à la hausse. Il avait du visou : entrant deux balles d'affilée, il prit un air de conquérant, qu'il réfréna aussitôt, s'excusant, de peur de passer pour un frais chié. « Voyons, toi, arrête ça ! T'as le droit d'être bon ! » Steve perdit la première partie avec le sourire : à la radio, un vieux hit latino faisait chanter tout le personnel : « *Yo seguiré, nunca cambiare, estoy asi...* » Au Québec, l'équivalent aurait été Marjo entonnant un « Je lâche pas » bien senti à son homme, tu ne me changeras pas !

À la deuxième partie, Guy stressa d'avoir des spectateurs jaugeant leurs coups distraitement entre deux gorgées. Lorsqu'un étranger mit un euro sur le tapis, signifiant qu'il jouait contre le gagnant, Guy fit deux mauvais coups d'affilée, écrasé par la pression. Steve se fit aussi poche que possible, revenant à ses années d'école primaire où, le ballon lui faisant peur, il échappait la moindre passe et était le dernier choisi dans les équipes sportives. Il perdit avec le sourire.

Il laissa sa place à un Italien qui baragouinait un peu le français, Guy aurait quelqu'un à qui dire bonjour dans les prochains jours. Steve retourna à son roman, fier de son coup.

L'international du billard se poursuivit tout l'après-midi, Guy se permit une deuxième bière, mais pas plus, pour venir à bout d'un Allemand fanfaron qui voulait lui voler son titre.

* * *

Douze courageux iraient à la corrida.

Entraînés par Mam'Bi, des fumeurs vinrent sans leurs femmes qui « voulaient pas voir ça » ; les buveurs allemands se joignirent à eux, leur « gros tapon » de guide ne les emmenait pas « *at those cool places* ».

Les sœurs Trépanier ne s'entendaient pas, encore une fois. Chantal avait peur, Steve pensa la rassurer en parlant de la musique festive et de l'ambiance incroyable de ce rassemblement populaire. Nadine prit les Cousineau en exemple. « Sont plus vieux que nous pis y viennent ! » Car ils avaient vu bien pire dans leur vie. Des manifestants tabassés ? « Non, s'assombrit Robert, des indépendantistes qui s'entretuent au lieu de parler d'une même voix. On s'est chicanés entre nous pour être bien certains que pus personne croie au projet collectif. » Lise s'assura auprès de Steve qu'il avait quelque chose pour aérer les idées noires de son mari. Il fut gêné de dire oui, elle lui caressa l'épaule, voyons, on se cache pus !

Ô joie, ô bonheur, Guy s'était douché, ayant eu chaud au billard, et avait même trouvé une chemise propre. Il avait apporté ses jumelles « que j'emmène d'habitude au hockey, ça va faire changement ».

Yann n'avait rien dit à sa blonde et avait donné «juste une goutte» de chocolat à son fils pour qu'il ne gâche pas leur soirée avec ses cris de mort. Il faisait de la façon à Mam'Bi, ravie de retrouver «son enfant» et se chargeant de la poussette. Les jeunes amoureux avaient enfin un peu de temps à eux, se rendraient-ils à cinquante ans d'amour libre comme les Cousineau?

Les Américains n'ont rien inventé avec les *tailgates*, ces immenses BBQ collectifs précédant les matchs dans les stationnements des stades. Ici, à Torremolinos, c'est autour de l'église que s'agglutinaient les gens avant la corrida au stade municipal. Trois restaurants y rivalisaient de vitesse pour servir des tapas, vin et bière à profusion. Le groupe s'était mis d'accord pour spliter la facture – sinon ce serait l'enfer! Saucissons, ceviche de poisson, fromages, juste de quoi se mettre sous la dent; à la corrida, il n'y aurait pas de hot-dogs pour accompagner les giclées de sang. Guy ajouta à la commande des gourganes dans l'huile «comme l'autre fois», ce qui impressionna Chantal. On rajouta des croquettes fromage-jambon et d'autres bouteilles, à douze convives, quand même, elles ont tendance à se vider rapidement, surtout que les Allemands ne cessaient de remplir la coupe de Steve pour le remercier de les avoir inclus au groupe.

Des enfants jouaient au soccer sur la place publique, tentant vivement Eddy, retenu de peine et de misère par le collet. Cassandra les trouvait un peu vieux pour son gars, mais papa, lui, non. «Ben là, c'est pas un fif! Y est capable de jouer avec un ballon.» Yann le laissa partir, ravi à l'idée qu'il s'épuise de fatigue. On pourrait baiser encore ce soir plutôt que de se taper un concert de hurlements! Eddy tanguait un peu, le chocolat ça excite, et s'avéra encore moins patient qu'à l'habitude: lorsque les enfants volaient SON ballon, habitué qu'il était de commander le monde sur sa tablette, il se mit à donner des coups. « Doux, Eddy, doux ! » Au premier cri d'un grand mordu par le petit Eddy, Cassandra ramena vite son fils à table et le gava de dessert pour taire ses protestations.

L'addition surprit tout le monde par sa petitesse, le pourboire fut généreux, étonnant leur serveur qui s'écria : « Vive la France ! »

Robert allait lui donner un cours de Québec 101, mais Lise le tira par la ceinture.

La première corrida annonçait le printemps et le retour des touristes. Steve précisa à sa gang que les billets à l'ombre, prisés des connaisseurs, s'envolaient comme des petits pains chauds, bien plus chers que les billets au plein soleil. Avec le taux de change, leur choix fut rapidement fait : ils s'assoiraient avec Galarneau, d'autant plus qu'il allait faire noir sous peu. Erreur.

Il y aurait sept corridas, dont la moitié au soleil tapant. Sept mises à mort ? « Je serai jamais capable ! » paniqua à l'avance Chantal, mais Guy lui dit de voir ça comme des flocons de neige qui fondent, c'est triste mais c'est la vie.

Serait-il partant pour aller expliquer ça aux taureaux pour les aider à relativiser leur mort prochaine ? De l'arène s'échappait une musique joyeuse contrastant tellement avec le rituel qui s'y déroulerait. Les femmes voulurent aller aux toilettes, on se donna rendez-vous « ici » dans dix minutes. Steve allait entrer dans l'enceinte, mais Yann le retint par le chandail. « Faut je te parle de quoi. » Yann voulait parler boucane. Il avait revu ses « amis » et voulait lui faire essayer de quoi, bon comme la fin du monde. Le pétard roulé, gros pour une classe entière au secondaire, permettait aux Cousineau de se joindre aux « boys ».

Lorsque les filles revinrent « ici », les gars étaient ailleurs, les Cousineau en plein flash-back des années Lévesque. Un sourire idiot plaqué au visage, ils embaumaient les épices féériques. Mam'Bi en fut choquée.

— Vous auriez pu m'inviter !

— Je voulais pas que vous preniez des photos floues, balbutia Steve.

Mais non, elle ne filmerait rien, sa tablette cachée au fond de son sac à main pour ne pas tenter Eddy. Mais il n'y pensait même plus, ne sachant où donner de la tête, se détournant au moindre cri de la foule et au son des trompettes. Son père l'avait prévenu que ce serait dégueulasse, plein de sang partout. Il avait hâte de voir. Yann enserra sa blonde comme « dans le bon vieux temps où on avait pas d'enfant ».

Au milieu de familles locales piaillant d'excitation, leur groupe détonnait. Les autres touristes, dont beaucoup d'Asiatiques, occupaient les gradins à l'ombre en face. Une fanfare amorça les festivités, trompette, tambour, guitare, les musiciens arpentaient l'arène sous les hourras de la foule.

Steve ne leur avait pas menti : c'était enlevant et tout à fait « typique ». Un client ravi voulu engager la conversation, un rien gaga ; Steve chercha quelque chose d'intelligent à répondre et finit par bredouiller un résumé de la soirée : les premiers toréadors seraient novices ; les derniers, de grandes vedettes.

— C'est-tu la même chose avec les taureaux ? Les petits meurent en premier ?

— Comme les francophones envoyés en première ligne au débarquement de Normandie : un charnier !

Lise commanda une bière à Robert, le hasch ne suffisait pas à lui changer les idées.

Un taureau s'évada de son box enfin ouvert, en colère noire d'être coincé dans cette arène sous les cris de la foule surexcitée. Car il faut bien l'avouer, le rituel est cruel : trois picadors épuisent le pauvre taureau, lui flanquant des pics dans le dos. Le taureau s'étourdissait à leur courir après, fonçait tête baissée sur l'un puis l'autre qui se cachaient à la dernière minute derrière des panneaux de bois où le taureau s'écrasait avec force. Tchac! «Yahoo!» Eddy aimait mieux ça que les dinosaures, c'est vous dire; dans le jeu Angry Birds il ne voyait jamais mourir les cochons qui disparaissaient par magie: la corrida, ça c'est la vraie vie! Yann lui ébouriffa les cheveux, bien fier de son petit homme qui savait déjà apprécier la cruauté.

Le toréador agita alors sa cape rouge, attirant l'attention de la bête, qui courut vers lui. Esquive de l'homme, terreur de la bête qui se vit assaillie à nouveau par les picadors. Course folle désemparée: lâchez-moi! lâchez-le! Mais ses cornes étaient de peu de ressources face aux épées tranchantes. Elle n'avait nulle part pour les fuir ou reprendre son souffle, alors qu'eux pouvaient se cacher de ses coups, puis revenir frais et dispos s'acharner sur son cas. Ils l'étourdissaient de leurs cris, de leur cape, et Steve aurait voulu être ailleurs. La bête perdait son sang, le sable de l'arène d'un blond fin brunissait au fil de l'agonie.

Chantal passa la première demi-heure agrippée au bras de sa sœur qui finit par se plaindre que ça lui faisait mal. Sans demander la permission, elle agrippa la main de Guy qui se contenta de sourire: ça faisait cinq ans qu'une femme ne l'avait pas touché.

«Après le premier mort, on s'habitue.» Ainsi parlait madame Bruchesi lorsque le troisième taureau tomba presque à ses pieds, la gorge tranchée. Eddy regardait la bête se convulser devant lui, le sang giclait de son cou au rythme des derniers battements de son cœur. Cassandra couvrit les yeux de son fils, qui lui ôta prestement la main. « Veux voir ! » Avec la foule, il applaudissait le toréador, son héros, qui n'avait aucun mérite ; le corps de la bête était tiré hors de l'arène, on passait un râteau derrière pour nettoyer les traces de son existence. Au suivant !

« À plus tard ! » Nadine Trépanier n'en pouvait plus, prête à détaler, mais sa sœur l'en empêcha. « Tu m'as forcée à venir, astheure, endure ! Je te paie la bière. » Parmi les souvenirs qu'elle chérissait de son défunt, Chantal comptait les *games* de hockey où ils se gavaient en chips sel et vinaigre, *cream soda* et côtes levées au micro-ondes. Comme elle se levait pour aller au comptoir, Guy se proposa d'y aller et de lui emmener aussi de quoi grignoter. Chantal sourit : ça faisait des siècles qu'un homme ne lui avait pas offert de cadeau.

Au quatrième taureau, Allemands, Coréens et Québécois criaient des *olé !* en chœur avec les locaux. Steve remerciait chaque nuage pour son ombre bienvenue ; le soleil, bien que moins chaud en cette fin de journée, lui cognait. La tête lui tournait un peu. Il ne calculait pas avoir bu tant que ça. *Blame the haschisch.*

Au cinquième taureau, malgré les intermèdes de musique joyeuse, Steve se sentit mal. Quelque chose des picadors harcelant le pauvre taureau lui rappelait de mauvais souvenirs. Ces quatre humains et leurs cris agressants le ramenèrent à la cour d'école. Il avait eu peur au ballon-chasseur où on l'obligeait à jouer, même s'il n'était pas bon. Lassés de le voir courir et lancer des petits cris effarouchés, trois *toughs* s'étaient mis à le tabasser, lui le poche qui savait même pas attraper une garnotte. Il avait tenté de les fuir, mais ils l'avaient encerclé, jeté au sol pour lui flanquer des coups de pied en riant de ses gros pleurs de « bébé lala » et de tapette. Et surtout l'avaient affublé de ce surnom qui lui colla à la peau tout au long de l'école primaire : « Hey Fifon ! » chanté parfois sur l'air de *Hey Vicki*, l'humiliant d'office et à volonté.

Steve savait que la drogue pouvait l'emmener du côté sombre des pensées, il n'avait qu'à en sortir, *snap out of it*, lui dirait son amie. Mais l'hystérie de la foule réclamant un prochain massacre le ramenait à son cas d'intimidation qu'il croyait avoir surmonté. Enfant, il ne comprenait pas qu'on puisse éprouver du plaisir à frapper son semblable. « Vise les couilles ! » disait le plus vieux à ses amis. Voir la méchanceté dans les yeux de camarades de classe le terrorisait autant que leurs coups.

Steve vacilla, Nadine, sa voisine, voulut savoir s'il était correct.

Hey Fifon, *snap out of it.* Ce qu'il fit.

Et c'est alors qu'il la vit.

Hélène était dans les gradins VIP, à l'ombre. Elle le fixait, lui parmi le peuple, avec ces vulgaires beuglant pour réclamer la mort du prochain taureau. D'un seul regard incisif, elle lui rappela que de ce *bad trip* de victime désignée Steve était passé au camp des *bullys.* Il avait profité du passage du primaire au secondaire dans une autre ville pour devenir plus populaire en se faisant l'habile intimidateur. Lui, avec son arrogance de beau garçon, fils chéri, choyé, sans problème véritable, outre l'énorme défaut de s'autodétester pour son homosexualité montante, fit du fiel sur son sourire charmeur son arme la plus fidèle. Il trouvait des surnoms qui avaient de l'esprit, se moquait tout son lot « des tapettes zé des fluos ».

Des nerds et des bébittes.

Des mals dans leur peau.

S'en souvenait-il ? Bien sûr.

Steve avait chaud, et les cris de la foule autour n'aidaient en rien. Hélène ne le quittait plus des yeux pour l'aider à se rappeler.

Après avoir fait rigoler ses nouveaux camarades dans l'autobus scolaire – en imitant « si bien » Homer quand il étrangle Bart –, il était entré dans sa classe de sciences physiques en bousculant tout sur son passage. Quand elle lui avait demandé « respectueusement » de s'excuser, « vous ne m'avez même pas laissé finir ma phrase et avez lancé sur le même ton : SUPÉRIEUREMENT STUCK UP, provoquant une vague de rires chez vos petits camarades. *Supérieurement Stuck Up*... Le surnom qui me colla ensuite à la peau les vingt-cinq années d'enseignement qui ont suivi. Vous pensez que c'était facile d'intéresser aux sciences physiques... une bande de paresseux insolents à qui les parents devraient prêter plus d'attention ? Nous essayons de vous communiquer quelque chose, nous autres, les profs ! Et regarde-moi quand je te parle. » Steve releva sa tête qui oscillait, désaxée de son orbite, mais transpercée par la colère d'Hélène : « Toi, mon p'tit crisse de Monsieur Populaire ! Supérieurement Stuck Up est pas sur ton chemin pour rien. C'est pour expressément te rappeler que la récréation est finie. »

Steve s'évanouit.

Samedi 1er avril 2017 – Granada

Où Javier guide en lieu sûr et où Hélène se fait organiser

« Les amis ! On reste ensemble, sinon ça me mélange ! » Hélène comptait et recomptait ses brebis avant le départ pour Granada. Il manquait toujours quatre personnes à l'appel. « C'est de bonne heure à matin ! » grommelait une fumeuse, ainsi convoquée avant même l'ouverture de la salle à manger. Le maître d'hôtel leur avait laissé prendre café et brioches, et avait grondé Hélène. « Normalement, vous devez commander des boîtes-repas. » Elle s'était excusée de son ignorance – « Je commence comme accompagnatrice » –, et pressa des voyageurs affamés de prendre une pomme et une poignée de noix ; comme ça, ils auraient toutes leurs protéines. « Elle va quand même pas nous dire quoi manger », marmonna la fumeuse qui regrettait quasiment de s'être fait embarquer dans cette excursion puis sortit au-devant de l'hôtel pour sa première dose de nicotine. « Franchement… » Hélène trouvait ça tôt pour s'empoisonner (et aller ensuite engorger le système de santé pour des problèmes pulmonaires), mais elle garda le sourire et le décompte. Un couple se défilait. Hey !

— Où vous allez comme ça ?

— Aux toilettes. On a-tu le temps ?

— Oui, oui, mais juste un numéro un !

Hélène blaguait, mais dut le spécifier car la dame la trouva un peu rushante. Fixant sans cesse l'horizon pour voir venir leur autobus, Hélène vérifia l'ordre de ses notes historiques. Ses amis seront ravis d'en apprendre autant! Mais la conversation autour d'elle la déconcentra: bon, encore l'évanouissement d'hier à la corrida. Avec la rumeur qui amplifiait tout, l'une raconta que Steve se serait fendu la tête sur le ciment, une autre qu'il aurait passé la nuit à l'hôpital, le fémur cassé (à moins que ce soit l'auriculaire). Hélène se fit un plaisir de préciser: «Notre accompagnateur avait fumé trop de drogue et bu à en perdre l'équilibre. C'est des choses qui arrivent quand on est excessif.»

Détendus par une baise torride, Yann et Cassandra s'abstinrent de corriger la Mère supérieure. Ils sortaient sans leur «excroissance» ce matin, une première. Madame Bruchesi s'était proposé de garder Eddy, réalisant un de leurs souhaits lorsqu'ils s'étaient inscrits dans un voyage organisé: des mamies honoraires, gardiennes averties, se manifestaient toujours pour laisser quelques heures d'intimité aux amoureux. Avis aux intéressés! La nuit avait été belle: Eddy était tombé endormi comme une roche. Un miracle, pensait Cassandra; simple chocolat, savait Yann. Ils avaient baisé sur le plancher et le balcon, roulant, alternant goulûment les plaisirs, se mordillant en silence, pour ne pas réveiller le monstre en sevrage. Ça ramenait l'excitation d'adolescent, alors qu'ils baisaient au sous-sol pendant que les parents croyaient qu'ils jouaient à des jeux vidéo ou écoutaient encore *Le Roi Lion*.

Nerveuse, Cassandra avait averti Mam'Bi de n'utiliser le iPad qu'en cas de crise majeure. «Ça, ça veut dire plus d'une heure de hurlements.» Yann restait persuadé que son petit finirait bien par s'endurcir. «On est *tough* dans la famille.» Sa propre mère n'avait-elle pas été accro aux antidépresseurs, le laissant s'habiller seul pour l'école, dormant jusqu'à l'heure du midi? On s'endurcit vite à compter sur soi-même pour sa survie. Eddy vaincrait sa dépendance à YouTube, fallait juste lui donner des renforts chocolatés ou un petit *show* de boucane de temps en temps.

« Enfin, vous voilà ! » Hélène fit des gros yeux aux Schmidt de Laval, juste assez pour les dresser, et reprit son sourire engageant qui éveille à la connaissance :

— Êtes-vous prêts pour les merveilles qui nous attendent ? fit-elle en énumérant, avec un petit accent chic, l'Alhambra, le quartier juif, le tombeau d'Isabelle de Castille…

— Je pensais qu'on allait à Granada ? l'interrompit Guy. Je me suis-tu trompé d'excursion ?

Hélène corrigea le pauvre ignorant. « Vous êtes au bon endroit et surtout avec la bonne accompagnatrice ! »

Ses brebis calmées patientaient sagement lorsqu'elle les fit sursauter en criant, excitée comme un enfant qui a vu le père Noël. « Oh mon doux ! L'autobus, les amis, l'autobus ! On peut sortir ! Vérifiez que vous n'oubliez rien ! » Aussitôt au-dehors, elle les enjoignit de faire la file pour entrer, sans se bousculer. Se faire infantiliser ainsi en irrita plus d'un, mais ils se prêtèrent de bonne grâce aux consignes. Sortant du bus, un homme plutôt bedonnant, peu avenant, houspilla Hélène.

— *Are you in charge ?*

— Oui, j'ai charge de ces bonnes âmes.

— *The group is all here ?*

— Il n'en manque que deux.

Le guide fit un commentaire désobligeant comme quoi les Canadiens français n'étaient jamais à l'heure. Hélène eut honte pour son peuple et fila dans le hall.

Les Cousineau, encore eux, rôdaient autour des ascenseurs. « On ne voyait personne, on s'est dit qu'on devait être les premiers. » Hélène leur aurait ôté dix points sur leur bulletin et leur poussa dans le dos.

«Vite ! Vous faites attendre tout le monde ! » Lise se souvint tout à coup de ses pilules oubliées à sa chambre. Hélène la pressa : «Je vous en passerai des miennes ! Arthrite, haute pression, on a tous les mêmes bobos ! » Go ! Granada nous attend !

* * *

Javier arrivait toujours à l'avance à ses rendez-vous, qu'ils soient professionnels, médicaux ou sexuels. Par égard à l'autre et au temps précieux.

Il s'étonnait de n'avoir toujours reçu aucune réponse de Steve à ses textos, le crut déjà à la salle à manger, mais y fut averti par les sœurs Trépanier qu'il « était *tombero sur le planchera de cimento* ».

Bang !

Le mime aida à *do you understand.*

Javier grimpa les marches quatre à quatre pour cogner à la porte de chambre. Encore endormi, Steve répondit flambant nu, c'est toujours agréable à voir, mais avec un bleu sur le front et de larges éraflures et gales à la joue et au coude. « *Madre mía !* » Steve implora son collègue de travail de ne pas paniquer comme ses clientes hier soir, surtout les dames qui avaient l'âge d'être sa mère et s'inquiétaient tout autant. Oui, il s'était évanoui, face contre terre (des escaliers, c'est traître) ; oui, on l'avait étendu sur une civière. Le gérant de l'arène avait insisté pour l'envoyer à l'hôpital, mais réveillé, Steve avait presque dû se battre avec lui pour lui confirmer qu'il était correct, marchant même devant lui comme un ivrogne le fait pour prouver qu'il pouvait conduire son char. Le gérant se dégagea de toute responsabilité, lui fit signer une décharge : il ne voulait pas de problèmes avec les touristes. Steve avait fait son fanfaron sur le chemin du retour, mais les Cousineau durent le soutenir jusqu'à sa chambre, voisine de la leur, où il tomba raide mort dans un profond sommeil.

« *Tonto! Coño!* fit Javier en le serrant un peu trop longuement dans ses bras. *Ten cuidado!*» Steve se dégagea de cette trop intime étreinte. Il sprinta à la douche, et s'excusa du petit groupe, donc du peu de pourboires à espérer. « Beaucoup de trouble, pour pas grand-chose. » Javier lui rappela qu'il venait pour passer du temps avec lui au soleil. « Qu'il y ait dix ou cent planètes autour, je m'en fous, je veux graviter autour de toi. » Steve trouvait l'image trop belle, se sentant comme un trou noir. Qui donc était assez fou pour vouloir s'en approcher?

* * *

Depuis deux jours, Hélène s'exerçait pour bien prononcer à l'espagnol les lieux et les personnages historiques, et salivait à l'idée de diffuser sa science au micro. Mais elle avait oublié un de ses arguments de vente : ce matin, il y aurait un VRAI guide, pas juste un amuseur.

Mais pourquoi fallait-il qu'ils tombent sur un air bête?

Lui non plus ne semblait pas la blairer : assise à ses côtés, elle posait trop de questions et regardait sa montre, impatiente. Leur autobus faisait la *run* de lait, ramassant des clients dans divers hôtels, le fameux « service personnalisé » tant vanté dans la brochure. Mais n'auraient-ils pas pu tout centraliser? Hélène se retourna pour rassurer ses amis disséminés dans l'autobus, diaspora de Québécois entrecoupée de couples allemands, italiens et de British en visite. Les British, Hélène les croyait tous distingués, mais visiblement il y avait parmi eux de gros colons qui parlaient fort comme s'ils étaient dans leur salon.

Hélène désespérait : à un sixième hôtel, ils embarquèrent une vieille dame pliée à quarante-cinq degrés, soutenue par sa fille, ainsi qu'un couple de lesbiennes enragées. La plus farouche avisa le guide que sa femme était allergique aux noix – mortellement – et qu'elle n'entrerait pas dans le bus avant qu'il soit assaini. Le guide prit le micro et fit l'annonce à tous les clients qui avaient des noix de les jeter dans le sac qu'il ferait passer. On ne partirait pas avant ! Hélène trouvait ça pas mal exagéré, les belles protéines recommandées par le Guide canadien des aliments ! Guy, qui traînait avec lui un sac de cajous qui coûtent cher, voulut les cacher, mais elle le força à les jeter. « On veut pas de scandale ! » Et sortir enfin de Torremolinos !

— Est-ce qu'on arrive bientôt ? voulut savoir la fumeuse.

— Ça devrait pas être long, mentit Hélène. Les merveilles nous attendent !

— Oh, regarde c'est là que j'ai acheté mon t-shirt hier !

À trente minutes à pied de leur hôtel, après quasiment une heure coincés à bord du bus. Hélène n'était pas au bout de ses peines.

* * *

Steve jouait le distant à la salle à manger « pour pas que ça paraisse ». Quoi, au juste, qu'il s'attachait ? Il ne croyait tout de même pas qu'on ignora qu'il fût gai ! Javier n'avait pas été froissé par sa froideur, habitué à ces mecs qui défendent leur indépendance et ne veulent pas que la société sache de quel côté ils logent. Il eut ainsi un amant durant trois ans, star de l'équipe nationale de foot, ayant une petite amie de fonction, et lui pour les fonctions sexuelles. Jusqu'à ce que Javier se lasse, se disant qu'il méritait mieux que ça.

La vie est trop courte pour la passer à l'ombre.

En ce beau matin ensoleillé, Javier pria le gérant de la salle à manger d'ouvrir la terrasse dehors, qui servait rarement : d'ordinaire, les gens se cachaient du soleil, et en fait le personnel ne faisait rien pour les encourager : ça rallongeait le service de quelques pas.

Les sœurs Trépanier déménagèrent les premières, Nadine pâmée de voir que Javier leur ouvrait les portes sur un Nouveau Monde. Chantal la laissa rêver tout son soûl, absorbée par les nouvelles sur sa tablette : encore un attentat au Pakistan et des inondations en Australie. C'était pas chic de penser ça, mais au moins elle se sentait en sécurité dans son cubicule au métro Crémazie, bien que ça ne lui pressait pas de le retrouver.

À la terrasse, les Boute-en-train se gorgèrent de grand air, ravis de déguster le premier café sous la brise matinale. « On aurait dû venir avant », s'exclama madame Bruchesi dans un kit bleu et blanc parce que « ça fait sortie ». Elle faisait goûter à son petit homme plein de trucs nouveaux choisis dans le buffet. «Y a pas juste les œufs, dans la vie. » Eddy faisait parfois la fine bouche ; elle insistait, et lui, de bonne grâce, avalait. Le pudding au riz avec des raisins le matin, c'est gagnant, sachez-le. Eddy se mit à rechigner lorsqu'il remarqua Chantal Trépanier lisant sur sa tablette ; vite, Mam'Bi se permit de lui demander de ranger les mauvaises nouvelles au fond de son sac à dos. « On est en vacances ! »

L'une des trois Futures Matantes, qui voyageaient de façon autonome à ce jour, vint voir Steve pour savoir si c'était correct qu'elle se joigne à eux dernière minute. Ses amies ne voulaient jamais rien faire, alors elle avait pris l'excursion la moins chère, la sienne. Le typique au programme, ça consistait en quoi exactement ?

Steve, pour avoir plus de détails, se tourna vers Javier, qui lança un vibrant : « *Una orgía !* » Une orgie de bouffe, des surprises, se dépêcha de préciser Steve, mais Nadine était déjà émoustillée, elle allait A-DO-RER sa journée. Discrètement, elle déboutonna un bouton de sa blouse, sa sœur soupira.

— Vas-tu en ouvrir un de même à toutes les heures ?

— Tu comprends rien à la séduction ! T'es veuve depuis trop longtemps.

Heurtée, Chantal fila se resservir une deuxième assiette au buffet (des fruits pas engraissants) et se surprit à penser au petit monsieur tout seul qui avait été si prévenant hier soir pour elle, lui avait même ouvert la porte de l'hôtel au retour de la corrida : elle s'était sentie comme une princesse.

Mon premier château ! rêvait Cassandra. Y aurait-il des donjons avec une tour pour voir au loin ?

Yann n'en savait rien, il pensait plutôt au côté pratique du harem, le sultan ayant à portée de main ses mille et une femmes pour mille et une nuits et autant de variantes. Il banda à l'idée et mit la main de sa blonde sur l'offrande, l'envie de donjon lui passa. Elle fixait fascinée les Cousineau qui, collés l'un à l'autre depuis leur départ de Montréal, s'évadaient en rêverie dans le paysage défilant. Elle ne les avait jamais vus hausser le ton ni s'obliger d'accompagner l'autre par sacrifice conjugal. Elle et Yann seraient-ils aussi sereins, une fois vieux ? Se rendraient-ils seulement là ? Elle se sentait parfois si seule à deux.

Ses réflexions furent stoppées par un crissement de micro.

— *Good morning, guten morgen, buon giorno,* bon matin, lança le guide en quatre langues, aussitôt corrigé par Hélène.

— Bon matin, c'est un anglicisme, on dit bonjour tout simplement.

Le guide lui lança un de ces *killers looks* qui se passait de traduction. Hélène s'adossa à son siège et laissa le guide officier. Il donna brièvement un aperçu de la région en anglais, Hélène trouva ça SUPER intéressant et apprit même deux trucs qu'elle n'avait lus dans aucun guide. Voilà un homme renseigné !

Mais voilà qu'il redit la même information dans un français correct, belle politesse pour eux qui constituaient le plus gros groupe. Hélène fit signe à la fumeuse d'arrêter de parler. « On écoute le monsieur. » La fumeuse s'efforça de s'intéresser aux inintéressantes informations données sur un ton monocorde, jusqu'au moment où le guide renchérit en italien puis en allemand. Ça devint vite franchement agressant. Heureusement qu'on pouvait regarder dehors sans être chicané, la côte ayant enfin fait place aux montagnes et aux champs cultivés. Hélène demanda au guide s'il allait en parler. « À L'INSTANT ! » Oh qu'il était sec ! Hélène lut son nom sur son épinglette officielle et se fit une note mentale de se plaindre au grossiste si ça continuait ainsi. Sans passion, il leur expliqua la culture des olives et des oranges, il en savait des choses, mais lorsque les olives devinrent allemandes et les oranges italiennes, il perdit l'attention des clients, qui, franchement agacés, reprirent leur conversation. Contrarié, le guide se tourna vers Hélène. « *Could you tell your people to shut up!* » Heurtée, elle emprunta timidement le micro pour demander à ses « amis » de laisser l'expert parler à tout le monde dans toutes les langues. Il enchaîna avec un « premier » volet historique, détaillant comment les Arabes avaient colonisé toute la région ; racontée en allemand, l'occupation leur parut encore plus longue, en italien, les oreilles saignaient quasiment. Yann et Cass cherchèrent en vain une poignée à la fenêtre pour fuir, mais ils étaient bien organisés. *Help!* Au secours ! *Aiutare! Hilf!*

* * *

Fenêtres grandes ouvertes, Javier chantait au fil de sa *playlist* « Feliz ». Enchantés, le nez au vent, les clients humaient les pins, la brume de mer accrochée aux branches ; puis des fleurs odorantes que Javier nommait et que tous paieraient cher pour retrouver dans leur jardin personnel. Dans la navette confortable, ils avaient toute la place qu'ils désiraient : les sœurs, affalées chacune à leur siège ; au fond, Chantal étendait ses jambes à son aise ; Nadine, à l'avant, ouvrit un autre bouton de sa blouse, émoustillée d'entendre Javier fredonner.

Steve se laissait conduire avec plaisir, détendu à l'idée de n'avoir rien à décider, sinon à trouver la route belle et devoir l'immortaliser : madame Bruchesi lui avait confié sa tablette pour prendre des photos en cachette, sans alerter le petit.

En partant après neuf heures, ils avaient évité le trafic de la ville – qui a tant fait pester Hélène. Par ce lacet de petites routes, charmantes, ils arrivaient déjà à une première destination dans la campagne andalouse.

Les pierres manquantes aux bâtiments, et des outils à l'abandon et rouillés trahissaient l'âge de la ferme, mais le charme de cette maisonnette de briques rouges opérait toujours. Derrière s'ouvraient deux grands champs séparés par un chemin de terre mille fois arpenté : d'un côté, les olives, de l'autre, les oranges. Ce que l'autre groupe avait vu à la course, eux le verraient de près.

« *Benvenidos !* » leur lança la propriétaire, les bras grands ouverts pour enserrer SON Javier. Elle portait de vieilles sandales confortables qu'envia madame Bruchesi, qui s'enquit sans chichi de l'endroit où elle les avait prises. *Al mercado municipal !* Steve lui confirma qu'ils iraient la semaine prochaine. « Retiens ça, je veux les mêmes ! » La *mamá* les invita à prendre un café. Steve allait dire qu'ils sortaient juste de table, mais madame B. l'arrêta aussitôt. « Hélène, sors de ce corps ! » Et les six de rigoler ; d'autant plus qu'un café d'hôtel ne valait en rien celui d'une *madre*. Le savourant dans de vieilles tasses ébréchées, ils firent la visite de l'oliveraie. En avril, on pouvait distinguer çà et là la timide naissance des olives d'un beau vert tendre qu'on récolterait à l'automne, mais c'est le gris des feuilles qui étonnait. « Sont déjà vieilles ! » Madame Bruchesi se fit prendre en photo avec Eddy et mandata Steve d'envoyer aussitôt la photo à ses parents pour leur prouver que tout allait bien (ils étaient déjà amis Facebook). La mère de Javier parlait avec de grands gestes, Steve n'avait pas besoin de traduire. « On comprend les grandes lignes. » Eddy courait pieds nus dans l'herbe puis aussitôt qu'il montra un signe de fatigue, Javier l'installa sur ses larges épaules, lui fit le cheval pour arriver le premier au deuxième champ où les oranges étaient plus que promesses. Il en cueillit une pour l'offrir à Nadine, qui faillit bien s'évanouir : la belle grosse main de Javier l'avait caressée ! Chantal remarqua ensuite l'accolade subtile qu'il fit à Steve, mais n'en dit à rien à sa sœur : pour une fois qu'elle pensait pas à la job !

Le groupe rentré au bercail, la *madre* leur fit goûter deux sortes d'huile, dont une plus épicée, dans laquelle elle faisait mariner champignons et aubergines. Elle leur en offrit une jarre pleine ainsi que deux pains de ménage du boulanger du village. Le groupe apprit ainsi qu'ils se constituaient un pique-nique savoureux pour une destination, que Javier gardait secrète pour l'instant. Au moment des au revoir, sa mère l'embrassa sur une joue et Steve sur l'autre. Elle glissa trois mots à l'oreille de son fils qui sembla satisfait. Une bénédiction ?

Steve se détendait, ses regrets chassés : avec si peu de clients, il couvrait tout juste la location du véhicule, rien pour rembourser sa contravention, rien pour dédommager Javier. Rien ?

Et si, au contraire, c'était tout un début ?

* * *

Enfin un peu de silence ! Finies les explications en quatre langues ! Soulagée, Hélène s'excita à voir Granada annoncée dans quatre-vingt-six kilomètres. Dans moins d'une heure, ses yeux se gorgeraient de l'Alhambra ! Ancien palais des rois maures, qui comme chacun sait, et aux autres ignares elle l'apprendrait, régnèrent sur toute la région dès 716. Ses notes historiques contre son cœur, qu'elle savait de toute façon presque par cœur, Hélène somnola d'aise, rassurée. Alors qu'elle cognait ses premiers clous, le bus freina brutalement, la sortant de son repos.

— Qu'est-ce qui se passe ?

— *Now we stop for a thirty minutes break, time to eat, go to the bathroom and shop. Páramos trentas minutos !* Trente minutes…

Hélène crut halluciner. Arrêter ? À deux pas de leur destination ! Elle était bien la seule à s'en formaliser : les British pas de classe se dégourdissaient déjà les jambes, les fumeurs polluaient allègrement ; les Italiens, déjà surexcités, voulaient encore plus de café. En sortant, Yann et Cassandra se permirent au passage de lui faire remarquer qu'ils étaient dans le bus depuis deux heures et n'avaient encore rien vu. « Je le sais, figurez-vous ! explosa Hélène. Pensez-vous que c'est moi qui décide ? » Elle alla voir le guide, sur la pointe des pieds, lui confiant, gentiment, sa crainte de manquer de temps pour tout voir à Granada. « Voulez-vous me montrer à faire ma job ? lui dit-il, indigné.

Le quartier juif a aucune installation pour nous accueillir. Voulez-vous que les gens *shitent* dans les ruelles ? » Hélène le trouva un peu vulgaire de parler ainsi des besoins de ses amis, qui n'avaient pas comme elle une vessie hors pair et une curiosité sans bornes. Elle se boucha quasiment le nez pour entrer dans le *truck stop*, un gros rectangle jaune et brun, débordant de frigos, d'étalages de cochonneries et même pas assez de toilettes pour accueillir tout son monde, à en juger par l'interminable file des dames. Pour hâter la chose, Hélène proposa aux amies d'aller du côté des hommes, donna le bon exemple, mais un gros *trucker* l'invectiva en espagnol, quelque chose comme : « Vous nous volez nos jobs, laissez-nous au moins nos toilettes. » Hélène fila se cacher entre deux allées de marchandises.

Depuis des mois qu'elle planifiait son voyage, jamais elle n'avait pensé être coincée dans un vulgaire dépanneur. Elle arpenta les allées, dégoûtée de voir autant de malbouffe : les Nord-Américains n'avaient donc pas l'exclusivité des cochonneries ? Les Allemands se garrochaient sur des horribles saucisses enrobées de pâte et des brioches infectes, n'avaient-ils pas plus de goût que nous ? La fumeuse s'excitait de découvrir une nouvelle saveur de chips ; le petit monsieur tout seul comparait les différents porte-clefs – « Sont *made in China !* » hurlerait Hélène ; les Cousineau, qu'elle ne croyait pas SI quétaines, regardaient avec intérêt les sous-plats *I love España.* Hélène leur précisa :

— Y ont les mêmes sur la rue San Miguel en haut de la côte de l'hôtel ! On a une merveille de l'UNESCO qui nous attend !

— On a trente minutes à tuer.

— Vous êtes toujours en retard ! explosa Hélène.

Robert Cousineau lui recommanda d'aller se rafraîchir les idées au frigo. « Y a du vin et de la sangria, ça détend… » Franchement ! Voir si on boit de l'alcool en matinée ! Hélène ignora les mitaines de cuisine, passa sans s'arrêter devant les toutous de taureaux, le cadeau idéal pour les petits enfants restés au pays, bouscula un attroupement autour des carrousels de cartes postales. Gang d'épais à se pâmer sur des photos laides !

Enfin dehors, la voilà sauvée !

S'adossant à peine à un mur trop sale, Hélène offrit son visage uniformément maquillé au soleil. Comme elle comprenait Jésus d'avoir chassé les vendeurs du temple ! Pour se calmer, elle visualisa des salles de l'Alhambra, qu'elle avait déjà arpentées sur YouTube, plus d'un touriste ayant posté des montages vidéo de leur visite (ce qui faisait dire à ses sœurs : « Pas besoin de voyager, on a tout sur Internet. » Franchement !).

Se réfugier en esprit dans le palais royal ramena un peu de paix en son âme, jusqu'à ce qu'elle perçoive une odeur suspecte. Encore ces jeunes parents qui ne se cachaient même pas pour se droguer depuis que notre premier ministre laxiste se promenait dans les parades gaies en culottes serrées et chemise déboutonnée jusqu'au nombril ! Ne manquaient plus que le sari et le turban pour aller manger du poulet au beurre ! En plus, Yann buvait un Redbull, une plaie qui avait surexcité ses dernières cohortes d'étudiants, son gars pouvait bien être mal élevé ! Avant de péter sa coche, Hélène retourna à l'autobus et se cala dans son fauteuil. Elle pria intérieurement pour qu'aucun des siens ne retarde le départ. Non, le titre de retardataires revint à deux Italiens tapageurs qui entrèrent avec une *king can* de bière et dirent une blague stupide à un couple d'amis. Découragée, Hélène ferma les yeux alors que l'autobus repartait enfin. Sous peu, elle serait en pays civilisé.

Mais d'abord, une capsule d'histoire déclinée en quatre langues.

* * *

«Au dernier repas, Jésus a dit à ses amis: "L'un de vous me trahira." Fait que là Judas se tourne vers lui. "C'est-tu moi, Jésus?"» Ça rigolait fort à bord de la navette. C'était micro ouvert et avec le long fil en spirale, les gens pouvaient rester assis sur leur steak et en pousser une bonne. Steve traduisait l'essence des jokes pour Javier, qui rit franchement de l'invention du 69 par «deux personnes qui s'aimaient pas la face». Madame Bruchesi empoigna le micro pour sa fameuse joke des clous Wilson «qui pogne tout le temps». «C't'une fois deux publicitaires qui doivent inventer une pub pour une quincaillerie, fait qu'ils filment un Jésus crucifié avec deux centurions romains qui se font un *selfie* avec lui, disant tout contents: "Les clous Wilson, ça tient!" Le boss de l'agence trouve ça un peu *heavy* et leur demande de trouver de quoi de plus positif. Les gars travaillent là-dessus pis lui reviennent avec un flash génial: on voit Jésus qui se sauve dans les champs, avec des trous dans les mains pis les deux centurions qui lui courent après, en maudit: "On aurait dû prendre des clous Wilson!"» Hélène aurait trouvé ça épouvantable, tout l'équipage la trouva formidable.

Javier rit de voir ses voyageurs heureux et leur accompagnateur plus insouciant. Steve ne pensait plus aux catastrophes écologiques incessantes, à la surdité des populations trop prises dans le tourbillon d'achats, aux corrompus rarement punis et encore moins à sa simple peur d'être en couple.

Leurs regards se croisèrent dans le rétroviseur, et la furtive affection qui les unissait émut Mam'Bi. Son homme la regardait ainsi depuis une éternité; elle avait dit oui sans hésiter à une vie entière avec lui, une vie qu'il ne voulait pas étirer artificiellement. Cabochon! Elle lutta contre l'envie de l'appeler sur-le-champ, pour ne pas tenter Eddy si calme, mais pensa fort à lui, à la maison des ancêtres où il voulait finir ses jours paisiblement. Il aurait aimé cette virée en campagne, elle l'apprécia doublement pour mieux la lui raconter.

«*Llegamos!*» Si on avait à faire une publicité de l'Espagne rurale et folklorique, on viendrait ici. La fermette toute en vieilles pierres devait bien avoir trois cents ans, en impeccable état, elle dictait dès l'abord le repos.

En débarquant, tout le groupe se rua sur les chèvres et leurs adorables chevreaux, surtout Eddy, excité comme tout. Madame Bruchesi donna des ordres à son photographe officiel de prendre en gros plan «la chèvre noire, l'autre a l'air malin». Comme de fait, l'autre chevreau mordilla la main d'Eddy, qui lui présentait un peu de foin. Aïe! Rien de grave, il ne saignait pas, mais, pleurant de colère, il courut après la bête pour lui donner un coup de poing vengeur. «Doux, Eddy, doux!»

Leurs hôtes se présentèrent avec un plateau de fromages à grignoter, une sorte de parmesan vieilli, bien salé, et un cheddar goûteux *queso calado con vino de Málaga.* Steve précisa que le fromage avait trempé dans le vin de Malaga, lui donnant ce goût sucré «pas piqué des vers». Il ne savait pas trop comment traduire à Javier nos expressions locales, mais la gourmandise parlait pour elle seule. «*Prueba ese tambien!*» Leurs hôtes, en bons vendeurs, avaient les coupes prêtes et le vin apéro idéal, fruité mais sec. Madame Bruchesi buvait trop vite et accepta une deuxième coupe pour ne plus penser à son mari, puis, de la marde, elle reprit sa tablette des mains de Steve pour envoyer photo, petit mot tendre enjolivé d'émoticônes.

« *Trenta y dos años juntos ?* » s'étonna Steve en apprenant que leurs hôtes s'étaient connus à l'université et maîtrisaient le dur exercice de vieillir ensemble et sereins. C'en était étourdissant pour lui ; trente-deux ans avec le même homme lui paraissait impossible dans le monde gai, et pourtant ! La cinquantaine naissante et il dirait même radieuse, leurs hôtes étaient l'image du bonheur tranquille. « *Regalo de mis amigos !* » Les amis de Javier leur offraient un gâteau local au miel et aux épices, une recette de leur grand-mère. Tous achèterent leur lot de vin, fromages et fruits macérés (« On a le droit de ramener ça aux douanes ? » « Oui, oui ! ») Javier plaça le tout dans des glacières prévues à cet effet dans la soute à bagages. Nadine trouvait donc Javier « organisé et cosmopolite », c'est un terme qu'elle trouvait chic ; Chantal trouvait sa sœur niaiseuse : barbu, baraqué, d'un naturel avenant, Javier charmait aisément, mais il ne jouait pas dans leur équipe. Mais elle laissa sa sœur à ses illusions et son apéro matinal. Des deux vins goûtés, elle préféra le second, elle en acheta deux bouteilles, une pour ramener à la maison (ça se donnait bien en cadeau) et une seconde pour boire un soir sur le balcon de sa chambre : est-ce que le petit monsieur aimait le vin rouge ?

Guy adorait sa sortie jusqu'ici même si, à onze heures, ils n'avaient encore rien vu. Rangé sur un promontoire, leur autobus déversa son flot de passagers, les vieilles rues sinueuses du quartier juif l'empêchant d'aller plus loin. *Please, please, please,* supplia intérieurement Hélène, faites que ce soit agréable !

« Par ici ! *Follow me ! Sigueme ! Folge mir !* » Leur guide tenait un parapluie rouge surmonté d'un tournesol en soie, impossible de le perdre, même si elle le souhaitait afin de pouvoir partager ses connaissances infinies avec ses amis. Les rassemblant, Hélène exagéra sa joie :

— La vraie visite commence !

— Y était temps ! marmonna la fumeuse désagréable qui n'en pouvait plus de se faire casser les oreilles par les explications en allemand. On dirait chaque fois qu'il nous crie après !

Voici l'Albaicín, quartier musulman et tzigane. « C'est pas juif ? » Ça change si vite. À ceux qui l'entouraient, Hélène précisa que plus d'un millier de familles y vivaient au plus fort de l'occupation maure, mais elle fut coupée sèchement. « Les Canadiens français, svp, arrêtez de parler et suivez ! » Ainsi blâmée, Hélène encaissa la remarque d'un sourire contrit, se promettant de se plaindre du guide au grossiste dès son retour. Il brandissait son tournesol « n'ayant pas besoin d'une boussole », un air que fredonnait allègrement Robert à sa Lise. Ils admiraient, d'un même mouvement de tête, les pots de fleurs : les géraniums se déversaient en cascades généreuses alors qu'au Saguenay il y avait encore des plaques de neige par endroits. Les façades rouges et orangées attiraient les regards.

— Ça fait vieux, hein ?

— Je suis trop occupée à regarder où je marche pour voir le paysage.

Notamment, ces ruelles soigneusement formées de petits cailloux cimentés en de jolis motifs ; les couleurs vives aux parois, la céramique par-ci par-là, fascinaient Cassandra.

— Ça me donne plein d'idées de décoration.

— Et on aura les moyens, chérie.

Il lui prit la main, elle ne doutait plus de rien.

Ils aboutirent à une place publique où se tenait un marché de fruits et légumes. « Regardez, ici aussi y ont des gourganes ! » On apprit au guide le nom québécois de ces fèves et lui, petite faveur, commença son *speech* en français. Il rajoutait toujours des « hein » à la fin de ses phrases, signifiant dans son cas « n'est-ce pas ? ». Alors les Arabes qui possédaient la ville, hein, habitaient de l'autre côté, hein…

Tous les regards se tournèrent vers la colline de l'autre côté, on y voyait l'Alhambra qui ne payait pas de mine de loin. « C'est juste ça ? » Un rien de déception, vite chassé par l'idée d'une photo officielle avec le château derrière, alors que leur guide traduisait l'essentiel en trois langues. Affables, Yann et Cass se proposèrent d'aider tout un chacun à immortaliser leur sortie. Guy avait un appareil jetable et prit seul sa troisième photo sur vingt-quatre, les épargnant comme au temps des flash-cubes.

« Pis vous ? » Coquette, Hélène replaça ses cheveux, lissa sa blouse, tête haute, fière de son organisation. « Mon doux ! Avec tout ça, j'allais oublier ! » Il est midi : Fripon ! Elle courut s'isoler dans un coin pour téléphoner en paix, à peine le temps de faire des coucou-minou-c'est-Lélène-d'amour que le guide vint l'accuser de retarder tout le groupe et lui demander de suivre un peu.

* * *

Pendant ce temps, huit voyageurs se pâmaient sur les stalactites qui tombent et stalacmites qui montent. D'ordinaire, en excursion, Steve négociait toujours quelques minutes par-ci par-là pour ajouter halte et saveur aux parcours pré-mâchés. Mais, avec Javier, une surprise n'attendait pas l'autre, on le suivrait n'importe où.

Professionnellement, on s'entend.

Steve avait douté de la pertinence d'aller visiter des grottes à Nerja, qui plus est devant les coûts d'admission, il trouvait les largesses de Javier un peu suicidaires : ils allaient finir en dessous ! Javier chassa ses craintes, c'était un investissement à long terme : n'avait-il pas des excursions prévues la semaine prochaine ? Oh que oui, il en avait bloqué trois à l'horaire !

« *Entonces, dejame! Tendras ocho clientes que diran a los otros que tan estupendo es contigo!* » Madame Bruchesi crut avoir compris que le chauffeur traitait son chum de stupide. Steve la corrigea rapidement : uno, il n'était pas son chum ; secundo, on parlait strictement de marketing, de clients satisfaits qui feraient regretter aux autres de ne pas les avoir suivis dans leur *estupendo*-extraordinaire virée.

Car les grottes fraîches, après une balade au chaud soleil, étaient jouissives ! Un sentier balisé aux pierres usées par des milliers de marcheurs les menait d'une grotte à l'autre, chacune savamment illuminée, pour ne pas susciter l'effroi et garder une part de magie. Dans la plus grosse, un auditorium aménagé diffusait une douce musique classique (« Du Bach, leur aurait précisé Hélène, un air tiré d'un concerto brandebourgeois, tout le monde connaît ça, franchement ! »).

Connaissant ses touristes comme le fond de sa poche, Javier leur épargna les deux dernières grottes, un raccourci « réservé aux employés » qu'ils empruntèrent en gloussant, excités par l'interdit. Ils aboutirent rapidement à la boutique de souvenirs et surtout aux toilettes. « Profitez-en ! Là où on va, vous aurez pas autant de commodités. » La curiosité ajouta à l'excitation du groupe : où les emmènera-t-il ? Nadine fantasmait déjà sur un ranch avec des chevaux, n'ayant plus de boutons disponibles à ouvrir à moins d'indécence, rafraîchit plutôt l'ombre délicate sur ses paupières. « T'as trop vu de films, la réalité va te décevoir », lui dit sa sœur. Nadine la traita de rabat-joie et de jalouse.

Seuls hommes dans la salle de toilettes à côté, Javier plaqua Steve contre le mur pour l'embrasser longuement. Baiser rendu, mains baladeuses, tous deux excités par cette matinée à se frôler sans pouvoir aller plus loin.

À leur sortie, il fallait être aveugle pour ne pas voir leur émoi : sont-ce des stalactites ou des stalacmites qui tendent leurs culottes ?

* * *

Hélène trépignait comme une petite fille : enfin, elle y était, l'Alhambra ! l'Alhambra ! La raison de sa venue à la Costa del Sol, avec Séville ! Vous rendez-vous compte, les amis, le face-à-face avec l'Histoire !

Les amis se rendaient surtout compte qu'à treize heures le soleil était à son plus fort et que le petit déjeuner pris à la sauvette était loin derrière. Mais bon, c'était quand même beau. « Beau ? Franchement, c'est abasourdissant ! » Et le plus merveilleux – « Savourons notre chance ! » : les Allemands et les Italiens eurent droit à leur propre guide, les grossiers British furent jumelés à des Américains. Ainsi ils eurent le bonheur d'avoir une VRAIE guide, une femme distinguée à qui Hélène pouvait poser des questions !

« On avance par ici ! » La guide, charmante, leur précisa qu'un château catholique était plein de parures à l'extérieur, mais terne à l'intérieur, le palais du sultan arabe n'avait l'air de rien du dehors – en effet –, mais tous ses murs et plafonds étaient sculptés, peints, parés soit de dentelles de plâtre ou de mosaïques de céramique. Même les plus blasés écarquillaient les yeux, étonnés par tant de beauté.

— Et c'est ce qui a résisté au passage des années : pendant longtemps, l'Alhambra fut abandonné, on y tenait des marchés publics, les bohémiens s'y rassemblaient.

— Oui, Flaubert en faisait mention dans ses carnets de voyage, précisa Hélène pour faire sa fraîche.

Elle rajouta des détails sur les arts décoratifs nasrides, voulut savoir combien de temps mettait le stuc à sécher, mais la fumeuse demanda avant elle à la guide : « La femme du sultan avait-elle son mot à dire sur les couleurs des draperies ? » Franchement ! Hélène, honteuse, n'écouta même pas la réponse. Heureusement que l'Histoire intéressait un peu ses amis. Les femmes s'indignaient du sort des concubines, qui demeuraient cachées derrière les persiennes (qu'on appelait justement les jalousies), car seule la dame légitime pouvait se promener librement dans tous le palais ; les autres se mouraient d'envie et de chagrin. Ainsi va la légende des Deux Sœurs Captives.

Toutes s'émurent de leur sort à la porte dite des Deux Sœurs, et Cassandra dans le frisson collectif lança : « Comme dans la chanson de Cindy Lauper ! » Elle dut s'expliquer :

— Ben, au couplet de la toune des *girls* qui ont le droit d'avoir du fun, ça dit que y a des hommes qui les coupent du monde, les empêchent de vivre dans la lumière. C'est fort ! Quand je vois des filles de mon âge aux glissades d'eau à Bromont avec juste un petit ovale pour respirer à l'air libre pendant que leur mari en short me mange les fesses des yeux...

— Les glissades d'eau n'ont pas rapport à l'Alhambra, voyons ! lui rappela Hélène en s'excusant en son nom auprès de la guide, la priant de continuer à les instruire de vraies affaires, car « tout est fascinant ».

Les hommes frissonnaient à la pensée d'être châtrés comme l'étaient les domestiques. Seul Yann pavanait, parcourant les pièces avec l'agréable impression de déjà vu : il avait été sultan avec toutes ces femmes à volonté.

— Sinon musicien, dit-il, se croyant bien cool.

— Les musiciens se faisaient crever les yeux, lui précisa la guide.

Yann avala de travers. En effet, aveugles pour ne pas voir à quoi le sultan occupait ses journées en dehors des conseils de ministres. Il faudrait crever les yeux de la population entière pour ne pas voir les malversations et combines de nos élus ! Robert précisa que ce n'était pas nécessaire : tous étaient trop occupés à compter les *likes* sur leurs *selfies*, oubliant que leur voix comptait dans le débat.

Ils franchirent un second patio, héritage de l'atrium romain, et la fumeuse s'exclama que c'était plus beau qu'un gazebo. Hélène eut honte, mais se calma en flattant les murs de la Chambre Dorée. « Mon doux ! » Émue, elle caressait les « splendides azuléjos » pour en absorber les vibrations : l'Histoire lui parlait ! Elle demanda à Yann un petit service de rien du tout, soit de l'immortaliser dans cette pièce à la lumière exquise ; elle prit une moue de pin-up qui fit sourire les Cousineau. « Regarde donc la sainte qui joue à la cochonne. » En riant, musiciens et concubines québécoises débouchèrent sur une succession de jardins en paliers, parsemés de fontaines encore en état aux bassins reflétant les merveilles.

« Ça arrête pas d'être beau ! » se pâmait Hélène au nom de tous. Les massifs soigneusement entretenus, les rosiers tout en bouton, les haies de buis si odorantes et taillées au couteau invitaient à la rêverie. Robert pestait contre nos chantiers qui s'éternisaient, les routes à refaire aux trois ans, mais ssshhh ! sa douce l'intima de lâcher le Québec un peu, « sinon je te stoole à Hélène ». Les entendant tous s'extasier, un jardinier vint les remercier : s'ils trouvaient ça beau, c'est qu'il faisait bien son travail. Immigrant algérien, fier d'avoir pu parler français, il retourna humblement à son ouvrage.

Les jardins se succédèrent, à l'équilibre pensé, irrigués par un subtil cours d'eau longeant les chemins de pierraille. La fumeuse, frustrée de ne pas pouvoir exercer son droit de boucaner même si on était dehors, demanda « si ça achevait ». Les amis critiquèrent le dîner prévu à quinze heures : c'était bien tard, avec tout ça, on aurait pas faim pour souper. En plus, il faisait chaud avec le soleil. À l'écoute, la guide proposa un petit raccourci...

Le groupe trouvait donc que c'était une merveilleuse idée ! « Et escamoter la visite ? » Hélène s'objecta, on ne pouvait rater les Bains de Comares et le patio de la Grille, tout au fond ! Elle demanda qu'on vote, mais seule la jeune droguée leva la main avec elle pour poursuivre la visite. Comme le résuma la fumeuse : « C'était bien beau, mais on a compris c'était quoi. » Maudite inculte ! Hélène bouda tout le chemin du retour, pleurant intérieurement ces parcelles de merveille dont elle avait été privée.

* * *

« Voilà ! lança en français Javier, fier de son coup. La crique magique ! » Secret d'initié, la petite plage n'apparaissait pas sur les cartes officielles. Outre leur petit groupe, il y avait tout au plus une dizaine de personnes dispersées entre les rochers. Javier faisait de cette journée une surprise perpétuelle. L'océan, turquoise et limpide, s'écrasait en vagues fortes sur les galets en une belle écume blanche étincelante.

La navette fut garée tout en haut d'une falaise, ils descendirent prudemment, chargés de leurs victuailles et sacs de plage, par un étroit chemin escarpé les menant à une baie protégée des regards. Ils en piaillaient d'excitation ; Mam'Bi s'assura que Steve avait pris « la vue en photo ». Oui, oui ! lui-même en était épaté, fermant la marche avec la glacière. Javier lui raconta qu'il venait souvent ici prendre sa dose de nature sauvage, las d'enfiler les kilomètres et les allers-retours abrutissants entre l'aéroport et les hôtels.

« *Hola Javier !* » Un couple baba cool tenait un *chiringuito* de fortune, une petite roulotte qu'ils descendaient au printemps et barricadaient chaque soir après avoir servi aux quelques connaisseurs des poissons fraîchement pêchés et grillés à point. Il avait été dentiste et n'en pouvait plus des gueules ouvertes chaque jour, sa belle avait dit oui à son idée de fou. À l'hiver, ils voyageaient à leur tour et neuf mois durant, ils accueillaient chaleureusement les locaux et ces rares gringos. « *Mis amigos !* » Javier demanda des *raciones*, et Nadine se chargea de régler l'addition. « C'est moi qui régale ! » Elle en ferait tellement davantage pour remercier leur guide colossal !

Déjà, Javier déployait deux grandes nappes de pique-nique un rien déteintes par l'usage et le soleil. Nadine stressa de ne pas être sur la même nappe que son beau chauffeur, sa blouse déjà ôtée pour qu'il voie l'échancrure de son maillot, son ventre plat par tant de midis de pilates et de yoga, mais Javier s'affairait à servir les *quebecenses.*

Madame Bruchesi mouilla le bas de sa robe à retenir Eddy, tenté de tâter les vagues, toutefois intimidé par la force de celles-ci. « Fort ! » répétait-il. Oh, oui ! C'était fort beau, fort bon, formidable. Les bouteilles débouchées, Javier rompit le pain avec ses mains, on se partagea les fromages. Tout fut englouti en un rien de temps, les olives chaudes explosèrent dans la bouche (quelle idiotie de les manger sorties du frigo!), le fromage parmesan suintait un peu, et son goût éclaboussait en bouche (surtout avec le deuxième vin plus approprié); les poissons fondaient sous la dent, et tous savouraient leur chance. Madame Bruchesi fit une petite vidéo de leur pique-nique enchanteur avec, en gros plan final, Eddy s'empiffrant de gâteau au miel.

* * *

En recevant la vidéo, Cassandra s'écria de joie: «Mon petit homme!» Yann capotait surtout de voir le méchant beau spot! «Pis nous autres coincés icitte.» La vidéo fit le tour de la tablée, et tous envièrent leur équipée. Ils étaient parqués dans la salle de réception d'un hôtel quelconque, où le gérant s'était excusé pour l'air climatisé qui ne fonctionnait pas; Hélène suait à grosses gouttes et picossait son assiette de pâtes primavera, faite de légumes congelés.

— Vous auriez dû prendre la pizza!

— La pizza, c'est pas espagnol!

En bonne matriarche, Hélène trônait au bout de la tablée. C'était infect. Le gérant leur avait offert un pichet de sangria aux frais de la maison pour s'excuser du service un peu lent. «On a une employée malade.» Sûrement d'avoir mangé ici! Hélène s'offusqua de voir en entrée les deux morceaux de saucisson et le petit bout de fromage sur une feuille de laitue fanée: «C'est ça, votre antipasto local?» Elle alla se plaindre au guide qui l'ignora carrément. Et tous de manger sans rechigner. Gang de mous! Elle s'excusa de quitter les amis avant le dessert. Ils avaient à peine une heure pour le temps libre et les «découvertes personnelles», une expression typique des voyages organisés signifiant souvent du magasinage dans les boutiques près de l'autobus garé. Hélène courut le plus vite possible: une merveille l'attendait.

* * *

Les bouteilles de vin qu'ils croyaient ramener au Québec pour la famille avaient toutes été bues. Excusez-nous d'avoir pensé à nous d'abord ! Si vous aviez visité ce coin de paradis, vous en auriez fait tout autant. Les ventres gonflés, la tête en fleurs, l'heure de la sieste sonnait.

« *Vámonos ?* » dit Javier tout bas à Steve. Mais Nadine avait entendu. « Où on va maintenant ? » Quel autre trésor leur merveilleux chauffeur leur offrait-il ? L'alcool la rendait encore moins subtile et tout le monde la vit caresser le mollet musclé de Javier. Il bredouilla qu'il y avait des chemins d'excursions à travers les rochers qui ceinturent la baie, mais que les sandales de Nadine risquaient d'être trop glissantes.

« Ouh, tes belles sandales cosmopolites... » se moqua sa sœur. Nadine, bouche bée, alluma enfin (y était temps !). Voyant la déconfiture de sa cliente, Steve crut bon de se justifier qu'il partait seulement découvrir les lieux « pour mieux vendre la destination à de futurs clients ». Madame Bruchesi n'était pas dupe de son excuse et lui sourit franchement : « Amusez-vous bien, les jeunes. » Steve rougissant jusqu'aux oreilles, Javier les saluant timidement, ils partirent marcher vers les rochers. Heurtée malgré elle, Nadine se coupa machinalement un autre morceau de gâteau.

— Mange tes émotions, rigola sa sœur.

— Mange donc de la marde !

Entre sœurs, parfois, la poésie fout le camp.

* * *

Essoufflée, couettée, en lavette, Hélène arriva à la basilique pour se faire refuser à l'entrée à cause de ses épaules dénudées : le règlement, c'est le règlement. En pestant, Hélène fit demi-tour à la course, juste au pied des marches, et acheta à des vendeurs d'affreux t-shirts, un extra large *I love Spain*, qu'elle enfila avant de revenir voir le guichetier. « Êtes-vous content, là ? » Il lui redonna machinalement, et trop lentement, sa monnaie. Hélène s'engouffra dans la basilique. Le plafond tentait de rejoindre le ciel, poussé par des colonnes sculptées qui le tenaient à bout de bras. La blancheur du marbre étourdissait, Hélène ne s'irrita même pas d'entendre des gens parler à voix haute alors que l'endroit incitait à la prière : elle restait sans voix devant l'ample ouvrage édifié pour un petit homme.

* * *

Serait-elle émue par l'attirail patenté par madame Bruchesi ? Une serviette coincée entre deux roches et deux bâtons piqués dans le sable faisait de l'ombre au petit Eddy, dormant paisiblement sous cette humble cathédrale de tissu. Madame B. ne se lassait pas de le regarder : il lui rappelait son plus vieux, qui approche pourtant des quarante ans, mais dont elle pourrait vous raconter dans les moindres détails les premiers pas et premiers mots. Depuis, il l'accusait de son mal-être, la rendait responsable de l'échec de son mariage. C'était toujours la faute des mères à en croire les grands enfants malheureux.

Nadine n'avait qu'elle à blâmer. Honteuse, elle s'était approchée de l'eau pour fixer sans répit les tumultueux remous.

— On est censés attendre une heure après le repas, l'avait doucement avertie sa sœur.

— C'était quand on était petites et qu'on croyait encore au prince charmant.

Nadine se trouvait niaiseuse, voire désespérante, de tant chercher l'homme idéal. Elle devrait pourtant savoir qu'il n'existe pas. Elle s'en voulait toujours d'avoir dit non à vingt-deux ans à un fiancé, fou d'elle. Les meubles étaient achetés, la date fixée, les faire-part envoyés, Nadine avait tout annulé à la dernière minute. Sa famille l'avait traitée d'idiote; depuis, sans regret, elle croquait tous les hommes qui passaient, clients de la banque compris. On enviait sa liberté, elle carburait aux conquêtes, pestait contre les hommes mariés qui ne s'annonçaient pas, sans pour autant s'empêcher de leur céder.

Et là elle détestait sa cinquantaine en quarantaine.

À quoi bon tout ce yoga pour garder la forme si les hommes ayant un semblant de bon sens reluquaient les petites jeunes? Elle adorait sortir entre amies au théâtre, mais aurait tout autant voulu se glisser à l'occasion entre de beaux draps. Malgré elle, Nadine scruta au loin les rochers, cherchant à apercevoir cet autre homme qui n'avait pas voulu d'elle.

* * *

Hélène était née pour apprécier les merveilles. Selon la légende familiale, même bébé, elle détaillait les tableaux dans les musées où sa mère l'emmenait parfois, disant qu'on n'habituait jamais assez un enfant à la beauté.

Quel dommage! Le temps lui manquait pour découvrir les chefs-d'œuvre que recelait sûrement le Musée des beaux-arts de Granada, mais il était hors de question qu'elle rate la chapelle royale.

Les imposantes grilles qui la protègent, toutes d'or massif, sont ciselées telles des vignes entrelacées, comme si on entrait dans un jardin et non pas une sépulture.

Le tombeau d'Isabelle de Castille et Ferdinand d'Aragon occupait toute une pièce; en fait, on aurait même dit qu'il l'illuminait comme un feu l'aurait fait.

Chaque parcelle des murs a été soigneusement pensée – là des angelots sculptés, là des scènes de la vie des époux royaux, mais le tout formait un ensemble éblouissant, un puissant chant à la mémoire des régents. Oui, l'or provenait des pillages en Amérique, oui, les époux commirent leur lot d'injustices, mais l'opulence du tombeau chantait surtout la gloire des amoureux.

Hélène soupira à fendre l'âme. Le monde n'est pas fait pour les gens seuls, le monde est fait pour les couples.

* * *

En cette petite crique sauvage, à l'abri des regards, Javier et Steve s'étaient assoupis un instant, blottis l'un contre l'autre. Ils n'avaient pour couche qu'un minuscule espace sablonneux, ceinturé de rochers fouettés par les vagues, qui valait toutes les îles possédées par les stars d'Hollywood.

Pour clore le pique-nique gargantuesque, les amants s'étaient dévorés l'un et l'autre ; la peau salée par la sueur, les poils conservant leur odeur si personnelle pour qui aime y fourrager. Javier avait des couilles de taureau, Steve un imposant flambeau, ils savaient jouer l'un de l'autre, même leurs pieds se caressaient pendant les va-et-vient. Steve avait rarement vécu cette complicité physique, comme si chacun répondait à l'autre sans mot dire.

Mais c'était trop pour lui, Javier était trop vieux (dix ans de plus, c'est beaucoup trop), ils vivaient trop loin l'un de l'autre, c'était trop fou.

Au réveil, Steve eut un sursaut de culpabilité. « Faut aller rejoindre le groupe. » Javier lui sourit et murmura dans un accent charmant : « Prends le temps d'être heureux. » Pour un gai, cynique de nature, ce serait tout un exploit.

* * *

Hélène arriva la dernière à l'autobus, applaudie à tout rompre. C'était là un classique du voyage en groupe que d'humilier ainsi le retardataire. Mais, encore nimbée de la lumière du tombeau royal, Hélène ignora avec superbe les applaudissements : ces païens ne pouvaient pas comprendre.

Sur le chemin du retour, elle relut sa recherche et ses notes, encore plus passionnantes maintenant qu'elle avait vu l'Histoire de près, mais s'abstint de partager ses délicieuses réflexions avec ses amis. Ça leur apprendra.

Les deux heures de bus du retour et la congestion routière effacèrent toute trace d'émerveillement. Ils eurent droit en surplus à une crise de panique saphique, car un client avait acheté des noix pendant ses « découvertes personnelles ». Un des nôtres… Hélène s'en cacha et assista impuissante aux manœuvres d'urgence : le bus s'arrêta au milieu de l'autoroute, la lesbienne manquait d'air ; sa femme ayant appelé l'ambulance, ils durent l'attendre, puis la quasi-morte se rendit compte qu'elle serait correcte. Hélène pesta : une butch qui capote pour une peanut, j'ai mon voyage !

Les Boute-en-train ne parlèrent plus du restant du voyage.

* * *

À l'autre bout de la Costa del Sol, la gang chantait à tue-tête le bamboleo-bambolea. Assis derrière Javier, Steve s'enhardit à lui caresser les cheveux. Surprenant ce geste, Nadine les envia puis fixa le ciel qui prenait déjà des teintes mauves et roses, un vrai ciel en cinémascope qui donnait envie d'être là demain. Nadine s'excusa à sa sœur d'avoir mis autant de temps à décrocher de la performance du travail. À partir de maintenant, Chantal pourrait décider pour elles.

— Qu'est-ce qu'il y a au programme ?

— Juste être bien dans sa peau.

— Je pense qu'on va être capables.

Dimanche 2 avril 2017 – Marbella et l'hôtel Mélies

Où, en ce septième jour, ils se reposèrent

Le programme officiel annonçait des « Sports de plage – 14 h - 17 h. Rendez-vous au bar de la piscine. » Vulgaires amusements, pensait Hélène, dégustant son thé vert, trop amer. Elle achetait le sien dans une boutique spécialisée, on ne pouvait demander autant de raffinement d'un buffet d'hôtel. À chaque gorgée, elle chassait mentalement toute métastase qui voudrait se loger en elle. Depuis des années, elle faisait de la visualisation positive, de tissus roses et en santé et, grand dieu, ça marchait jusqu'à présent. Elle mangeait seule ce matin à une table longeant le buffet des fruits frais pour être certaine de voir tous ses amis. Certains lui souriaient, d'autres l'évitaient : sans lui dire ouvertement, on la blâmait pour la pénible excursion à Granada. Tout ça pour ça ? « Pas drôle, vieille fille de même, la plaignit madame Bruchesi. Elle a beau avoir cinq sacs de maquillage, elle aura toujours l'air d'une face à claques. »

Puis le petit monsieur tout seul prit la peine de s'arrêter pour lui dire que c'était « pas pire pareil, l'affaire, hier ». Granada, précisa Hélène, voulait-il des explications ? Oh non, juste une banane. Poli, il s'informa de ses plans pour aujourd'hui. Hélène retrouva toute son expressivité.

— Je compte me reprendre et aller enfin à la cathédrale de Malaga. Sur les heures de messe, c'est gratuit et je pourrai entendre les gens chanter dans leur langue ! Ma soif d'apprendre est immense !

— Ah bon.

Guy n'y voyait rien de passionnant, prêt à aller faire le tour du buffet, mais Hélène le retint :

— Me recommandez-vous l'aquarium ?

— Oh oui ! Les poissons étaient super colorés !

— Mais étaient-ils espagnols ?

Guy avait oublié de leur demander. Il s'excusa de l'abandonner pour aller voir l'ananas coupé en tranches. Hélène lapa une dernière gorgée de thé. Lorsque les Cousineau firent eux aussi un détour pour l'éviter, Hélène jugea qu'il était temps de partir. Elle quitta la salle à manger, gravit sans se presser les deux cent trente-deux marches et arriva à l'heure juste pour le prochain train.

Hélène détestait poireauter trop longtemps sur un quai.

Car personne n'était jamais là pour attendre avec elle.

* * *

Rien ne sert de courir, l'arrêt a du bon.

En se réveillant, Steve mit quelques instants à se souvenir de la veille. Ils n'avaient pas voulu se séparer, Javier avait proposé un dernier verre, « *mi casa es tu casa* » et mon lit sera le nôtre, Steve connaissait la chanson.

Mais pas Marbella.

Visiblement, une ville plus cossue, à voir les tours alignées de condos, la large avenida del Mar et les boutiques de luxe offrant bijoux, écharpes de soie et chemises griffées. Et quand même, des sculptures de Dalí au cœur de la ville, il y avait de quoi chavirer une âme ! Les personnages aperçus dans ses toiles mythiques avaient été coulés à échelle humaine. « C'est comme si on marchait dans ses tableaux ! » Surtout avec le joint de fin de soirée, les femmes filiformes et ces don Quichotte de l'étrange rendirent la simple promenade au clair de lune enchanteresse.

« *He's gliding on a dolphin !* » Steve raconta comment nous avions décimé la population de bélugas, bientôt à l'extinction. Javier lui parla de la désertification des berges, des pluies diluviennes et des pans de collines qui s'étaient effondrés dans un village voisin l'hiver dernier. Leur paradis terrestre était en péril, mais qu'y pouvaient-ils ? « *Let's drink and pretend everything is fine.* »

En remontant vers chez lui, il souligna la floraison de ces plantes grasses qui s'agrippaient aux falaises de grès. Un coin de « sa » baie permettait encore aux pêcheurs locaux d'y laisser leur embarcation.

« *Quizas podremos ir a pescar, mañana ?* » Faudrait qu'il consulte son horaire ainsi que sa peur des lendemains chantants.

Au condo, un pan de mur entier contenait des livres, pas juste des bibelots décoratifs qui prennent la poussière, non, des livres lus. Des cadres choisis, en argent, où Steve reconnut la *madre* et le bon goût de Javier. Deux photos d'amoureux ayant dû compter trônaient en bonne place. Au comptoir, des reliefs de repas, des condiments et légumes entamés, témoignaient qu'il cuisinait, mais pas de zèle côté ménage. Ça respirait le gars qui vit sans chichi. Penché au-dessus d'un minuscule frigo européen, Javier proposa la glace :

— *Helado ?*

— *Claro que si.*

Ils prirent le digestif au balcon, étroit, où ils ne pouvaient manquer de se frôler et se caresser un peu. Sans tarder, il y eut une deuxième joute. Au son des vagues, Steve abaissa la garde et se laissa couler. Le sexe avait été plus animal, ils avaient voyagé du lit au sofa, du sofa à la salle de bain comme si Javier voulait lui faire faire le tour du propriétaire.

Et c'était déjà le matin.

Sur la blancheur des draps, la peau caramélisée par le soleil de Javier invitait à la caresse. Steve se leva sur la pointe des pieds, un simple petit verre d'eau pour remettre le système en route, pas de *hangover*, vive l'herbe et ses dérivés !

Voyant le bol de fruits rempli sur le comptoir, il pensa faire en un tournemain le seul gâteau qu'il connaissait par cœur, le gâteau « 2 » :

2 œufs,

2 cuillérées à table de beurre,

2 cuillérées à thé de poudre à pâte,

2 tasses, soit 1 1/4 farine, 3/4 lait

2/3 tasse de sucre (l'exception qui confirme la règle).

Tout ça sur des fruits coupés – n'importe lesquels – avec des noix de beurre et un peu de sucre (miel, sirop d'érable, cassonade). 350 degrés, 40 minutes.

Ce bel élan amoureux fut stoppé par le rappel de la raison : cuisiner la première fois, de quoi ça aurait l'air ? Et pourquoi pas faire du ménage tant qu'à y être !

Ils iraient déjeuner à l'extérieur.

Un café anonyme dans un resto est une façon de rendre l'inconnu à la foule. La conquête était redonnée au suivant, c'était l'ordre des choses d'un homosexuel moderne. Puis une voix décida pour lui.

« *Ven aquí un ratito.* » Javier tapotait le lit à ses côtés, l'y invitant. Steve n'était pas d'attaque pour une séance de baise, après le doublé d'hier, mais Javier ne voulait qu'une chose : le serrer dans ses bras avec un rien d'abandon qu'on appelle tendresse. « *Ossito mio* », grogna-t-il. Mon nounours. À voir la panique dans ses yeux, même la maman de Fripon pourrait vous le dire : Steve avait la chienne.

* * *

« Mam'Bi ! » Eddy courut se blottir entre ses jambes, rejoint par ses parents en liesse. « Je sais pas ce que vous lui avez fait, mais y a bien dormi ! » Yann et Cassandra découvrirent la terrasse ensoleillée, adoptée par tout le groupe comme lieu de ralliement, n'en déplaise au gérant de l'hôtel qui aurait préféré ne pas l'ouvrir tous les jours. Eddy farfouillait déjà dans l'assiette de sa mamie adoptive, au grand dam de Cassandra :

— Excusez-le. Eddy, c'est pas poli !

— Laissez-le donc faire, c'est les vacances, fit Mam'Bi, lui donnant le restant de son croissant. Mais faut être gentil aujourd'hui, c'est dimanche. Sinon les petits garçons tannants sont envoyés sur la lune en pénitence, comme le monsieur qui a scié le jour du Seigneur.

Eddy consulta sa mère qui, n'étant même pas baptisée, n'avait pas idée des légendes chrétiennes. Madame B. montra le fantôme de la lune encore visible dans le ciel bleu : chaque point noir sur sa surface est en fait un enfant désobéissant. Eddy mangea en silence, au bonheur de ses parents qui allèrent se servir au buffet en prenant tout leur temps.

Grimpé sur ses cuisses, le petit Eddy pesait lourd, mais jamais elle ne s'en plaindrait. Sa joie lui faisait oublier son fond de tristesse. Au retour, hier, elle avait joint son mari au téléphone, qui avait esquivé les questions sur ses douleurs et son cancer. « Amuse-toi, ma grande, tout va bien ! » Elle savait qu'il n'en était rien mais qu'y pouvait-elle de plus ? Sinon recharger ses batteries pendant que lui faisait de même en jouant au golf, comme si de rien n'était. Son mari n'avait d'abord rien annoncé à ses proches, il ne voulait pas de pathos, juste décrocher, boire un coup au dix-huitième trou et recommencer le lendemain comme avant le verdict fatal. « Je peux vous soigner, je peux pas vous guérir », lui avait dit le médecin. Ainsi Pierre-Paul Gauthier s'était vu comme une pêche sur le comptoir qui commençait à moisir, impossible de la ramener en arrière.

— T'es pas un fruit, t'es une crisse de tête de cochon, marmonna-t-elle.

— Pardon ?

Yann pensait qu'elle parlait de lui, car il en avait toute une lui aussi. Les femmes rigolèrent, Eddy sauta sur l'assiette pleine de surprises ramenée par sa mère. Mam'Bi voulut autre chose.

— Avez-vous emmené votre super chocolat ?

— On pensait pas que ça vous intéresserait.

Ouvrant son sac de plage, Cassandra en sortit le fameux pot de chocolat, aussitôt madame B. s'en empara et étala une grosse cuillérée sur un coin de brioche. « Hey, woh ! bondit Yann, c'est pas de la confiture de fraises ! » Il remit en vitesse le couvercle sur le pot. Madame B. s'excusa de sa gourmandise, mais n'engloutit pas moins sa bouchée de brioche chocolatée. Les jeunes amoureux se consultèrent du regard, un rien soucieux. Fallait-il tout avouer ?

— C'est parce que... y a un ingrédient spécial.

— Le petit goût de noix grillées ? J'avais remarqué.

Elle n'y était pas du tout. Cassandra baissa la voix. « Y a du hasch dedans. » H ? Madame Bruchesi se considérait comme une grand-maman cool mais n'était pas au fait de l'abc des drogues des jeunes, la E, le K... Yann précisa :

— Le hasch existe depuis la nuit des temps, même le comte de Monte-Cristo en prenait.

— Bon ben, la comtesse de Pointe-aux-Trembles peut ben en prendre !

S'ils savaient combien elle pouvait boire dans les mariages et les baptêmes « même si y en a moins de nos jours. C'est de valeur, c'était un beau prétexte pour se voir. » Sa désinvolture ne les rassurait point.

— En tout cas, faites pas de sports extrêmes à matin, lui conseilla Yann.

— Moi qui pensais faire de la planche à voile, rigola madame B.

Cassandra rangea vite le pot, car Eddy s'en était emparé et allait l'ouvrir à son tour. Ils eurent droit à une crise de larmes en bonne et due forme. Les jeunes parents coupèrent court au déjeuner, prêts à détaler. Madame B. leur proposa de garder encore le petit, ça lui ferait tellement plaisir ! Gentil de sa part, mais Cassandra lui dit que c'était mieux pas. « Vous comprendrez plus tard. »

Séparé trop vite de son amie mamie, Eddy refusait de regagner la poussette, donnait des coups de pied et des tapes à son père. Son père le sangla de force en lui serrant les ouïes. « Commence pas de même, toi ! Écrase. » Des fois, les têtes de cochon, faut leur parler fort.

* * *

Du sexe cochon, c'est bon mais un cochon intelligent, c'est diablement plus sexy : sans son uniforme, dans son Marbella choisi pour y vivre, Javier rayonnait. Il saluait les visages connus, marchant d'un pas lent, à quoi bon courir, la fin viendra bien assez vite. Il avait ses habitudes, dont ce petit café qui ne payait pas de mine, mais où la nourriture était savoureuse et le service empressé : Javier aimait mieux être le roi ici qu'un quidam partout ailleurs.

— *Lo mismo ?* lui demanda la serveuse.

— *Por dos !*

Rarement invité, suspect de nature, Steve posa une question idiote :

— C'est bon, ici ?

— *Infecto, pero soy masoquista.*

Steve eut ce beau rire franc et en cascade qui plaisait tant à Javier. Au lieu de dire d'autres niaiseries, il trempa ses lèvres dans le nuage de crème fouettée du cappucino corsé. C'était pas chic chic, mais voilà, c'était leur premier repas en tête à tête. De quoi on parle donc ? Il avait beau être aux hommes, il ne savait pas être en amour. Javier lui tendit une perche.

— *Que hiciste antes del turismo ?*

— Avant ? J'étais coiffeur mais je suis devenu homophobe. J'étais intolérant devant les flamboyants.

Ils en rirent, c'était faux mais avec un fond de vérité : pour éviter la moquerie, Steve s'était bâti une carapace de dur, avait tout fait pour que « ça » ne se voie pas. Comme l'urbaniste qu'il voulait être pour rendre la ville plus harmonieuse afin de masquer les inégalités sociales et les erreurs du passé. Aurait-il dû embrasser sa différence pour mieux se singulariser ? N'emportant jamais les appels d'offres, les convictions émoussées, il s'était fait agent au service à la clientèle pour une compagnie d'assurances, répondant au téléphone à des voyageurs aux quatre coins du monde. Il pensait devenir fou dans son cubicule. Il avait pris la fuite et avait été « intercepté » par Maggie chez Vacances Voyages, qui l'avait adopté. « Et me voici, me voilà ! »

Il eut l'air désolé de son parcours et, pour éviter l'introspection, dévora les tartines de pain beurrées de tomates écrasées, les œufs cuits dans l'huile d'olive et les fèves noires qu'il a toujours trouvées un peu fades. « *Hay salsa picante* », fit Javier en lui tendant la bouteille. Il lisait en lui. Javier connaissait les écorchés : il en était.

« *Y tu ? Nunca tuviste un novio ?* » Ça paraissait impensable que Javier n'ait jamais eu de compagnon de vie, lui si bel homme, lui si sûr de lui. Les deux hommes à l'honneur dans sa bibliothèque n'étaient pas ses frères, chose certaine. Le footballeur?

Un médecin qui s'aimait trop pour aimer quelqu'un d'autre; puis un bon gars tombé dans la drogue et n'en étant jamais ressorti. Un Français qui devait s'installer mais qui a continué sa route jusqu'en Asie: difficile d'attacher un homme à bon port. Steve sourit. «Y a trop de beaux gars...»

Cette chanson pop de son enfance lui revint en mémoire, et il la fredonna en riant pour Javier. Celui-ci lui chantonna en retour un hit local qui disait la même chose. La serveuse se mit de la partie, c'était son lot à elle aussi: avec les téléphones intelligents, il leur était si facile d'avoir du sexe, mais tous étaient un peu cons quand venait le moment d'entrer en relation. On commence où?

Par sentir le souffle de la mort qui donne envie de s'accrocher au beau; par trouver le monde absurde mais voir en l'amour la seule certitude; par cesser de courir après l'absolu pour valoriser ces petits riens donnant un sens à l'existence.

Par un second café comme pour prolonger ce matin divin où ils n'avaient pas à courir d'un endroit à l'autre... ou d'un homme à l'autre. Mais la sonnette de son appli de rencontres se fit entendre et brisa tout. Perdus par la cloche.

* * *

Hélène était aux anges: la cathédrale de Malaga en avait long à dire. Des artisans avaient mis des mois et des années à modeler ce chœur dans les bois les plus précieux, elle les admira quelques minutes, c'était la moindre des choses. Elle avait honte parfois de ses congénères qui entraient en vitesse dans des églises et des musées, en faisaient le tour en quelques minutes disant « qu'ils avaient vu ce qu'il y avait à voir ». Maudits incultes ! Avez-vous pris le temps d'admirer le drapé des étoffes sculptées dans du marbre, avez-vous idée du stress que ce devait être de ne pas se tromper et ruiner l'ouvrage ? Vous êtes passés sans remarquer la finesse des bras, la sensualité des courbes ? Vous n'avez même pas remarqué que les panneaux de bois sculptés racontaient des pans de l'histoire sainte ? Gang d'épais ! Vous pouvez ben manger des hamburgers à l'étranger ! Hélène se calma le pompon, aidée en cela par l'orgue qui amorçait la cérémonie. Avec joie, elle vit s'avancer des enfants de chœur précédant le curé qui agitait son encensoir : elle aurait droit à une vraie messe, pas une affaire cheap à la sauvette ! Vite, Hélène se faufila aux premiers rangs. Était-il encore d'usage de réserver ceux-ci à la bourgeoisie locale ? Si oui, Hélène offrit son plus beau sourire au vieux couple chic à ses côtés. « *Yo chrétienna también !* » Le curé, africain d'origine, démarra le rituel, le même texte à trois mots près des messes de son enfance : Hélène lança au bon moment « et avec votre esprit » alors que ses voisins clamaient *esperítu santo.* L'orgue sonnait divinement, accompagnant le chant de l'assemblée et comme c'était mignon de voir une belle jeunesse lire une épître aux Corinthiens !

Fidèle à son habitude, Hélène profita de l'homélie pour rêvasser. En tant qu'ancienne professeure, elle se sentait un peu coupable de ne pas être attentive à 100 % dans ces grandes envolées. Mais il faut avouer que les curés de nos jours étaient plates. Et que sa foi avait été émoussée par tous les viols d'enfants commis par les curés, alors que leurs supérieurs tentaient de cacher l'odieux, le laissant se perpétuer. À son école, un ancien collègue frère des Écoles chrétiennes coupable d'attouchements sur les jeunes de première secondaire avait été simplement « délégué » à une autre école en Haïti, où il put continuer ses sévices en toute impunité. Comme ce Mahomet de cinquante-sept ans qui se maria avec une fillette de six ans ! Comment une femme intelligente pouvait endosser des religions qui la méprisaient ? Même le nouveau pape disait que l'Enfer était une invention et Adam et Ève, pure légende : pourquoi continuerait-elle à croire au petit oiseau qui aurait enfanté le Christ ?

« *El milagro de la resurrección...* » Le curé citait Dieu le Père en ouvrant les bras et les guillemets, mais Hélène était déjà ailleurs. À Saint-Jean-Chrysostome dans la petite église de son enfance où elle avait commencé à détester le temps des Fêtes. Car son père se présentait à la messe de minuit soûl comme une botte, en tout cas, pas digne comme les autres papas. Oubliez la joie et l'allégresse des soupers de famille, pour Hélène c'était la honte et la peur : les chaises revolaient lorsque les esprits s'échauffaient alors que son père engueulait ses frères pour des vétilles. L'année finissait et commençait mal. Il faut dire que son père buvait chaque fin de semaine : une caisse de bières complète et une bouteille de fort. Hélène dormait mal tant ses parents s'engueulaient. Le lundi, elle avait de la difficulté à se concentrer à l'école, elle qui l'aimait tant ; bien au fait de sa situation familiale, la maîtresse lui offrait de l'aider à ranger après la classe, répondait à ses questions, permettant à Hélène de rentrer le plus tard possible chez elle. Quelle délivrance lorsque sa mère lui offrit d'aller pensionnaire au secondaire à une école de la ville. Oh oui ! Sortir enfin de la maison, devenir sainte en devenant adulte. Hélène oublia d'être adolescente rebelle, s'appliqua dans ses études, refusant l'alcool, fuyant les prétendants trop fêtards. C'est peut-être dur à croire pour certains aujourd'hui, mais Hélène avait été jolie, elle avait même eu un chum sérieux qui l'avait larguée trop vite pour une majorette à la jupe ouverte. Elle mit un temps fou à croire de nouveau en les hommes, son premier mari, après les six premiers mois d'essai sans obligation, s'avérant violent et accro à la coke. Elle le mit dehors et mit fin à sa vie amoureuse.

Pour Hélène, les hommes de sa vie devinrent ses étudiants de secondaire, mais comme la vie est ingrate aucun ne gardait d'elle un souvenir affectueux.

Personne ne pleurerait sa mort.

Lorsque l'orgue et l'assemblée entonnèrent le *Notre Père,* Hélène sanglotait sans trop pouvoir s'arrêter. Sa voisine lui prêta un mouchoir brodé. « *Gracias* », dit-elle faiblement. La dame lui sourit et lui fit don de son mouchoir, « *un regalo* ». Vous pleurerez une autre fois en souvenir de nous.

* * *

« Parle-moi de ça, la grasse matinée quand on est grosse ! » Chantal rayonnait, se préparant sur la musique de Céline, la même qui meublait ses longues heures tranquilles au fin fond du métro. Nadine n'en revenait pas d'avoir dormi si tard, ça ne lui ressemblait pas. Et ça faisait tant de bien !

En joie, les sœurs Trépanier descendirent à la salle à manger à temps pour voir madame Bruchesi sur sa lancée : elle entonnait « Et viva l'España ! », dansant autour des tables en brandissant sa serviette de table.

Les touristes allemands et italiens se mirent à taper des mains parce qu'elle ne se contenta pas de faire le refrain, elle savait la chanson entière. Rapidement, quelques-uns d'entre eux s'étaient levés pour s'accrocher à elle, une danse en ligne improvisée à neuf heures du matin. Chantal n'aurait jamais osé faire de même : d'abord, elle passait difficilement entre les tables trop rapprochées et laissait à sa sœur les devants de la scène. Nadine refusa pour autant de joindre le petit train, ce n'est pas ainsi qu'elle voulait être remarquée pendant son séjour. Elle portait une jolie robe soleil qui laissait voir les bretelles de son maillot, prête à scorer sur la plage.

L'hilarité générale vint à la seconde chanson. « Est pas arrêtable ! » gloussa Nadine, ébahie de la folie de l'aînée. Le gérant la trouvait moins drôle : bien que leur hôtel dépendait de la clientèle fidèle des groupes, celui-ci ne pouvait s'empêcher de les mépriser un peu. Il aurait tant aimé travailler dans un hôtel-boutique où des voyageurs sélects font garer leur voiture et donnent de généreux pourboires. Mais non, il était coincé avec ces Canadiens bruyants, ces Allemands prompts sur la critique et ces British hautains qui se dévergondaient le soir venu. « Rasseyez-vous, madame », dit-il dans un bon français à la chanteuse improvisée, voulant l'escorter à sa chaise. Mam'Bi se braqua.

— J'ai pas fini !

— S'il vous plaît, madame, insista le gérant, un peu de tenue.

Paternaliste, il pensait bien faire en lui arrachant son accessoire de scène, sa serviette de table. Madame Bruchesi avait eu cinq enfants, dont trois garçons, et n'était pas femme à s'en faire imposer. D'un geste vif, elle pensa récupérer sa serviette de table mais tira plutôt sur la nappe, faisant tomber un verre et les assiettes souillées du déjeuner. « Oh, oh… » Le vacarme mit fin aux conversations. Tous les convives fixaient la dame, momentanément figée. Malgré les éclats de verre, le courroux du gérant, Mam'Bi enhardie s'empara de la nappe et s'en voila la figure pour entonner son deuxième hit. « Son voile qui volait, qui volait, son voile qui volait au vent ! » Ses quelques pas de gigue firent éclater de rire les sœurs Trépanier, mais c'est lorsque le gérant lui courut après que toutes nations unies se joignirent à la fête en tapant des mains. « Ma nappe ! » criait le gérant, mais son voile volant au vent, madame Bruchesi s'enfuit vers la plage.

Si les enfants s'ennuient le dimanche, elle, elle avait envie de s'amuser ferme.

* * *

Magasinant dans les rues de Malaga, Hélène trouvait toutes les nappes brodées hors de prix. Si, par chance, elle appréciait un motif, elle trouvait à redire sur le tissu ; si la dentelle d'une nappe la séduisait, elle avait peur de l'abîmer ; les nappes blanches par trop salissantes, celles aux couleurs trop vives jureraient avec son mobilier. Et puis il y aurait sûrement des nappes moins coûteuses dans les marchés publics, au programme mardi, ou, mieux encore, à Séville, le clou de son séjour !

Hélène n'osait se l'avouer, mais se demandait si la nappe allait vraiment servir : elle recevait rarement. Ses neveux et nièces passaient aux quatre ans comme les Olympiques ; elle fréquentait un club de lecture mais ne voyait pas les gens en dehors des pages des livres qu'ils avaient en commun. Quant à ses ex-collègues de l'enseignement, les soupers d'amies ne se faisaient jamais chez elle, puisque deux d'entre elles étaient allergiques aux chats. Son beau Fripon qui ne ferait pas de mal à une mouche ! Hélène pestait contre l'« invention des allergies » – ça n'existait pas dans son enfance, tout le monde pouvait aller manger chez les voisins sans peur de froisser l'estomac de l'autre. On dirait qu'on a inventé mille et une façons de diviser les humains et de leur insuffler la peur. Tout ça pour vous dire qu'elle s'abstint d'acheter la nappe pour aujourd'hui, le souvenir allait attendre.

Pour compenser, elle alla s'engouffrer au Musée Picasso où elle se sentit moins seule : les femmes de Picasso avaient les yeux et les seins à l'envers du bon sens, comme elle en ce moment. Quelqu'un la comprenait. Dommage qu'il soit mort.

* * *

La sonnette de l'application de rencontres gaies avait fait rougir Steve qui pensait pourtant l'avoir bien éteinte. Oh non, peut-être hier avait-il vérifié vite vite qu'il ne ratait rien alors que Javier retournait la navette au garage ; l'application était de plus conçue pour rappeler à toute heure que des étrangers aimeraient devenir plus intimes.

« *Lo siento.* » Blâmant l'appareil, Steve l'éteignit complètement. « *No hay problema. Haz como lo quieres.* » Javier n'était pas homme à se formaliser pour si peu, mais c'était une brèche dans l'intimité qui s'installait. Un rappel de la précarité des rapports humains. Nos téléphones nous arrachent constamment au moment présent – toujours un rappel pour vous dire que quelqu'un pense à vous… vous évitant de penser.

Steve avait perdu le fil : on parlait de quoi déjà ?

— *Su vocación de guia.*

— Accompagnateur !

Et Steve se lança dans sa précision importante qu'il n'était qu'un simple fournisseur de petits bonheurs ; pas un spécialiste, pas un historien, une sorte de père Noël qui se contenterait de donner des chèques plutôt que des cadeaux soigneusement choisis. Javier trouvait que Steve se dédouanait un peu vite, tel l'adolescent rejetant la faute de ses malheurs sur la « société », comme s'il en était exclu. Steve explosa : « Pas toi avec ! Y a assez de l'autre folle », fit-il citant presque par cœur la plainte écrite d'Hélène : *Malgré son entregent relatif, ses informations sont inexactes, ses suggestions, souvent inappropriées, démontrant peu d'empressement à notre endroit. Je lui déconseillerais ce métier.*

Il peinait à traduire le sens exact (*entregent,* ça se dit comment encore en espagnol ?), mais Javier mit le doigt sur le bobo. « *Si estas tan preocupado, quizas es la verdad.* » La vérité ? Lui, mauvais dans son métier ? De quoi je me mêle ? « Je leur donne huit heures de ma vie *non-stop* pendant quatorze jours, quasiment six mois par année ! J'ai pas de vie privée parce que je suis jamais chez nous ! Pis c'est pas assez ? »

Dans l'entrefaite, d'un simple geste de la main, Javier avait fait signe à son amie serveuse de lui apporter l'addition, l'argent déjà préparé, un généreux pourboire à la clef. Déstabilisé, Steve s'excusa encore, blâmant cette fois ces voyageurs exigeants de la Costa del Sol qui troublaient son insouciance habituelle. Mais Javier avait décroché et tendit la main à cet enfant de quarante ans insatisfait de l'existence, qui cherchait un sens à sa vie dans tous les pays et les bras d'autrui. « *Ten un lindo día.* »

Bonne journée, *hasta la proxima !* Steve en fut abasourdi. Quoi ? On le laissait en plan, lui le plus beau gars de Montréal (selon un recensement effectué par lui-même auprès de mille et une conquêtes). Son ego démesuré parla à sa place, en français pour être certain de ne pas être compris. « De toute façon, y a pas juste toi. » Mais il est des choses universellement entendues : Javier prit la peine de lui montrer son téléphone. Le chiffre 11 s'affichait au-dessus de la même application de rencontres que Steve, onze personnes s'intéressaient à le rencontrer. Personne n'était unique, mais Javier croyait à la fusion d'un yin et d'un yang, où chacun aide l'autre afin de remonter la pente afin que ça roule.

— *Nosostros se acabo.*

— *Come on ! Deja el drama latino.*

Steve ne voulait pas de drame, mais Javier savait ce qu'il voulait : un homme qui s'investissait, un mec solide sur qui s'appuyer lorsqu'il faiblirait. Il s'éloigna d'un bon pas sans se retourner. Steve courut à sa suite, mit la main sur la massive épaule pour l'arrêter. Mais quel colosse c'était !

Javier le fixa avec une tendresse désarçonnante. Steve s'inventa un sourire malheureusement assorti d'une question stupide : « Ça va-tu être toi, notre chauffeur, demain ? » Sans répondre, Javier réintégra la foule des passants anonymes.

Leur histoire aura duré cinq jours.

* * *

Madame Bruchesi marchait pieds nus dans l'eau, saluant tout un chacun d'un même allô idiot. À l'un, elle parlait des coquillages qui piquaient les orteils, à l'autre, elle demandait s'il avait remarqué le vert bleu changeant des vagues. « Et puis ça arrête jamais, y en a tout le temps ! » On lui avait déjà dit que la lune avait quelque chose à voir avec les marées, mais même en plein soleil ? Elle chantonnait ce vieil air de Trenet où le soleil avait rendez-vous avec la lune, essaya de calculer si son mari dormait encore à l'autre bout de la terre, mais se mêlait avec son décalage horaire. « La lune est là, mais le soleil ne la voit pas… »

De l'eau jusqu'aux genoux, le bas de sa robe trempé, elle s'en voulut de ne pas l'avoir enlevée avant, se félicitant d'avoir déjà passé son maillot ce matin (le Ziploc combo maillot-robe soleil). « Brava Yvonna… » Oh et puis merde la robe ! Elle s'assit sur le sable, l'eau à ras les seins, et se mit à dodeliner d'avant en arrière pour le plaisir de sentir sa poitrine imposante tout à coup si légère. Son curieux manège inquiéta une dame, qui vint lui demander si *everything was fine.*

« Ben sûr. Je me trempe les boules. J'aime ça quand elles flottent. » Elle montra comment faire à la dame. « Sors les jos de l'eau, sploutch les jos ! » Éclaboussée, la dame décampa.

Riant seule, Mam'Bi filtrait le sable dans ses mains pour le sentir filer entre ses doigts. Elle avertit les grains rebelles : « Rentrez-moi pas dans le costume de bain ! » Elle se trouvait très drôle de parler au sable espagnol qui comprenait même pas le français. Des petits poissons ou des algues la frôlaient, elle aurait aimé que ce soit plutôt la main de son mari qui la cajole un peu. Il l'emmenait à leurs débuts à une plage déserte de Charlevoix – à Cap-aux-Oies – où ils se baignaient nus. La première fois, elle s'était crue dans le vieux film de guerre où le beau Burt Lancaster baise dans le sable avec la blonde frisée. Elle avait oublié le nom de l'actrice, mais pas la scène où ils s'embrassent longuement sur la plage. Me semble qu'ils roulaient collés l'un à l'autre. « Comme ça, tiens ! » Elle roula dans l'eau pour que les Espagnols comprennent qu'elle mimait la scène avec Burt Lancaster, sans Burt. Du haut de sa chaise, le *lifeguard* en fonction trouvait plutôt que ça avait l'air d'une baleine échouée ballottée par les vagues, qui sacra lorsqu'elle roula sur des « viarges de petites roches ».

Elle mit fin à ce roulis étourdissant et se traîna hors de l'eau, s'affalant à même la plage, juste à la fin des vagues. Elle avait envie de roter, pourquoi se retenir ? « Beurp ! » Le rot venait de loin et faisait du bien. Elle n'avait pas conscience des algues accrochées à sa robe ni du sable collé à ses cheveux, et se leva péniblement pour regagner la terre ferme qui lui paraissait glissante. Maudite robe mouillée qui pesait une tonne ! Elle se tortilla comme elle put pour l'arracher ; alerté, le *lifeguard* vint enfin s'enquérir à son tour *si todo está correcto.* « T'es pas Burt. » Gentiment, il l'aida à s'extirper de cette mautadine de robe, l'installa sur une chaise longue inoccupée, où elle s'étala de tout son long. Le trouvant si courtois, elle lui confia que son mari jouait au golf au lieu de se battre contre la maladie. « Trouvez-vous ça normal, vous, de baisser les bras ? »

Le sauveteur la vit fermer les yeux, épuisée, et resta jusqu'à ce que sa respiration se fît régulière. Endormie, madame Bruchesi alla faire l'amour à son mari sur le green du neuvième trou. C'était un fantasme à lui. Dire qu'il allait partir sans jamais l'avoir assouvi.

* * *

« C'est la maman de Fripon, je sais qu'il est encore un peu tôt… » La réceptionniste à l'Hôtel des compagnons ne s'en formalisa pas et alla le chercher. Fripon avait une suite pour lui, avec ses propres installations de jeux pour se faire les griffes ou sauter d'une plateforme à l'autre. Hélène voulait le meilleur pour son homme : pas question qu'il soit dans une cage minuscule pendant qu'elle se la coulait douce. Fripon valait bien ce sacrifice de partager sa chambre avec une ingrate qui avait été un peu sèche ce matin, lui criant : « Pouvez-vous essayer de faire moins de bruit quand vous faites vos étirements ? » Franchement ! Est-ce qu'elle lui avait remis sous le nez sa détestable habitude d'écouter la télévision pour s'endormir, que même les bouchons d'oreille n'enterraient pas tout à fait ?

Le hall du Musée Picasso était l'endroit rêvé pour un tête-à-tête affectueux, il y faisait frais, et c'était silencieux. La réceptionniste mit un temps fou à revenir, Hélène eut peur d'épuiser sa banque de minutes. Heureusement, voilà son amour au bout du fil : « Allô mon beau garçon ! As-tu mangé tout ton fromage ? As-tu hâte à ton saumon ? » Comme à la maison où il avait droit à une gâterie le dimanche et un bout de fromage chaque matin, pour qu'il fasse vieux os (et entretienne sa couche de graisse). Sa langue rêche lui chatouillait les doigts chaque fois qu'elle le nourrissait. « Coulou-boulou-boulou le Fripon à Lélène ! Coulou-boulou-boulou ! »

De jeunes insolents en sac à dos la regardaient étrangement converser avec son garçon, Hélène s'en fichait royalement, car la réceptionniste à l'Hôtel des compagnons prit l'appel. « Il ronronne, madame, l'entendez-vous ? » Elle posta le téléphone encore plus près de la bête. Le ronronnement de son garçon fit fondre Hélène en larmes, traversée par un grand spleen de nostalgie. « Maman Lélène, a l'est loin. Fripon, as-tu de la belle musique, au moins ? C'est le dimanche enchanté. » Elle avait confié à l'Hôtel un radio transistor branché sur son poste de musique classique dont ils appréciaient tous deux la programmation. Le dimanche, c'étaient des airs d'opéra et de bel canto. « Maman Lélène va aller voir la maison de Carmen. » Car Fripon connaissait cet opéra, elle l'avait fait danser plus d'une fois dessus, pour se mériter des cubes de jambon. Bon danseur, Fripon était le plus affectueux des ti-hommes. Elle lui fit un dernier « coulou-boulou » assorti d'un beau bec d'amour.

Les imbéciles à sac à dos riaient d'elle, elle leur fit la grimace : ils ne connaissaient pas encore la solitude.

Elle alla errer un peu le long des jardins du Paseo del Parque. Des enfants y couraient, des ados testaient leurs aptitudes en skate sur du hip-hop qu'elle aurait normalement condamné – « Même pas de vraies mélodies, juste une enfilade de rimes pauvres ! » –, mais ce tourbillon de vie, ces autos qui filaient bruyamment en parallèle sur les sentiers aménagés la sortaient d'elle-même. Hélène ne voulait plus s'entendre parler au passé.

* * *

Un de perdu, dix de retrouvés.

Si Javier se croyait si spécial que ça, mon cul! Un bel inconnu trop intense qui ne se contentait pas de chauffer des bus mais voulait diriger sa vie, woh les moteurs! Aussi bien y mettre un frein. Les hommes sont comme les trains, si t'en rates un, y en a un autre qui s'en vient. Déjà, cinq remplaçants potentiels demandaient en ligne à le rencontrer. Deux Marbelliens s'affichaient ouvertement: c'était maintenant pour du bing-bang-rentre-dedans. Mais c'était un peu serré pour venger l'affront.

« Sports de plage – 14 h - 17 h », le devoir l'appelait.

Un bus puis le proverbial Cercanía l'éloignèrent de Marbella sans que Javier quitte ses pensées. Dès son arrivée à l'hôtel Mélies, Steve cala une bière pour tenter de l'en chasser.

Chaque hôtel offrait son lot d'activités pour garder sa clientèle près de ses bars et éviter qu'ils dépensent leur argent ailleurs. Au comptoir, Steve emprunta des kits de pétanque de plage, des frisbee et des lots désassortis de pelles et chaudières. La préposée aux loisirs trouvait qu'il ambitionnait. Un rien sec, il lui répondit: « L'hôtel est à moitié vide. Vous êtes ben chanceux de nous avoir. »

Le voilà à parler au « nous », lui le plus jeune des vieux. Il faut dire que ses clients ne ressemblaient en rien à sa matante Lucette grabataire et au mononcle Gérard radoteur de son enfance: les mamies et papis d'aujourd'hui, branchés, actifs et foncièrement indépendants, n'avaient pas besoin d'être guidés au pas à pas, quoi qu'Hélène en pensât. On prenait goût à vivre librement, dommage que tant de gens avaient peur de s'affranchir.

Parmi les premiers clients arrivés, les Lycra se cramponnaient à leur frisbee, incertains de vouloir être associés aux Boute-en-train. Sur le point de détaler, ils furent rassurés de voir la petite famille débarquer, avec à sa tête l'enthousiaste Yann. « Vous avez un Ultimate Frisbee officiel ? Wow ! » En connaisseur, Yann caressait le logo de la Fédération sur le disque rouge vif des Lycra. Posté dans le désert irakien, il se lançait le disque chaque jour avec des chums, jusqu'à ce qu'un général prît peur que le frisbee attire le regard de drones ou des radars ennemis et le bannît des loisirs permis. Yann croyait surtout que le général n'aimait pas voir des soldats sourire.

« On joue avec nos grands, Valérie et moi. » Lève-tôt, joggeurs émérites, les Lycra avaient peu fréquenté Yann et Cassandra jusqu'ici. Ils commandèrent un premier pichet de sangria pour trinquer aux vacances, au beau temps qui s'installait enfin. « Et découragez-vous pas avec Eddy. Nous aussi, on a eu un garçon difficile. Ça se tasse… vers seize ans ! » Leurs deux adolescents se gardaient seuls, enchantés par chacune des vacances prises par les parents, n'ayant qu'une question : « À quelle heure vous revenez ? » Histoire d'avoir le temps de faire un gros ménage. Malheureusement, c'était surtout la fille qui s'occupait de tout, son grand frère ayant souvent des examens lorsque la balayeuse et la vadrouille se pointaient le nez. Elle avait beau se fâcher et avoir fait moins la fête que son frère et sa gang de chums, le sexisme se perpétuait.

Steve emmena sa gang vers un coin de plage où ils pourraient s'amuser sans éborgner un Allemand. Un autre avantage de voyager hors saison, c'est l'espace. Quelle horreur d'être cordés, les serviettes des uns au pied des chaises des autres, aspergés de l'huile à bronzage en spray des voisins, et de subir leur conversation insipide ! Peut-être que Steve est un peu misanthrope finalement, peut-être que Javier a raison.

ON PENSE PAS À LUI, SVP ! OK? Olympiques !

« Pour nos olympiades, le premier prix, c'est l'excursion gratuite demain à Ronda ; le deuxième, une bouteille de vin. » C'est toujours plus le fun de jouer avec une récompense promise, surtout lorsqu'on ravive de vieilles rivalités. Les gars contre les filles ou... « Les jeunes vieux contre les vrais jeunes ! » Ah ben là ! Les Cousineau allaient lui montrer de quel bois ils se chauffaient. Lise, ayant dirigé plus d'un rassemblement politique et son lot de bénévoles, fouetta l'ardeur des troupes. « Vous allez voir qu'on est pas finis ! » Robert Cousineau, fier de sa forme à son âge vénérable, avec comme alliés Guy, qui s'était lavé pour l'occasion, un fumeur (le Schmidt de Laval ou le Tourangeau de Sorel) et lui, Steve, qui ne pouvait plus se cramponner à la jeunesse et devenait vieux malgré lui.

Yann, Cass et les Lycra les affrontaient, certains de l'emporter. Le Ultimate Frisbee fonctionne grosso modo comme le basket-ball : il faut lancer à son équipier sans être intercepté par un joueur de l'équipe adverse ; on peut mettre au plus trois tirs pour se rendre à la ligne des buts.

— C'est normal d'être poche au début, rassura Steve.

— Parle pour toi !

C'était parti ! Les sœurs Trépanier regardaient le frisbee faire des allers-retours, des errances au sol ou à la mer, gracieuseté des tirs poches de Steve. Il stressait de devoir performer devant ses clients – qui comme des *soccer moms* jasaient autant qu'elles suivaient le match. Chantal Trépanier encouragea le petit monsieur tout seul qui lançait avec précision ; Lise haranguait son homme avec le classique : « Faisez-le souffrir ! » Car, contre toute attente, les vieux se débrouillaient bien, et, orgueilleux comme dix, Yann ne voulait pas perdre contre eux.

Il confia aux Lycra qu'il allait tenter un long lancer directement dans la zone des buts. « Sprintez direct là. » Robert Cousineau se doutait de quoi, et avertit Guy et le fumeur :

— Surveillez-les de près.

— Pis moi ? demanda Steve. Je fais quoi ?

— Essaye de pas gaffer.

Il était un fardeau pour les vieux.

Lise Cousineau regardait les corps musclés de la belle jeunesse : « C'est beau de voir ça aller. » Sous la surveillance distraite d'une fumeuse (Schmidt ou Tourangeau), Eddy s'amusait plutôt bien de son côté avec sa chaudière et son tas de sable. Mais lorsque Nadine sortit son iPhone, par réflexe, pour regarder si tout était correct au bureau (un dimanche, envoye ! sur la lune en pénitence !), le petit lâcha sa pelle aussitôt et vint la voir. « Le veut. » Nadine craignit que le sable raye son précieux appareil. « C'est pas un jeu pour les petits enfants. » À ce refus, aussitôt : « ARRRRGH !!! » Eddy était parti ! Nadine voulut le prendre dans ses bras pour le calmer, elle reçut un coup de poing.

Au premier cri, Yann attrapa le frisbee au vol et lança, excédé, à sa blonde : « Je t'avais dit de lui en donner un peu, sinon y sera pas du monde. » Cassandra grimaça, mais céda, étant déjà un peu elle-même sous l'effet du chocolat. Elle alla en vitesse à son sac de voyage, trempa son doigt dans le chocolat « spécial » et donna une minuscule lichette à son fils.

DPJ ! voulut hurler Steve, partagé entre l'horreur et l'envie ; Cassandra surprit son regard et rougit, gênée, rangeant vite son pot. Elle retourna au jeu alors que tonnait son chum compétitif : « Focus ! » Yann voulait gagner. Une passe à Valérie ou à son mari ?

« Un bateau, bateau, deux bateaux, bateaux... » comptait Robert, tentant de bloquer la vue à Yann qui surveillait ses équipiers courant vers la ligne de but. Esquivant les bras de Cousineau, il tira mais avec un angle trop fort, le frisbee attrapa un vent ascendant, fila trois mètres plus loin, en plein dans une zone de chaises longues. Pouf! sur le ventre d'une dame qui se faisait griller. Cassandra courut ramasser leur jouet. « Excusez-nous. »

Le frisbee d'un rouge vif était pâle en comparaison avec la peau de la dame qui s'était endormie au soleil. Réveillée par le tir, comme prise d'une secousse électrique, Mam'Bi prit conscience de sa douleur de grande brûlée et hurla à son tour. « ARRRGHH ! » Eddy reconnut là le cri familial.

* * *

Hélène avait laissé les portes du balcon grandes ouvertes pour aérer la chambre, trouvant que les vêtements de madame Bruchesi sentaient la boisson.

Vive la brise !

Chantonnant, elle lavait quelques blouses au lavabo, un beau rituel de ses vacances : elle faisait intérieurement le bilan de ses découvertes tout en savonnant ses petites culottes (grand format car Hélène aimait quand ça respirait), son chandail préféré (qu'elle pourrait remettre la semaine prochaine) et des bas. Vêtue seulement de sa camisole-jaquette où une photo imprimée de Fripon souriait à la vie (un cadeau de moi à moi), Hélène étendait sa lessive sur le balcon, fredonnant d'une voix douce : « Près des remparts de Séville... »

La porte de sa chambre s'ouvrit d'un coup sec. « On cogne avant d'entrer ! » fit Hélène, bras croisés sur sa poitrine, se sentant nue devant ces deux intrus. Elle tira sa camisole plus bas sur ses cuisses.

Le gros visage souriant de Fripon sembla surréaliste aux yeux de Yann et Steve, qui traînaient avec eux une gémissante masse rouge comme des braises. « Mon amie ! » Il fallait lui couler un bain d'eau très froide pour abaisser sa température. Une jupe et des bas de nylon trempaient dans le bain, que Steve jeta sur le plancher au grand dam d'Hélène. « Va tout falloir que je relave ! » Sous l'éclairage cru de la salle de bain, Hélène se rendit alors compte de la gravité de l'état de madame Bruchesi. Ses cheveux plaqués par le sable et le sel encadraient son visage rouge homard ébouillanté. Yann partit la douche bien froide pour calmer l'insolation, Steve soutenait madame B. dans le bain, qui hurla d'abord de surprise puis marmonna de contentement. « Ça fait du bien… » Les boys soupirèrent de soulagement. Dans la panique, les Cousineau avaient insisté pour envoyer madame B. à l'hôpital, mais Yann se sentait trop coupable de son chocolat, Steve trouvait ça exagéré, d'autant plus que madame B. ne voulut rien savoir : « Y vont me trouver des maladies à moi aussi ! Y vont vouloir me garder ! » La voyant aussi amochée, les yeux un peu débiles, Hélène se crut perspicace et accusa ouvertement :

— Encore ses deux pour un au bar. Elle sait pas boire.

— Trop de soleil, marmonna Steve.

— Niaisez-moi pas ! Y a pas juste ça !

— Ça vous regarde pas. Avez-vous des aspirines ou des antidouleurs ?

Bien entendu, soigneusement rangés dans l'une de ses cinq trousses de toilette. Steve lui arracha la bouteille pour prendre deux aspirines, que rejetait Mam'Bi.

— Je veux du chocolat !

— Ça va faire, la junkie ! Avalez !

Steve lui fit avaler les comprimés, aidé du verre d'eau tendu par Hélène qui avait si souvent vu son père soûl affalé sur le plancher de la cuisine, lui criant des obscénités, qu'elle n'était qu'une petite conne. Elle restait figée sur place à se demander quoi faire exactement, comme maintenant.

Et dire qu'à l'aéroport sa coloc avait l'air d'une femme honorable ! La voir patauger dans un pouce d'eau froide troublait Hélène. Ne manquait que la flaque de vomi qui terminait souvent les fins de semaine de beuverie du paternel.

La Peau Rouge redevint un Visage Pâle. Le pire était passé, Yann et Steve se firent un *high five*. Médaille d'or en secourisme ! Pourtant, Hélène se permit de les accabler de reproches :

— C'est épouvantable, laisser une femme de son âge sans surveillance.

— Hey, elle a pas de garde du corps quand elle va faire son épicerie.

— Mais en vacances tout peut arriver, un bon guide laisserait pas tomber ses clients.

Bon, là, Steve en avait assez pour aujourd'hui des remontrances. « Un bon gars fait son possible pour rendre les gens heureux, mais il peut pas réparer cinquante ans de malheur. Il peut juste suggérer des avenues agréables. La joie de vivre, y en a pas dans les buffets d'hôtel, faudrait que vous appreniez à pas la mépriser. Et si vous voulez tant que ça être une guide, mêlez-vous à nous un peu, lâchez votre distance de professeur qui sait tout devant des élèves ignares ! La récréation, ça a du bon. » Sur ce, pompé, il prit congé. Il avait des jeux d'adultes à superviser.

Sonnée, Hélène aida le jeune-papa-qui-ne-savait-pas-élever-son-enfant à sortir madame Bruchesi du bain et l'éponger. Yann se sentit observé par Fripon sur la camisole trempée qui collait à la peau d'Hélène. Méchant *bad trip*.

* * *

« Est correcte, tout va bien. » Les voyageurs furent en partie rassurés. Le moindre incident leur rappelait la fragilité de leur existence et leur chance : car ils avaient non seulement les moyens de partir sur la go, mais surtout la santé pour le faire. Il n'est pas donné à tous d'avoir la chance de vieillir, Steve l'apprendra bien un jour.

En son absence, les hostilités Jeunes Vieux et Vrais Jeunes avaient cessé, le terrain de frisbee avait été transformé en chantier improvisé. On y bâtissait non seulement un château de sable, mais toute la bourgade autour. Le petit Eddy avait agi comme un aimant : un à un, tous s'étaient agenouillés pour mettre un peu du sien.

Chantal et Guy travaillaient en équipe, lui creusait la terre de ses mains qu'elle édifiait en beaux remparts lisses. « Une usine ! » Là, y avait un pont et des maisons décorées de coquillages. Eddy approuvait l'avancée des travaux, ravi d'avoir toutes ces grandes personnes pour jouer avec lui. Parfois, notre petit roi soleil désapprouvait une maison en travers de son chemin et la faisait exploser d'un coup de pelle. « Doux, Eddy, doux ! » lui rappelait sa mère, qui s'en voulait amèrement d'avoir cédé au chocolat. N'arriverait-elle jamais à élever un enfant comme du monde ? Eddy lui fit une caresse, dans ses yeux, la même lueur affectueuse mais stupide qu'avait son Yann lorsqu'il était *high*, doux comme un koala dopé à l'eucalyptus. Elle étouffa un sanglot de culpabilité. « Je suis une mauvaise mère... » Qui brûlait d'envie de demander aux mamies autour à quel âge on perdait le sentiment d'imposture et on pouvait considérer avoir bien fait son travail de parent. Mais à personne, elle n'aurait osé raconter les écarts de boucane et de chocolat pour calmer les crises de rage d'un enfant de même pas trois ans. Droguer son fils, ô méchante mère !

Steve fit sa contribution au village de sable : une discothèque ! Qu'il voulut toute en spirale, plutôt qu'une simple boîte carrée ; de son cell, il laissa sa musique insuffler un surcroît d'énergie aux troupes, lorsqu'une ombre se profila tout à coup. « Est-ce que je peux jouer avec vous ? » Hélène avait mis son short « un peu funky » (car coloré) et affichait le sourire inquiet de la rejet de la classe habituée d'être écartée. Steve lui tendit la main. « On manquait justement de contremaître ! » Elle rit avec lui et creusa à ses côtés. Elle voulut corriger la pente d'une tourelle qui s'effritait, mais valida avant :

— C'est correct ?

— *Claro que si !*

Bien sûr que oui ! Steve avait appris l'espagnol pour contourner les barrages dans sa langue maternelle. *Claro que si* fut la première expression qu'il aimait tant répéter, car elle signifiait en partie la fin des interdits, une nouvelle façon de voir les choses, de s'octroyer le droit de construire sa vie sur de nouvelles bases. C'était clair comme de l'eau de roche, comme ce village qui aidait à sevrer un enfant du virtuel. Comme dans *I can see clearly now, the rain is gone...* la prochaine chanson qu'il fit jouer et qui fut fredonnée en chœur.

« Pause syndicale ! » déclarèrent les Cousineau, apportant deux cruches de sangria en renfort. À son âge vénérable, en ayant l'air de superviser les travaux, Robert ne se lassait pas de regarder la Lycra et Cassandra se pencher, le popotin dressé, la peau perlée de sueur. Travaillez, jeunesses !

Hélène accepta un petit verre, « mais vraiment juste une goutte pour vous faire plaisir ». Au bar, les deux pour un commençaient à l'instant. « Mettez ça sur ma chambre » était l'une des premières phrases qu'apprenaient les barmen dans toutes les langues. Hélène apprenait la joie. Jamais trop tard pour bien faire.

Yann revint juste à temps pour la pétanque de plage, divertissement populaire, mais manquant de piquant. La grande finale des olympiades se ferait au mini-golf joyeusement baptisé Happy Days.

— Franchement, marmonna Hélène par réflexe, ça n'a rien d'espagnol.

— *Y por qué no ?*

Steve entreprit de lui parler uniquement en espagnol pour la déstabiliser. La partie de frisbee ayant avorté, le plus haut pointage au mini-putt se mériterait l'excursion gratuite à Ronda, et le second score, la bouteille de vin.

Pour accélérer le tempo, on forma des duos ; stratège, Steve proposa à Hélène de faire équipe. Elle l'avertit :

— Je suis une joueuse dangereuse. Préparez-vous à l'humiliation !

— J'en ai assez eu dans ma vie. Trouvez autre chose pour me stimuler.

Chaque trou du Happy Days avait sa dénomination en castillan, rappel des beautés régionales. Parmi les hauts faits du match, malheureusement non retransmis sur RDS express, on retiendra :

1. *Uno. Libertad*

Chantal s'assura au préalable que sa sœur ne serait pas offusquée si elle jouait avec Guy. « Pas une miette ! » Il n'avait jamais joué au golf, elle, oui, au tournoi des employés de la Société de transport de Montréal. Elle lui montra comment tenir son bâton, il trouva qu'elle avait les mains douces.

À défaut d'avoir trouvé un prospect, Nadine continua à jouer à la gardienne. Eddy avait de la difficulté à viser, mais n'en riait pas moins pour rien.

3. *Tres. Puente*

Les Cousineau étaient un peu feeling – avec le soleil, la boisson tape, et Lise s'enhardit à demander à jouer avec Yann en gloussant :

— Un petit échange de couples !

— Ça varie notre ordinaire, avait approuvé Robert, ravi de côtoyer de près Cassandra, qui, pour son plus grand malheur, avait revêtu sa robe soleil.

Mais il avait bien enregistré la beauté de ses courbes pour s'en souvenir un jour de pluie.

5. *Cinco. Cuevas* (les grottes)

Des grottes de Nerva, la conversation passa au gouffre des finances publiques. Outrés, les Lycra digéraient mal les hausses de salaire astronomiques accordées aux médecins pendant qu'une PME comme la leur n'avait droit à aucune aide. « Vous votez pas du bon bord. » On parla donc plutôt d'une coulée de boue qui avait fait deux cent soixante-deux morts en Colombie – « Pauvres eux autres » – et on se commanda un autre pichet de bière.

8. *Ocho. Molino*

Plutôt ratée, la reproduction des moulins à vent donnant son nom à la ville et à ce trou ! Mais les fumeurs trouvaient que c'était un sport merveilleusement adapté à leur condition : entre deux trous, les Schmidt puis les Tourangeau sortaitent du parcours pour griller une cigarette, derrière la clôture ceinturant le Happy Days. Tour à tour, ils s'étiraient la tête pour téter une *puff* et retournaient jouer. Hélène fatiguait de sentir la fumée de cigarette mais dans un suprême effort s'abstint de commenter. Pour ce, Steve lui inscrivit un par trois sur ce coup alors qu'elle en avait mis quatre.

9. *Nueve. Arcos*

À mi-parcours, Yann caracolait en tête, au grand dam d'Hélène, qui traînait de la patte par six points. Elle s'en voulait encore pour sa faute au sixième trou, Aguila (l'aigle), où sa balle sortit par deux fois du parcours. Ce qui la choquait, « en paparmanne », c'est que Yann n'avait pas l'intention de faire l'excursion de demain, mais donnerait son cadeau à Mam'Bi. Officiellement pour la remercier de son gardiennage, mais vous et moi savons que c'était pour se faire pardonner l'excès de chocolat. Lise le devina aussi. « On aimerait ça essayer ce qu'il y a dans le petit pot. » Cassandra referma vivement son sac à main, de crainte que d'autres devinent leurs desseins.

De la petite bière, ce mini-putt, pour une ancienne enseignante de physique ! Suffisait d'appliquer les notions de vecteurs, calculer approximativement la résistance, la vitesse initiale du coup et pouf ! Dans le trou ! Un vrai jeu d'enfant ! Hélène s'en voulait de ne pas y avoir pensé du temps de ses années d'enseignante, peut-être que le mini-putt aurait mieux fait passé sa matière ? Elle s'en ouvrit à Steve, qui lui suggéra d'appeler illico le ministère de l'Éducation : vite, une réforme pour que le golf, le billard, le frisbee rendent digeste le calcul différentiel ! Du coup, on réglerait les problèmes grandissants d'obésité !

— Hélène, vous devriez vous présenter aux élections !

— Charriez pas, jeune homme. Et essayez d'être moins poche : je mène.

12. *Doce. Circulo*

Nerveux de faire bonne impression, encore et toujours son problème, Guy ratait un trou sur deux.

À mi-parcours, Chantal avait entrepris de corriger sa posture.

— Vous êtes trop penché, ça coince vos bras.

— Tu peux me tutoyer, Chantal.

Elle sentit une grande bouffée de joie en elle et son odeur de transpiration à lui. Elle s'y habitua peu à peu, il avait d'autres qualités. Comme de l'écouter. Elle jouait au golf à la PlayStation avec son ex, ils n'avaient pas les moyens d'aller sur les vrais verts. Ou plutôt l'envie : lorsqu'il rentrait de cinq jours en camion, il ne souhaitait qu'une chose, s'écraser à la maison. Depuis sa mort, Chantal n'avait pas retouché à la console de jeux vidéo : elle l'entendait rire encore et sacrer lorsqu'il manquait un coup.

— Ça te dérange pas que je te parle de lui ?

— Ben non, moi j'ai personne à te raconter.

Il s'attendit à une moquerie, elle lui donna plutôt un conseil pour éviter le piège de ce trou. Elle devrait lui dire que son chandail est taché ; elle en avait vu des très beaux sur la rue San Miguel, avait même pensé en ramener un pour le changeur du soir avec qui elle échangeait quelques mots chaque jour lorsqu'il prenait sa relève dans la cabine de métro. Ça irait bien à Guy, ça lui donnerait un petit style. Une petite coupe de cheveux aussi. Sinon, il avait tout pour lui, mais personne n'avait jamais pensé à le lui faire remarquer.

14. *Quatorze. Recta*

Lise et Yann refaisaient le monde. Il lui expliquait toutes les malversations qu'il dut défendre pendant son service militaire, les collègues de la GRC écartés d'une enquête alors qu'ils s'apprêtaient à coincer des ministres fautifs ; elle lui exposa toutes les perversions du système qu'elle voyait se perpétuer malgré cinquante années de protestation. Heureusement, une partie de la jeunesse semblait sortir de sa léthargie :

ces protestations contre les armes en libre circulation sur le continent la réjouissaient. « Avant les puissants envoyaient les jeunes se battre au nom de principes religieux et identitaires, pendant qu'ils pouvaient continuer à exploiter et voler, sans jeunesse en travers de leur chemin. Maintenant, ils occupent les jeunes à s'entretuer sur les jeux vidéo, toujours dans l'idée d'avoir le champ libre. » Yann aimait bien cette vieille indignée ; il lui restait un demi-joint, est-ce que ça lui dirait de s'éclipser un instant ?

Lise n'hésita pas et lança aux Tourangeau : « Passez devant nous ! »

Robert Cousineau avait pris une avance quasi insurmontable, fier de montrer sa valeur à la belle Cassandra et au groupe entier. L'orgueil du coq ne faiblit pas même si la peau du cou s'étire. Mais il se fit expéditif, visa tout croche, pressé d'aller au bar à dix-huit heures vingt-sept, car le deux pour un se terminait dans trois minutes. Cassandra jeta un coup d'œil à son fils, gardé par la sœur de l'autre (c'était quoi son nom déjà ?).

Nadine se sentait observée, comme de fait, outre Cassandra, un grand monsieur bien mis souriait de la voir jouer avec Eddy. Elle crut bon de préciser :

— *Oh ! He's not mine.*

— *It's all right, MILF are my cup of tea.*

Nadine rata son coup mais pas sa chance de donner un rendez-vous plus tard à l'inconnu. Elle n'était pas *mother, but oh ! how much I like to fuck.*

16. *Dieciséis. Castillo*

Chantal avait oublié de noter le score du dernier trou. Guy lui prit le crayon des mains, il avait la peau des doigts craquelée, elle lui frotta la paume. « Tu devrais mettre un peu de crème. Je vas t'en apporter au souper. » Guy se retourna en rougissant. Il avait une érection et avait peur que ça paraisse dans son costume de bain. Chantal l'avait remarquée, et son cœur se mit à battre plus vite. Elle croyait que jamais plus elle pourrait encore faire de l'effet à un homme.

Steve fut déconcentré par des bips de son cellulaire. Tel un drogué en manque, il alla juste « vérifier » ses messages et vit parmi les chasseurs à proximité le beau visage de Javier, à vingt kilomètres d'ici. Il devait être chez sa mère, à repriser ses chemises et attendre son appel. Il ne pouvait être passé à autre chose ou en d'autres mains, non ?

Steve perdit sa concentration et mit six coups pour compléter ce trou. « Pas fort, l'accompagnateur ! » se moqua sa partenaire, ravie d'améliorer son pointage avec un trou d'un coup. Hélène était venue sur cette terre pour gagner. Elle avait longtemps pensé qu'elle devait gagner son ciel et payer pour les manquements de son père, elle comprenait peu à peu qu'elle gagnerait à s'alléger.

18. *Dieciocho. Kiosko*

Lise Cousineau affichait la pire performance, mais le sourire le plus resplendissant car ses deux hommes menaient le peloton : Yann, avec nonchalance, Robert carburant toujours à l'orgueil. Dans trente ans, Steve aimerait bien avoir encore ce swing et cet appétit de vivre.

Mais papa Plouffe l'avait bien dit : « C'est dans les derniers milles qu'on reconnaît un champion. »

L'alcool et le hasch engourdirent les deux meneurs.

La chaste et pure Hélène avait complété les trois derniers tours en deux points chacun. Les vecteurs de physique l'emporteraient-ils sur les délinquants ?

Il faudrait un miracle comme un trou d'un coup.

Miracle à la Costa del Sol : une mégère souriait. « J'ai gagné ! »

Hélène ne soupa pas seule, mais entourée d'amis. À ceux qui avaient raté le « merveilleux tournoi de golf », elle montrait sa carte de pointage. La salle à manger lui paraissait plus colorée et vibrante qu'à l'accoutumée. Elle annonçait à tout le monde combien Ronda serait fantastique, c'était la ville favorite du grand Orson Welles ! « Qui ? » À ceux qui ne connaissaient ni la ville ni le cinéaste, elle promit de tout leur raconter demain.

Steve la laissait parler, ravi de la voir faire grimper le taux d'inscription pour demain. Ils étaient maintenant près de vingt intéressés à découvrir Ronda. La petite marge de profit lui permettrait d'éponger sa contravention reçue à Malaga et peut-être même de se faire un peu d'argent de poche « pour s'acheter des bonbons ». Il appela l'agence d'autocars pour connaître le nom de leur chauffeur, mais un *dispatcher* anonyme lui dit que les bureaux étaient fermés et de rappeler au matin. Si Steve voulait savoir tant que ça, il n'avait qu'à téléphoner directement au principal concerné. Mais il ne voulait pas avoir l'air désespéré.

Ni de quelqu'un qui s'excusait et, encore moins, s'attachait.

Nadine avertit à sa sœur qu'elle n'irait pas au spectacle de magie ce soir : elle disparut faire une grande marche de santé. Chantal approuva. « Ça va te faire du bien. » S'envoyer en l'air encore davantage. L'étranger l'invita à sa chambre. Ce ne fut pas la baise du siècle, mais celle de la semaine. Nadine avait du rattrapage à faire.

Les Boute-en-train s'attardèrent pour le dessert, Steve relaxait avec eux. On lui offrit un café flambé au cognac, il se surprit à refuser, par peur de ne pas pouvoir s'endormir. Il voulait être en forme demain et avoir l'air intelligent, et ça, ça demandait parfois de la préparation. Yann insista : « Fais pas ta moumoune. » Steve plia. Les Schmidt (de Laval ou de Sorel ? Il n'avait donc pas de mémoire pour les noms !) sortirent un jeu de cartes. Poker, 500. Une miraculée se joignit à eux, sortie des enfers et lançant un joyeux : « V'là le fun qui commence ! » Madame Bruchesi avait bien meilleure mine, sa peau avait perdu de sa rougeur de homard. Pour ce, elle avait presque vidé un tube de fond de teint de sa coloc. Lorsque le groupe fut chassé de la salle à manger, qui fermait, c'est elle qui suggéra d'enchaîner avec des « sports de bar ». Personne n'ayant envie de retrouver le silence de leur chambre, les Tourangeau proposèrent quant à eux de faire le party à la leur, à l'étage, mais pour une fois qu'Eddy s'endormait on convint que le bar serait plus approprié. Même Hélène se laissa tenter « mais juste une minute pour voir ». En route, Mam'Bi poussa sa fameuse joke de « savez-vous la différence entre les zèbres qui ont des barres autour du cul et des trous de cul autour du bar ? » Quelle vulgarité venant de la part d'une femme de son âge ! Hélène n'écouta pas la réponse et faillit revirer de bord. Au dit bar de l'hôtel, chaque soir, l'animation variait : spectacles de danse latine l'avant-veille, karaoké hier et ce soir, bingo. Tombée au milieu d'une carte pleine, alors que le jeune animateur répétait les chiffres en cinq langues, la gang fit demi-tour, traumatisée, suppliant Steve :

— Promets-nous que demain ce sera pas de même !

— Oui, oui, on va être juste entre nous autres.

En espérant secrètement qu'un bel étranger s'invite.

Lundi 3 avril 2017 – Ronda

Où ça ne tourne pas rond pour Steve et Hélène

« Une femme chauffeur ! C'est donc cool ! » En plus, elle savait dire « Bonjour ! », et les vitres de sa navette s'ouvraient sans crainte de se déboîter une épaule : ça partait bien une excursion !

Alors que les Boute-en-train s'émerveillaient des beaux bancs propres au tissu chic, la déception de Steve ne passa pas inaperçue aux yeux de leur organisatrice, Lise Cousineau, qui lui caressa l'avant-bras. « Il va y en avoir d'autres. » Des voyages ou des hommes ?

Il savait très bien de qui elle parlait. « Quand t'as peur de perdre quelqu'un, c'est que t'avais entrevu un bout de chemin avec. Avant Robert, j'étais plutôt intense dans *Mon non est féministe*, mais du moment que j'ai accepté d'être pénétrée par un homme sain d'esprit, tout s'est mis à bien aller. Les causes y comprises ! Mais ça va vite, seigneur ! Cinquante-deux ans le 18 avril. » Oh ! Ils étaient donc venus célébrer leur anniversaire, un peu à l'avance ? Non. Lise se fit une joie de préciser à Steve : « Nous, on fête tout le temps. La vie a été généreuse en nous mettant sur le même chemin, y a tellement d'histoires qui mènent nulle part ! Au nom de tous ceux qui ont pas notre chance, on a le devoir d'être heureux. » Ou, à tout le moins, d'essayer.

Chantal et Guy vinrent s'excuser à Steve de lui faire faux bond, invoquant la fatigue, et s'offrirent de le dédommager.

— Ben non, c'est correct, les rassura Steve, y a pas d'activités prépayées.

— Bonnes activités libres, les amoureux! insinua madame Bruchesi d'une voix grasseyante.

Tous les passagers jetèrent un coup d'œil à Guy et à Chantal, rougissant, gênés d'avoir été mis au grand jour. Ils détalèrent aussitôt rejoindre l'anonymat de la salle à manger.

Nadine regarda sa sœur mal fagotée et cet homme plus qu'ordinaire empestant la transpiration : mais que pouvait-elle donc y trouver? Et pourquoi personne ne la trouvait, elle?

Elle se replongea dans le travail, répondant sèchement et de manière concise à quelques courriels de ses adjointes qui manquaient d'initiative. Et parfois d'investissement personnel: pour être compétitive, la banque accordait maintenant aux jeunes d'entrer passé dix heures et assouplissait leur horaire. On ne se tuait plus pour le travail, pourquoi diable Nadine le faisait-elle encore?

Son décompte fait, Steve salua au micro les nouvelles venues, les autres Futures Matantes apeurées par la mauvaise réputation des activités organisées, qu'il rassura en donnant sa recette d'un bon *road trip*: «La moitié du temps avec de la musique bon buzz, l'autre moitié à jaser avec le vent!» Il termina son bref laïus en présentant Hélène, sa voisine de siège, comme sa «stagiaire». Il blaguait, bien sûr, mais elle saisit la perche tendue et lui arracha son micro, n'entendant pas le lui laisser de sitôt! «Y est-tu fin, c'était mon élève au secondaire! À mes débuts, là!» Elle ne voulait pas qu'ils la croient grabataire!

— Félicitations à tous pour votre curiosité à découvrir Ronda, la cité perchée!

— C'est juste qu'ils annonçaient des nuages, claironna un fumeur.

La gang partit à rire, c'est vrai qu'une excursion valait mieux que flâner à l'hôtel par temps gris ! Sa femme, une des fumeuses, rêvait plutôt aux petites boutiques d'artisanat, n'ayant rien trouvé à son goût jusqu'ici.

Pour éveiller ces pauvres hères aux choses de l'esprit, Hélène se permit un « passionnant » survol de l'Histoire, prenant une éternité à parvenir au XIIIe siècle, où les Arabes dirigeaient la région et cette ville fortifiée « comme notre Vieux Québec ». Elle ne sentit pas le frisson de peur qui se transmettait chez les voyageurs : ils étaient embarqués malgré eux dans une expédition-pédagogique-bonne-pour-la-santé ? Les Futures Matantes se consultèrent du regard, le prêche d'Hélène, bien qu'intéressant, leur sembla un peu lourd si tôt dans la journée. Lisant leur déconvenue, et la grimace de madame Bruchesi qui mimait la mort par étranglement, Steve reprit le micro des mains d'Hélène, annonçant tout sourire : « La suite après un peu de musique ! » Sa stagiaire le fusilla du regard, mais il branchait déjà son cell sur la radio de la navette : sur un *best of* de Petula Clark, les conversations animées pouvaient reprendre leur cours au fil des courbes de la route. Encore outrée de s'être fait couper le sifflet, Hélène admonesta Steve :

— J'avais prévu une pause au XVe siècle !

— Mais, au XXIe siècle, les gens ont une capacité d'attention de trente secondes. Y vous écoutaient pus personne !

Hélène trouvait qu'il sous-estimait l'intelligence des voyageurs, il répondit qu'elle surestimait leur envie de s'informer. « Comme si les gens pouvaient pas avoir cinq minutes à eux ! C'est le fun, rêvasser ! On passe juste une fois sur ce chemin-là, savourez-le : faites le vide en faisant le plein d'images neuves. »

Les nuages d'un gris bleuté à la Corot noircirent le ciel de la Costa del Sol, tout comme le regard d'Hélène. Détestant avoir « peut-être » tort, elle bouda son non-guide / pseudo-accompagnateur / *whatever* de mes deux, et un vent glacial s'immisça entre eux. Elle fixa le paysage de plus en plus rocailleux, comme pour engouffrer des monceaux de montagnes marron qu'elle broyait en grinçant des dents. Le chemin serpentait entre des parois de plus en plus escarpées, la route par endroits avait été rétrécie par des éboulis, Steve retenait son souffle par peur de déranger sa cliente.

Derrière, ça jacassait à plein ciel. Les Lycra découvraient leur animée voisine d'allée, relativement sobre aujourd'hui (le Ziploc avec la jupe rayée). Madame Bruchesi leur racontait son « enfance à l'eau bénite », les péchés qu'elle inventait à la confesse chaque dimanche parce qu'elle ne savait plus quoi dire au curé inquisiteur « mais ça lui prenait quelque chose absolument ». Les Lycra n'avaient pas fait baptiser leurs enfants : les dieux causaient suffisamment de dommages encore de nos jours et pouvaient se passer de leur vote.

Alors qu'ils pénétraient le Parque Natural de la Sierra de Las Nieves, Steve annonça une « pause photo ! » Il n'y avait ni toilettes ni snack-bar, seulement une vue. Les pisse-minute devraient prendre leur mal en patience : ils seraient à Ronda dans moins d'une heure. Le vent plaquait les vêtements, achevait de décoiffer les dames et surprenait les plus téméraires qui s'approchaient du précipice. Fascinée par ces montagnes tranchantes, dénudées mis à part quelques bosquets et talus de mousse, Hélène l'enserra par réflexe et peur de tomber. «J'avais pas imaginé ça si haut!» Il comprenait son enthousiasme: il aimait tant ce coin du monde et, à vrai dire, le voyage. À sortir des sentiers battus, le cerveau restait en alerte, ayant toujours faim de nouveauté. Ah oui? Alors pourquoi son cerveau se fermait à la possibilité d'une intimité affective?

En petit t-shirt, Steve fit semblant de ne pas avoir froid, mais Mamie Bi lui prêta son kangourou. «Pauvre crotte, tu dois être frigorifié!» Elle le prit en photo parce qu'il était beau comme un cœur. Pfff! Il se savait le cœur atrophié. Saisis par le froid, les voyageurs retournaient un à un à la navette, toujours ravis du beau bonjour de leur conductrice. Sa stagiaire suggéra fortement de mettre un peu de chauffage pour couper l'humidité et lui reprocha de ne pas avoir suffisamment avisé les «amis» de la grande variation de température. Si sa stagiaire voulait la vérité et, même si ce n'était pas le cas, il allait lui donner:

— Arrêtez de nous appeler *vos amis*, ça tombe sur les nerfs.

— J'appelais mes élèves *mes amours!*

— Et est-ce qu'ils vous aimaient en retour? Non. Ça sonne pas naturel dans votre bouche.

Froissée, la stagiaire se croisa les bras. Il s'en voulut d'avoir été trop franc. Elle qui avait donné sa vie à l'éducation, elle qui désespérait de la voir maintenant dévalorisée, des premiers ministres se moquant des universitaires alors qu'avant on tirait gloire et honneur d'avoir éduqué un enfant dans la famille! Le divertissement à tout prix avait gagné: YouTube et ses images pétaradantes ayant rendu l'enseignement magistral comme le sien dépassé.

Pour se racheter, Steve lui proposa de faire une autre tranche d'information «passionnante» sur

Ronda. Elle l'ignora. « Vous ne me méritez pas ! » Ben boude, chère ! Steve ne savait plus par quel bout la prendre (y avait longtemps aussi qu'un homme ne l'avait pas prise).

S'enfonçant toujours vers le nord et les montagnes, leur mini-bus s'engouffra au cœur des nuages bas, la fine bruine qui se mit à tomber jeta un froid dans le groupe : visiter une ville sous la pluie n'est pas au goût de grand monde. Steve changea l'ambiance lugubre avec des chansons réconfortantes comme un pâté chinois. Lorsque retentirent les premières notes de *Quand le soleil dit bonjour aux montagnes*, il eut droit au commentaire de la grognonne en chef :

— C'est pas très espagnol.

— Mais ça pogne.

Car plusieurs chantaient à bord, oubliant que le soleil n'était pas des leurs. Hélène entendit pour la première fois les paroles de cette chanson, quétaine selon elle, et en fut troublée : « Je suis seule avec ma peine sur la montagne. »

Derrière, sa compagne de chambre pensait à son homme à l'autre bout de la planète et aux montagnes de Charlevoix, où il comptait finir ses jours. Avoir économisé toute une vie pour une belle retraite qui n'aurait pas lieu ! Arriver enfin à la récompense et se la voir dérobée ; se voir arrachée de son amour de toujours et comprendre qu'on perdait avec lui la meilleur part de soi-même. Chienne, la vie. Madame Bruchesi essuya une larme, puis deux, puis les laissa couler sans retenue. « Une voix me rappelle toujours… »

* * *

Entourés de Japonais et d'Allemands, Chantal et Guy déjeunèrent dans un silence confortable, à une grande table pour six pour ne pas que ça fasse trop tête à tête. Ils trouvaient tous deux le café délicieux, ça leur faisait quelque chose de positif à dire. Lorsque Chantal voulut savoir ce qui se passait dans le monde, Guy l'informa qu'il y avait encore eu une bombe, au Pakistan cette fois. « Me semble qu'il y aurait d'autres façons d'apprendre notre géographie ! » Elle aimait son attitude, il n'avait en lui aucune trace de colère ou d'amertume, c'était rafraîchissant chez un homme de son âge. Chantal en oubliait presque les taches sur son chandail.

Ils allèrent ensemble reprendre une deuxième assiette au buffet. Il lui raconta son travail à l'usine et ses collègues Néo-Mauriciens. « Qui ? » La gang de l'île Maurice – « C't'en Afrique » –, venue en Mauricie gagner leur vie. Francophones, ils acceptaient avec joie le travail que des locaux trouvaient trop forçant. Au bowling, des amers disaient qu'ils venaient voler des jobs, mais Guy n'était pas d'accord : c'était la faute des chèques qui rentraient tous les mois, payés à ne rien faire, ça en rendait plusieurs paresseux. Il le pensait, mais fallait pas le dire sinon ils nous parlaient pus.

La petite famille déjeunait en biais, la mère affairée avec son enfant, qui lui lança sa nourriture au visage. « T'es méchante ! » faisait-il savoir à tous. Eddy faisait une rechute de iPad, mais Cassandra tenait bon. « Non, c'est non. » Elle menait la mission 4 PAS à bout de bras. Elle avait elle-même coupé ses textos et publications Instagram aux amies. Mais ce n'est pas son chum qui s'empêcherait de vivre parce que son gars traversait une phase… Elle trouvait bien difficile d'imposer seule une discipline. Yann s'en lavait les mains : « Chus pus capable de l'entendre crier ! » Cassandra eut envie de le gifler.

Ils avaient fini de manger, ils avaient une journée devant eux. Comment l'occuper? Chantal ne voulait rien imposer à Guy, à qui tout allait.

— Décide !

— On pourrait aller au gros centre d'achats qu'on a vu l'autre fois?

Il afficha aussitôt un curieux enthousiasme. « Je sais pas s'ils ont des Canadian Tire ici aussi? » Son magasin préféré, qui sentait toujours bon comme une auto neuve ! Sait-on jamais, peut être qu'ils auraient des trucs « le fun » pour son appartement près du métro Crémazie? Elle fut touchée qu'il se souvienne de ce détail, il l'écoutait donc? Oui. Il enregistrait tout au cas où ça se terminerait trop tôt; au moins, il aurait des souvenirs.

Chantal prétexta devoir retourner à sa chambre pour prendre un manteau et osa suggérer: « Il me semble que tu serais plus confortable avec une chemise? Je te laisse le temps de te doucher pis on se rejoint à la réception. » Guy ne voulait surtout pas la contredire et obéit. Comme il avait bien fait d'emmener UNE chemise propre au cas où !

* * *

Ronda, nous voilà ! Dans cette ville citadelle perchée sur un rocher, la première chose qu'ils visitèrent, ce furent les toilettes du kiosque d'information touristique auxquelles ils accordèrent quatre étoiles : enfin, y avait assez de cabinets pour toutes les femmes ! Ronda partait du bon pied et c'est à pied qu'ils visiteraient son cœur historique. Steve fixa le rendez-vous du retour avec la conductrice qui aurait sa journée libre ; lui n'aurait pas une minute à lui, déjà happé par sa stagiaire, emballée par le *bono Turismo.* « C'est quasiment donné ! » Pour les groupes de dix et plus, ce coupon permettait de voir quasiment tout ce qu'on se DEVAIT de voir à Ronda selon Hélène. « Il y a même des affaires que j'ignorais ! » avoua-t-elle tout bas à Steve.

Un perceptible vent de changement s'était glissé entre eux. Ça n'allait pas jusqu'au respect, mais Hélène dosait mieux son enthousiasme, surveillant du coin de l'œil si Steve approuvait ses élans. « Je ne sais pas vous, camarades, mais moi, je commencerais par les coulisses de la corrida. » Les amis, devenus camarades, trouvaient que « ça avait de l'allure », d'autant plus qu'il pleuvait encore. À Steve, elle recommanda d'attendre ici pour éviter de s'évanouir comme l'autre soir. Tout le monde la trouva drôle ; ravie, elle prit la tête de la meute, brandissant son parapluie pour être vue de loin. « Par ici ! » Steve ferma la marche, espérant qu'il existât aussi à Ronda des polices du tourisme pour lui flanquer une contravention.

Avec ses tons d'ocre et de rouge, l'arène de Ronda faisait plus « espagnole » au goût d'Hélène. Un accès exclusif aux stalles rendit tout son monde fou. « On est comme les toréadors ! » Une exposition de leurs armes, épées et poignards au raffinement exquis, aux manches en ivoire sculptés, certains sertis de diamants, faisait oublier la cruauté de l'arène. Les femmes admiraient les détails des costumes tous pailletés ; les hommes retenaient leur souffle tant la taille étroite de ceux-ci les intimidait. Seul monsieur Lycra pouvait prétendre s'en vêtir (Steve jugea qu'il aurait le scrotum squeezé). S'ensuivait une succession de carabines et pistolets qui n'avaient AUCUN rapport avec la corrida selon Steve, mais Hélène l'informa. « Ronda est bien connue pour le banditisme. La garde royale en avait plein les bras, mais nous parlerons de ça plus tard. » Ben coudonc ! La stagiaire savait où elle s'en allait. Oh que oui ! L'exposition se terminait par de superbes affiches de corrida du temps passé. Toréadors et danseuses de flamenco arboraient une fierté exacerbée : ici, on ne courbait pas l'échine et nul n'avait honte de son sexe. Rafraîchissant pour lui, élevé en des temps d'hommes roses et femmes dominantes, plongé maintenant dans un flou identitaire où l'on luttait pour des toilettes non genrées alors que l'égalité des chances n'était même pas chose faite. Saborder des luttes au nom du non-binaire, quelle misère ! Steve s'en irritait sans pouvoir l'expliquer. Il se raccrocha aux toréadors stylisés des publicités de 1950 dont l'un au regard défiant lui rappelait quelqu'un. « C'est vrai qu'il lui ressemble », lui chuchota Lise.

* * *

Chez lui, Guy se perdait dans ses tiroirs. Il fut donc épaté lorsque Chantal trouva sans hésiter leur chemin vers le Cercanía. Elle savait même comment acheter des billets *ida y vuelta* dans une machine qui parlait espagnol ! Elle rit de lui. « Tu peux choisir ta langue. Veux-tu les acheter en chinois ? » Guy se trouvait niaiseux d'à peine parler anglais, Chantal dit qu'elle avait perfectionné le sien en prêtant attention aux paroles des chansons. « Même si ça va souvent mal ! Pauvres chanteuses, elles se plaignent sur un temps rare ! À part Céline. Céline, elle, c'est pas pareil. Elle rend souvent hommage à ceux qui changent une vie. » Elle partagea son admiration sans bornes pour son idole, demandant s'il l'aimait autant qu'elle. Guy savait qu'il avait intérêt à dire oui, même s'il était resté accroché à Harmonium et Richard Séguin. Il portait d'ailleurs une chemise carreautée qui jurait un peu en pleine Costa del Sol, mais avait le mérite d'être propre.

Sur le quai bondé de la gare, « parce que le gaz est pas achetable », Guy tentait de déchiffrer le nom des stations, ne sachant plus si on arrêtait à Guadalhorce ou Maria Zambrano. Du calme ! Chantal savait où ils allaient. Elle se demandait si ses compétences de guichetière seraient reconnues ici, alors qu'on permettait difficilement à un docteur immigrant de pratiquer chez eux. Quelle connerie, comme si le corps humain différait d'un pays à l'autre ! Encore une gimmick des médecins !

Ils prirent place dans un wagon bondé, n'osant trop se coller l'un à l'autre. À la station suivante, fort populaire, un flot de mères et d'adolescents entrèrent en piaillant bruyamment. À l'arrêt suivant, encore de la bousculade, Chantal reçut un coup de coude dans le ventre, en bon chevalier servant, Guy osa une main sur son épaule pour la protéger. Gênée, Chantal fut soulagée car il ne sentait pas la sueur, mais d'autres passagers s'en chargeaient. Elle avait chaud mais garda son manteau : elle ne voulait pas que Guy voie qu'elle transpirait en dessous des bras.

* * *

Chassez le naturel, il revient au galop : la prof Hélène s'en donnait à cœur joie sur ce « Puente Nuevo » qui datait pourtant du XVIIIe siècle ! Par politesse, les Cousineau l'écoutaient distraitement, fascinés par la vue offerte au-dessus du gouffre. Le Pont Neuf reliait les deux parties de la ville, arrimé aux montagnes couleur terre brûlée « si caractéristique de la région dont l'économie repose sur l'élevage de moutons… » enchaînait la cheftaine Hélène sans voir qu'elle perdait ses brebis. Fuyant sur le belvédère, malgré la petite pluie fine, les Lycra abordèrent Steve :

— Ça dérange-tu si on va de notre bord ?

— Je peux-tu me sauver avec vous ? rigola Steve.

Les Schmidt de Laval prirent eux aussi congé du groupe : il leur donna rendez-vous à seize heures près des murailles, porte de l'Almocabar, dans le quartier San Francisco.

— Prenez votre temps, la ville est pas grande.

— Pourvu qu'elle soit assez grande pour la perdre en chemin.

Se voyant avec quatre disciples en moins, Hélène n'en fut pas froissée. « Certaines personnes sont allergiques au savoir. Par ici, camarades ! » Ils franchirent le Puente Nuevo à pied, scrutant le ciel : derrière la bruine, un rien de soleil pouvait se deviner au loin, mais pour l'heure, les rues pavées de pierres lisses invitaient à la prudence. Comme toujours, les Cousineau marchaient main dans la main, touchante et immuable fidélité, suivant aveuglément Hélène – qui avait intégré le plan de la ville comme si elle y était née. Elle passa devant la Casa del Gigante sans s'y arrêter. « Nous avons vu tellement mieux à Granada, n'est-ce pas ? » Mais, appâtés à la vue d'une imposante sélection de pâtisseries au miel et aux noix en vitrine d'une boulangerie, les camarades firent la révolution. « Y vendent aussi des confitures en souvenir ! » bondit de joie la fumeuse. À l'attaque ! Invasion de Québécois !

Hélène voulut les retenir, s'escrimant en vain à leur faire comprendre qu'ils allaient gâcher leur appétit et surtout manquer de temps. « *Come on,* la reprit Steve. Quand vous baisez, chronométrez-vous tout ? Cinq minutes par sein, cinq sur la bite, dix sur le clitoris ? » Hélène trouvait le commentaire franchement déplacé et alla s'imprégner de l'« atmosphère mauresque » du quartier. Cinq minutes devraient lui suffire. Il ne sera pas dit qu'elle allait passer sa journée d'excursion à farfouiller dans les pâtisseries !

Les doigts gommés de miel, la moustache barbouillée de sucre en poudre, ses gourmands camarades repus, achats à la main, la retrouvèrent une LONGUE demi-heure plus tard, prêts à s'enivrer des musts de Ronda.

«*El palacio de Mondragon!*» Steve se retenait de ne pas pouffer de rire chaque fois que sa stagiaire s'exprimait en espagnol: son accent était horrible! Elle méritait un A pour l'effort, mais un C pour la psychologie des vacanciers. Elle persistait à donner des informations trop pointues qui n'intéressaient qu'elle. «Le palais était en fait la demeure du calife régnant Abbel Mallek, qui, comme chacun sait, fit beaucoup pour la région.» Ça insultait Lise qu'elle s'arroge tout ce savoir puisé dans les livres et fasse sentir la gang comme des imbéciles finis. Car bien qu'ils n'avaient pas soif des dates et de la chronique exacte des événements, ses Boute-en-train savaient flâner et apprécier les surprises du voyage. Mais encore fallait-il leur en laisser le temps!

La pluie cessant, tous sortirent dans le petit jardin privé du *palacio*, séduits par le charme indolent de la fontaine, surplombant des champs en contrebas où des moutons sales semblaient le reflet de nuages gris. Autre ronde endiablée de photos. «Une avec tout le groupe!» Hélène s'enorgueillit qu'on voulut un souvenir avec elle, «notre guide du jour». Fallait mettre ça tout de suite sur Facebook! Madame Bruchesi allait s'en charger, mais Hélène tapa dans ses mains pour rameuter le troupeau disséminé. «Camarades! Au deuxième étage, le musée de la ville présente un concentré fabuleux d'histoire régionale.» Mais personne ne voulut s'y enfermer. Steve déclara l'heure du temps libre; on se retrouverait à midi à l'église Santa Maria.

— Des plans pour se perdre! protesta Hélène.

— C'est le seul édifice en hauteur de la ville. «Franchement!»

Qu'il la cite et l'imite provoqua l'hilarité de tous. Supérieurement *stuck up*, Hélène grimpa les marches quatre à quatre pour aller au musée en le conspuant. « Graine de bandit ! »

* * *

Chantal se demandait si le centre commercial était fraîchement repeint ou nouvellement construit tant c'était joli. Enfin, pas une vieillerie. « Ça fait changement ! » Guy lui offrit de porter son manteau puisqu'« il fait toujours beau dans les centres d'achats ». Pour le remercier de sa galanterie, elle lui proposa de commencer *right away* par la quincaillerie.

Guy aimait comparer le prix des vis. Et à combien se vendaient les pneus d'été ici ? « Y ont juste une sorte, le corrigea Chantal. Y connaissent pas l'hiver. » Elle trouva des outils de jardin qui avaient de la classe et ne prendraient pas trop de place dans une valise pour ses boîtes à fleurs donnant sur le boulevard Métropolitain. Guy ne voulait pas abuser du temps de Chantal – « Voyons, ça me fait plaisir ! » – alors il l'emmena voir les rubans à mesurer. Le sien était un peu encrassé, ça lui ferait un beau souvenir, utile en plus. C'est en vérifiant s'il avait assez d'argent qu'il s'aperçut qu'il n'en avait plus. « Mon porte-monnaie ! » Guy fouilla dans toutes ses poches avant de paniquer, courant dans les allées à rebours au cas où son précieux avoir y serait tombé. Non, pas ici ! Chantal l'aida à se calmer, il s'excusa de gâcher ses vacances. Il n'avait aucune idée à qui s'adresser pour trouver du secours. Elle prit les choses en main, ainsi que la main de Guy : enfin, quelqu'un avait besoin d'elle.

* * *

Pendant cette heure et demie de liberté, si beaucoup flânèrent sans but précis, madame Bruchesi se laissa tenter par le Musée du vin : la visite incluait une dégustation de vins et fromages pour une poignée d'euros. Parlez-moi d'un musée le fun !

Au Museo Tematico Lara, Hélène croyait découvrir la vie de Lara, une riche héritière, mais tomba avec effroi sur des reproductions de tortures d'hérétiques. La cruauté des instruments et des pratiques lui glaça le sang, mais elle continua sa visite tout de même : fallait bien que son coupon serve !

Les Cousineau choisirent plutôt le Musée des bandits. Des mannequins habillés devaient inspirer la terreur, mais séduisaient plutôt Lise, entichée de leurs favoris, qui lui rappelaient ses années folichonnes avec tout ce que le Québec comptait de trotskistes-maoïstes-séparatistes.

Bon, ces bandits-ci dégainaient des fusils plutôt qu'un slogan ; ils tranchaient des gorges, dépouillaient des voyageurs, jetaient leur corps au bas des falaises, mais c'étaient des détails. « Les rois leur laissaient pas le choix ! » Étudiant en littérature, Robert avait été séduit par la fougue politique de Lise, son appétit insatiable de justice et de sexe, dans l'ordre et le désordre de leurs draps froissés. Ils nourrissaient depuis mutuellement leur indignation, étaient de toutes les manifestations ayant défendu tout autant la langue, le droit à l'avortement et notre fleuve Saint-Laurent menacé par des projets d'oléoducs. Meurtris par deux référendums perdus pour l'indépendance du Québec, ils avaient repris espoir et joué de la casserole lors du Printemps érable où les étudiants chantèrent le ras-le-bol des dépenses princières des recteurs et la corruption généralisée. Le printemps perdit ses feuilles trop vite, au Québec comme en Turquie, les régimes malsains restèrent bien en place. Depuis, sur Facebook, Lise inondait ses petits-enfants et ses proches d'articles politiques et de blogues enflammés où elle conspuait le 1 % qui détenait toutes les richesses. Dans ce musée relatant tout autant les périls de la garde royale que les méfaits des bandits, Lise avait choisi son camp : « *Yo soy el 99 % !* » Robert trouva sa rebelle toujours aussi belle et l'embrassa au nez et à la barbe d'un capitaine d'armée en cire.

* * *

À quoi ressemblent des pickpockets ?

Au poste de police, Chantal et Guy peinaient à définir qui avait bien pu leur faire le coup. C'était dans le train, ils en étaient maintenant certains, mais serait-ce pécher de soupçonner la jeune gitane avec son petit en bandoulière ? Elle avait l'air si gentille… Ou de blâmer cette bande de jeunes tapageurs qui les avaient bousculés ou encore ces deux hommes qui conversaient savamment à deux pouces d'eux ?

Dans un anglais laborieux, le policier en fonction leur expliqua qu'ils avaient peu de chances de retrouver leur bien, mais qu'il fallait surtout se presser pour faire annuler son crédit et aviser les autorités concernées pour son passeport. « Ma carte Canadian Tire aussi ! »

Taxi ! Chantal entraîna Guy au consulat canadien de Malaga pour se buter à des portes fermées *hasta 14 h.* Guy s'en voulait tellement de faire perdre sa journée à Chantal qu'il l'invita à dîner. Il se souvenait avec bonheur de ses premières tapas à vie, mais était bien mal en peine de retrouver où il les avait consommées. « Y avait des jambons suspendus au plafond. » Chantal intercepta deux étudiantes qui lui semblaient sympathiques et leur mima des jambons *in the air.* Les filles les emmenèrent à une cantine populaire auprès des étudiants. Il y avait non seulement des jambons, mais aussi de la bière fraîche ! Super ! Soulagée après toute cette course, Chantal ôta ses souliers sous la table, Guy fit de même, et leurs pieds se touchèrent par accident. Ils les laissèrent là.

* * *

Midi cinq, église Santa Maria : les camarades avaient du retard, mais la stagiaire Hélène resta diplomate et les accueillit un à un du même sourire égal, galvanisée par cette nouvelle carrière de guide qu'elle voyait s'ouvrir devant elle. Elle s'enquit des découvertes faites par ses amis. Que le temps passe vite quand on s'instruit !

Mam'Bruchesi était bien d'accord. « Super, le Musée du vin : j'en aurais pris trois litres de plus ! » Hélène la prit au mot : une dernière visite avant le dîner serait donc à propos ? Par expérience, elle savait qu'en après-midi l'attention des élèves pâtissait. Elle statua donc pour eux : « *Vámonos al los baños árabes !* » On lui avait fait rater ceux de l'Alhambra, elle comptait bien se reprendre.

Guidant fièrement son peuple vers les bains promis, Hélène trouva la route splendide : on ressortait de l'enceinte fortifiée pour descendre à l'ancienne entrée de la ville. Le timide soleil chassait les dernières gouttelettes retardataires et en excitait les camarades. Hélène les trouvait fort dissipés et les rappela une troisième fois à l'ordre :

— On écoute, sinon vous allez pus rien comprendre !

— Non, mais est-tu fatigante, marmonna madame Bruchesi.

— Je sais pas comment vous faites pour l'avoir tous les jours dans votre chambre !

La fumeuse compatissante en apprit davantage sur les habitudes de vieille fille d'Hélène : ses nuits à ronfler dans une jaquette à la photo de Fripon imprimée, qu'elle pliait et embrassait au matin en lui souhaitant une bonne journée ; les étirements interminables au matin, le grimage de trois pouces de maquillage qui prenait des heures, interdisant l'accès à la salle de bain. « Silence en arrière, svp, fit alors Hélène, vous empêchez les autres de suivre ! » Madame Bruchesi cessa de médire de sa guide, qui poursuivit son laïus :

— Alors je disais qu'à l'origine, à nos pieds s'étendait tout un quartier d'artisans. Imaginez des ateliers de poterie…

— On va-tu pouvoir en acheter ? demanda une dame (la Tourangeau de Sorel).

— Je parle au passé.

Oh, la dame était bien déçue, n'ayant toujours pas trouvé de boutiques de souvenirs « à son goût ». Hélène reculait tout en parlant pour garder son groupe à l'œil et à l'ordre.

— Derrière moi se trouvaient aussi des tanneurs.

— Des tannants ?

— Des tanneries et des tisserands qui avaient accès au ruisseau nécessaire à leurs travaux. Les nomades venaient donc y vendre des bêtes pour leur cuir…

— Est-ce qu'ils font des sacoches ?

— C'ÉTAIT À UN AUTRE SIÈCLE ! Vous écoutez pas, madame !

Hélène lui fit des gros yeux méchants, la dame s'excusa en regardant par terre les beaux pavés d'époque. De la belle vigne grimpait le long des fondations de la forteresse. Tiens ! des oiseaux y nichaient, pépiant gaiement, insensibles eux aussi au zèle de la stagiaire.

— La coutume religieuse voulait que les Maures, les Arabes comme chacun sait maintenant…

— Ça fait huit fois qu'elle le répète, marmonna encore madame Bruchesi. Elle nous prend vraiment pour des épais.

— ... se purifient dans les bains et ça tenait également d'hygiène corporelle : après avoir conduit les troupeaux et les marchandises à travers champs et montagnes, vous imaginez qu'ils ne sentaient pas la rose.

Quelques rires enjoués récompensèrent Hélène de son érudition. Steve devait avouer qu'elle avait bien appris sa leçon. Son cellulaire vibra alors, et la lecture du texto et du lien Google Maps que voici le mit en joie :

TAVERNA BENITO
Calle del Amanecer, 12
29400 Ronda, España

Son expéditeur lui voulait du bien. Le cœur de Steve battit à tout rompre, comme celui d'un adolescent. Il répondit aussitôt, textant plus vite que son ombre sans entendre : « Une question à notre accompagnateur dans la lune : que veut dire *puente de las curtidurías* ? » Hélène attendit sa réponse, recula, croyant pouvoir s'appuyer sur le *puerta de los Esparteros*, glissa sur un pavé encore humide et tomba à la renverse.

Ce n'est pas gentil de rire du malheur d'autrui, nous le savons tous, mais de voir la maîtresse d'école les quatre fers en l'air en réjouit plus d'un.

Sauf lorsqu'elle ne se releva pas tout de suite.

Steve accourut, tout comme Mam'Bi qui, enivrée, osa demander : « On y donne-tu des claques ? » C'était tentant, mais Hélène n'était pas évanouie. Sonnée, oui, voire en furie de voir cet impertinent penché sur elle. « Ah toi, c'est de ta faute ! » Il lui avait fait perdre le fil de ses idées et perdre pied. La douleur se fit vive comme des coups de poignard de bandits. « Ma cheville ! » Elle se l'était tordue, voire fendue. Steve se doutait bien qu'elle exagérait, la palpa, lui arrachant un cri de bête égorgée. « Comment peux-tu comprendre la douleur d'une femme, moumoune ! » OK, on avait un drame entre les mains. Steve confia l'adresse du resto et le groupe à madame Bruchesi.

— Allez visiter les bains, vous avez juste à présenter vos coupons.

— Comment on va faire pour comprendre si elle est pas là pour nous expliquer ?

Steve émit un faible sourire, et pour ce, Hélène l'en détesta davantage. « Attendez que je réécrive à votre patronne ! Ouch ! Ouch ! » Il l'aida à s'adosser contre le muret, jadis la porte des tisserands (comme chacun sait, si on avait bien écouté). Les camarades défilèrent un à un, scrutant Hélène comme les automobilistes qui ralentissent sur l'autoroute pour se repaître d'un accident. Ils compatirent néanmoins. Pauvre elle, ses vacances étaient gâchées !

* * *

Ils revinrent au consulat à quatorze heures tapant. Chantal était familière avec la procédurite et les tracasseries administratives : il y en avait tant à la Société de transport de Montréal que ça ralentissait le service ! Elle se fit entendre du consul : la vie sans histoire de Guy et son dossier criminel vierge accélérèrent les procédures. Il lui en donna tout le mérite. « T'as sauvé mes vacances ! » Il se fit dès lors un devoir de porter ses sacs pour un blitz magasinage, rue Marqués de Laros. Foulant les pavés de marbre étincelants au soleil, Chantal s'y sentait plus « madame » qu'au centre commercial. Elle aimait bien aussi que les vendeuses des boutiques, aussi minces et jeunes qu'à Montréal, les considèrent elle et Guy comme un couple, demandant toujours l'avis de monsieur sur chaque truc qu'elle essayait (elle en essayait beaucoup). Guy trouvait que tout lui faisait bien.

Elle voulut qu'il essaye à son tour un pantalon en solde, des polos indémodables puis une chemise « vraiment pas pire ». « J'ai jamais porté du rouge », protesta Guy, apeuré à l'idée de flasher. Chantal insista, et le rouge lui allait effectivement à ravir. « Garde-la sur toi. »

Marchant dans ses nouveaux habits d'empereur, Guy se sentait trop beau pour sa peau. Il prit la main de Chantal pour s'accommoder de ce vertige. Elle lui sourit, ravie. Restait à trouver un coiffeur, mais une chose à la fois : ils marchaient en amoureux, et c'était déjà beaucoup à assumer.

* * *

À l'urgence de l'hôpital de Ronda, Steve s'était attendu à y trouver comme au Québec une trentaine de patients impatients de voir du personnel traitant. Mais ils étaient à peine entrés qu'une infirmière leur ouvrait déjà un dossier. Steve lui expliqua en espagnol le malheur d'Hélène, qui l'interrompait constamment :

— Dis-lui que le mollet est cassé.

— Le mollet, c'est pas un os.

— Joue pas avec les mots ! Dis-leur de pas me couper la jambe. *Por favor !*

Elle grimaça pour émouvoir l'infirmière, en parfaite victime qui fait doublement pitié pour accélérer le service. Insensible à sa performance, l'infirmière s'assura d'abord que ses assurances-voyage couvriraient – Hélène avait contracté « la totale » – alors elle commanda des rayons X, et un docteur viendrait sous peu l'ausculter. « *Espera ahí.* »

Dans cette salle aérée, moderne et impeccable, ils attendirent leur tour entre deux bébés malades, un vieil homme le bras ensanglanté et un jeune couple nerveux (elle, enceinte ; lui, pas prêt pour ça ?). Gémissant plus que nécessaire, Hélène répétait son laïus en l'accablant :

— T'as gâché mon Séville ! Moi qui me faisais une joie de marcher sur les traces de Carmen.

— Vous allez pouvoir y aller pareil…

— J'ai une jambe en moins, imbécile ! Par ta faute ! Tu n'écoutais pas quand tu étais étudiant, tu n'as pas changé d'un iota !

Steve encaissa le blâme en silence. Son téléphone vibra, Hélène le houspilla. « Réponds pendant que je me meurs à côté ! Envoye ! Texte pendant que j'agonise ! » Hélène aurait dû être professeur de théâtre plutôt que de physique. Steve ignora l'appel et se surprit lui-même à offrir :

— Voulez-vous qu'on appelle Fripon pour le rassurer ?

— T'essayes de te racheter.

Mais, malgré sa mauvaise foi, elle lui prit le téléphone des mains et composa de mémoire le numéro de l'Hôtel des compagnons. Elle avait tenté de communiquer avec Fripon, peu avant midi comme à son habitude, mais en altitude, la ligne était pourrie. « Ici, ça marche ! » Elle avait cessé de pleurnicher, la voix doucereuse et emphatique : « C'est la maman de Fripon ! Je m'excuse du retard, je suis à l'hôpital. » Hélène remercia la réceptionniste de s'inquiéter de sa santé, mais se préoccupait surtout de savoir si son garçon allait bien. Lorsqu'elle put enfin lui ronronner sa dose de « bouloum-bouloum c'est le minou à Lélène », Steve bondit de sa chaise et fonça dans les toilettes. L'infirmière avait l'habitude de voir des patients détaler pour y vomir, mais si elle savait combien Steve y riait !

À la Taverna Benito, non seulement ils y trouvèrent des saucissons suspendus au plafond, mais aussi de dodus aubergistes comme on en voyait dans les vieilles vues françaises. « Gros de même, on sait que ça va être bon ! » s'exclama madame Bruchesi, commandant *un poco de todo*, comme Steve leur avait appris avant la corrida.

— *Y vino !* précisèrent les Cousineau.

— *Por supuesto !*

Le vin coula à flots, tout comme se succédèrent les omelettes aux patates, des mijotés d'agneau et un lot de saucissons et fromages vieillis tous plus savoureux les uns que les autres. Intrigués par cette horde inhabituelle de touristes, les habitués au comptoir aux joues rougeaudes lâchèrent leur journal local et vinrent se mêler à eux. On baragouina de part et d'autre, les uns intrigués des gratte-ciel, les autres à savoir s'il neigeait ici dans la montagne. Mam'Bi, ayant pris passablement de vin, leur fit un petit bout de *Vive le vent d'hiver*; un vieil habitué plus entreprenant la prit par la taille, enchaînant un chant gitan.

La Taverna étant à quelques pas du point de rendez-vous pour le retour, les Lycra y débarquèrent pour un café. Ils avaient déjà mangé :

— Ça devait pas être aussi bon qu'ici ! jubilait Lise Cousineau en partageant avec son chum une deuxième pointe d'une tarte à l'orange avec une sorte de cossetarde… aux comment déjà ?

— *Huevos !*

Le vieil habitué rigola en se prenant les couilles d'une main : la tartelette aux œufs n'était pas que l'apanage des Portugais, tout comme la joie de vivre n'était pas limitée aux Québécois. Elle était communicative.

Mais, lorsqu'Hélène revint, on se fit un devoir de cesser de rire.

Elle fit le récit de son séjour à l'hôpital où le personnel médical des plus charmants avait rendu ses douleurs moins pénibles. À tous, elle montra son attelle et son bandage immobilisant son pied droit, limitant ses mouvements. « Moi qui me faisais une joie d'aller à Séville. » Elle se fit plaindre, ça lui fit beaucoup de bien.

Sur le chemin du retour, Steve pensa lui faire plaisir en faisant jouer un air de Carmen, mais Hélène fondit en larmes et l'accusa d'être cruel. « Tu tournes le fer dans la plaie. » On fit donc la route en silence – « Avec du chauffage, svp ! » –, engourdissant peu à peu les Boute-en-train. Digérant leur festin, madame Bruchesi et Robert Cousineau firent un concours de ronflements, qu'elle remporta haut la main, faisant dire à Hélène : « Comprenez-vous maintenant ce que j'endure tous les soirs ? J'arriverai pas à récupérer… » Elle lançait de petits gémissements au moindre soubresaut du véhicule, blâmant Steve chaque fois : s'il avait écouté tout ça serait jamais arrivé. Il devait porter sa croix et elle la lui clouait bien en place avec des clous Wilson !

Devant eux, la route escarpée rejoignait lentement la côte, le soleil disait réellement bonjour aux montagnes en des stries rosées. Les camarades papotaient joyeusement dans les derniers milles. Nadine changea de siège pour jouer au scrabble avec madame Bruchesi, réveillée et d'aplomb pour imposer des mots drôlement payants. Steve regardait ses autres voyageurs qui, de visage connu, portaient peu à peu un nom et une histoire. Parmi les Boute-en-train, deux amies discrètes, Mance et Victoire, aux beaux prénoms et avec une bonne disposition pour le bonheur ; les quatre fumeurs, Jacques et Diane Tourangeau, Carole et Yves Schmidt, s'étaient connus dans un précédent voyage il y a six ans et, depuis, s'en bookaient un chaque année, en plus de se revoir pour leur anniversaire respectif. L'amitié, ça s'entretient à coups de moments privilégiés. Les Lycra, Max et Valérie, se faisaient lentement à l'idée de vendre leur animalerie déficitaire et de passer à une autre étape de leur vie. Lise Cousineau flattait les cheveux épars de son homme encore endormi, la tête sur son épaule. Lorsqu'il se réveilla une fois parvenu au stationnement de l'hôtel Mélies, elle l'en félicita. « On va pouvoir veiller à soir ! »

Hélène descendit la première, refusant la main de Steve, mais acceptant celle de la conductrice. « C'est trop aimable ! » roucoula-t-elle, avant de s'excuser de ne pas pouvoir lui donner de pourboire « à cause de ma jambe ». Elle boita jusqu'à la réception, où on lui offrit un fauteuil roulant sur lequel elle fit une entrée remarquée à la salle à manger. Le gérant lui assigna un serveur pour l'aider dans ses choix au buffet. Hélène jubilait de faire l'objet de tant de soins et atteignit presque un orgasme lorsque des camarades vinrent la remercier pour la magnifique excursion. « Vous êtes une guide formidable ! » Ils lui offrirent un verre de vin, qu'elle dut refuser – « Avec mes pilules antidouleur, j'aime autant pas » –, mais s'accorda un deuxième dessert bien mérité.

Parlant vin, Nadine eut la surprise de sa vie en entrant dans sa chambre : sur le balcon donnant sur la mer, sa sœur trinquait en tête à tête avec le petit monsieur tout seul qui, surprise, ne portait pas le même maudit chandail laid puant de toujours. Chantal sourit, fière de la nouveauté dans sa vie. « Tu connais Guy ? » Nadine pensait surtout qu'elle ne connaissait pas sa sœur.

Mardi 4 avril 2017 – Marché public de Fuengirola

Où le chocolat n'a jamais eu si bon goût

Ce matin-là, à la salle à manger de l'hôtel, madame Bruchesi débarqua en jaquette, sa trousse de toilette sous le bras et son Ziploc « kit bleu clair » d'une main, car « la sainte trempait dans le bain ». Grommelant, elle vola un croissant au passage puis alla s'enfermer du côté des femmes pour se donner « un semblant d'allure ». Eddy trépignait de joie d'avoir vu son amie Mamie Bi passer : aux dires de ses parents, il n'avait pas arrêté de demander à la voir hier. Moins spectaculaires qu'à leur habitude, Yann et Cass arboraient un look de monsieur/madame respectable.

— On s'en va régler des affaires.

— En ville ? voulut savoir Steve.

— Non, non, on part avec vous.

Au programme aujourd'hui, une simple activité : le marché public à Fuengirola. Tenant à la fois de marché aux puces et de rassemblement fermier, cette dose gratuite d'exotisme s'avérait fort populaire à voir le nombre de clients qui lui confirmaient qu'ils partiraient en train avec lui. « Les affaires gratuites, ça pogne ! » affirma Guy avec une assurance qui surprit Steve, tout autant que de voir Dame Chantal, radieuse à son bras, ravie de choisir « ensemble ce qui nous tente ». Ce « nous » nouveau si doux en bouche leur ouvrait l'appétit.

Voyant l'étonnement de Steve, Nadine Trépanier, amère, persifla : « Y a juste nous deux qui pognent pas. » Il aurait aimé la corriger et lui dire qu'il avait quelqu'un. Au retour hier soir, il avait laissé à Javier un message, des vrais mots avec une voix chaleureuse, pour le remercier du *cue* du resto, fort apprécié : *te extrañamos,* et tous lui faisaient dire bonjour. Il s'était caché ainsi un peu derrière son groupe, aurait-il dû être plus expansif? Il n'avait toujours pas reçu de réponse de son « quelqu'un ». Quant à Nadine, elle n'avait pas envie de jouer au chaperon de sa sœur et l'en avait avertie.

Hélène fit irruption dans le hall, deux minutes avant le départ prévu. Elle voulait « simplement » saluer les camarades, dans une petite blouse vieux rose qui s'harmonisait à ravir avec le gris de son fauteuil roulant. Elle montra son pansement à ceux qui ne l'avaient pas encore vu et rassura ceux qui s'inquiétaient (ceux qui n'avaient pas de vie). « Votre amour me touche beaucoup. Ma blessure a désenflé un petit peu, je compte me reposer toute la journée. Amusez-vous ! » Les Cousineau lui offrirent de lui ramener quelque chose du marché. Elle disait chercher une nappe mais « c'était trop personnel pour vous imposer ça ». Elle reprit sa moue de victime éplorée et son laïus : « Je comptais bien en ramener une de Séville ! Moi qui me faisais une fête de marcher sur les pas de Carmen ! » Les Cousineau la consolèrent d'un vain « vous reviendrez » ; Hélène versa une larme d'un œil et lança des coups de poignard de l'autre en direction de Steve. Il trébucha.

* * *

Fuengirola ! Tout le monde descend… avec beaucoup de soulagement : la nouvelle d'une explosion dans le métro à Saint-Pétersbourg tuant onze personnes en avait stressé plus d'un. Et si les méchants terroristes attaquaient ici ? Euh, dans cette petite ville de banlieue balnéaire ? Ça ne correspondait pas au modus vivendi des extrémistes, les avait rassurés Steve. « On sait jamais ! » statua un Boute-en-train en évacuant au pas de course le quai en direction du marché.

« Ça sent le Sud ! » Pour l'un, ça signifiait le sucre confit, les noix rôties ; pour l'autre, les grillades sur le BBQ. Une chose était certaine : ça chantait l'abondance ! Steve rappela que l'activité étant libre, ils n'avaient pas à se suivre à la queue leu leu. Sitôt dit, sitôt fait : le groupe se scinda pour s'engouffrer avec excitation dans les allées du marché.

« Les beaux *bargains* ! » À un étal de sous-vêtements, Guy se permit une folie : trois bobettes pour dix euros, c'est du vol, mais Chantal le rassura. « C'est donné ! En plus, sont belles. » Il avait blagué : « T'as l'air à connaître ça. » Rougissant, Chantal n'osa lui avouer qu'elle regardait parfois de la porno pour tromper les longues heures d'attente dans sa cabine de changeur au métro Crémazie.

Les Tourangeau de Sorel trouvèrent des belles assiettes mais, ayant peur que ça pèse trop lourd dans les valises, optèrent pour des fruits décoratifs qui avaient l'air vrais. Au détour des allées, les voyageurs se croisaient et se montraient leurs découvertes. « Tout est beau, je capote ! »

Les articles en cuir attiraient la convoitise de la petite famille. Madame Bruchesi demanda à Steve de l'aider à trouver ses sandales, « comme la mère de Javier ». Le voyant s'assombrir à la seule mention de l'homme, elle voulut l'égayer : « Sais-tu la différence entre un homme et une ceinture ? La ceinture serre la taille ; un homme, ça sert à rien ! » Cassandra la trouva drôle, Steve pas tant que ça. Il s'arrêta, ému, devant une salière et une poivrière qui s'enlaçaient, tels deux mignons fantômes amoureux.

— Sont cute, hein ? s'emballa Mamie Bi.

— Pas tant que ça, grogna-t-il en les remettant en place.

D'ordinaire, il adorait les marchés publics, mais ce matin il trouvait tout morne, rempli de cochonneries insipides. Il voulut détaler, mais Yann insista fortement :

— Toi, tu restes avec nous, mon chum !

— On s'est quasiment pas vus depuis le début, lui rappela Cassandra, en l'enlaçant.

Steve se laissa convaincre, surpris de leur gentillesse, sachant bien qu'il ne valait pas la peine de se morfondre pour Javier : c'était juste un *fuck body* après tout, de passage de surcroît.

La famille élargie entra dans le monde des jouets, une vingtaine d'étals de gogosses en plastique, toutes *made in China*, importées par la filière marocaine. Yann s'empara des commandes d'un hélicoptère téléguidé, le dirigea aisément, stressant le vendeur, mais émerveillant Eddy. « Regarde ce que papa faisait dans l'armée ! » Son *kid* suivait, fasciné, l'envol du jouet et, bien sûr, en voulut un. Eddy déballait déjà sa boîte d'hélicoptère pour lui toucher les ailes. « Doux, Eddy, doux ! » lui rappelait sa mère, ravie de se balader avec Mamie Bi.

Yann confia à Steve que certains drones à l'essai dropaient même des microbombes ou des gaz paralysants. (Chut…) Steve ne comprenait pas qu'avec toute cette technologie, les alliés n'avaient toujours pas réussi à éliminer tous les camps ennemis. « Parce qu'y ont encore des armes à vendre des deux côtés. Tant qu'y peuvent faire de l'argent, y vont se trouver des pays où foutre la marde. Hey, y ont bombardé le Liban, pis l'année d'après les mêmes compagnies venaient proposer sa reconstruction. Là, c'est l'Afrique qui est payante : avant, y en importaient des esclaves ; là, y exportent les conflits. C'est aussi simple que ça. » Fallait rajouter aussi le contrôle du pétrole et les pays par où il transitait pour comprendre les guerres interminables. Il montra à sa famille tous ces jouets de plastique, faits de pétrole ; tous ces crayons, assiettes, rasoirs jetables vendus au marché, encore le pétrole ; nos belles fruiteries sous cellophane, les Ziploc de Mamie Bi, toujours le pétrole ! « La religion, c'est juste une distraction. Y montent les peuples les uns contre les autres, y en tuent un peu de chaque bord pour que les fanatiques religieux continuent à se haïr et détournent l'attention pendant que les puissants roulent sur l'or et financent nos partis politiques. *That's it.* La religion, c'est comme les filles à gros seins chez Hooters : ça sert à faire rentrer de l'argent. »

Comme le faisaient nombre d'hommes marocains, Yann passa son bras autour du cou de son ami Steve, conscient du trouble suscité, avouant même :

— Dans une autre vie, *man*, peut-être, mais là c'est pas ton cul qui m'intéresse, c'est ta langue.

— D'habitude, c'est le contraire : les bis-curieux veulent pas embrasser, trop intime.

— Certain ! La langue est trop proche de la tête, quand ça reste juste autour de la zoune, ça mêle moins ! So : hablas bien espanol, señor ?

— *Claro que si !*

— Parfait ! Je veux être sûr de pas me faire fourrer.

Steve comprit à retardement que Yann et Cass avaient besoin de lui dans un *deal* plus risqué. Il protesta, Yann le rassura, se vantant qu'en 2015, à la base de Valcartier, vingt-sept militaires sur cent cinq accusés furent reconnus coupables de trafic et utilisation de coke et cannabis, mais pas lui ; qu'un labo de fabrication d'ecstasy et de speed fut démantelé à la base militaire d'Edmonton, mais qu'il n'avait jamais été incriminé. « Je suis plus *wise* que tous ceux qui nous dirigent ! » Et Steve encore plus futé de ne pas vouloir tremper dans ses combines ! Il prétexta devoir retourner à l'hôtel. Pourquoi faire, *man*? Euh, changer les pansements d'Hélène, tiens! Yann lui agrippa le bras un rien moins gentiment et lui proposa sa *cut* pour le convaincre de rester. « Un pot de chocolat plein de haschisch, sais-tu combien ça vaut, ça, mon chum ? » Madame Bruchesi, tout oreilles, ouvrait déjà la bouche, tirant la langue pour recevoir la communion.

— Madame ! tonna Steve. Vous avez failli brûler au troisième degré !

— J'en avais trop pris. Juste une lichette, ça va être correct.

Cassandra sortit discrètement leur pot entamé ; Yann y trempa délicatement son index, que Mamie Bi suça sans une seconde d'hésitation. Les parents croyaient Eddy absorbé par son hélicoptère, mais il se leva de sa poussette. « Moi aussi ! Moi aussi ! » Cassandra avait prévu le coup et lui donna la moitié d'une barre de chocolat inoffensif. Eddy se rassit pour la grignoter, ravi comme un écureuil et sa noix. « Veux-tu te radoucir les principes, *man*? » demanda Yann à Steve. Le doigt chocolaté tendu fut essuyé, à la suite du refus, sur l'écorce d'un arbre. My God ! des fourmis allaient halluciner tantôt ! Le père modèle ordonna aussitôt à Steve de les suivre un rien en retrait :

— Focus, *man !* Tu gardes la vieille. Quand je vas te faire signe, viens nous rejoindre avec la poussette.

— C'est le fun ! On a l'air d'une famille, buzzait déjà Mamie Bi.

Steve, lui, paniquait : des policiers patrouillaient dans le marché.

* * *

Le meurtrier courait toujours. Étendue au soleil, Nadine essayait de se concentrer sur son roman d'espionnage, mais ruminait : elle détestait jalouser sa grosse petite sœur, n'ayant pas l'habitude de l'envier pour quoi que ce soit. Depuis des années, les sœurs Trépanier se racontaient l'une et l'autre leurs déceptions, n'attendant plus rien ni personne. Elles se distanciaient néanmoins, Nadine laissant grandir son cynisme, Chantal s'enfonçant dans la certitude d'être indigne d'amour. Et là, volte-face, la secondaire V dépassait la maîtrise aux HEC? Hérésie!

Abandonnant son polar sur sa chaise, Nadine alla au bar de la plage. Un homme lisait du John Irving en allemand. Nadine crut deviner le titre, l'histoire d'avortements clandestins et de récoltes de fruits, c'était un peu flou, sinon un délicieux souvenir de lecture. « *Great book, hein ?* » L'homme délaissa sa page pour mieux lire le sous-texte du maillot deux pièces de Nadine. « *I love reading in bed!* » Et voilà: chambre 341. Pour fuir la langue des affaires, Nadine demanda à ce qu'il la lèche en parlant en allemand. Elle ne connaîtra jamais de son vivant cinquante ans avec le même homme, cinquante minutes lui suffisaient, le temps d'un rendez-vous hypothécaire. Calculatrice, Nadine vit habilement à ses propres intérêts et encaissa un dépôt généreux en liquide.

À son retour, la piscine lui parut pleine de vie, de gens rieurs, et sa deuxième margarita, plus goûteuse encore. Elle avait envie de manger de l'italien. Ça tombait bien, un nouveau groupe arrivait justement de Rome avec plein de gens seuls à bord.

* * *

Robert Cousineau aura aimé découvrir le monde à deux, y marcher, serein, galvanisé de sentir la chaleur de la paume de sa douce. Sa blonde lui envoyait des bonnes ondes. Il croyait au pouvoir guérisseur des mains, tant d'illustrations mystiques ne montraient-elles pas l'énergie en émanant? Soudé à sa Lise, les bras ballottant doucement au rythme de leurs pas, Robert se sentait invulnérable. Il détestait lorsque les foules trop denses les séparaient l'un de l'autre. Ou, comme tantôt, quand ils durent laisser passer une livraison d'olives ou, là encore, des boîtes tenues en équilibre par un frêle jeune homme. Le marché Fuengirola n'avait pas la densité de celui labyrinthique de Marrakech ou de ceux de ces villes au Vietnam où les vélos s'ajoutaient comme obstacles à leur amour. Robert proposa néanmoins un retour au calme de la rue San Miguel ; en fouillant, ils y trouveraient bien là leur souvenir de ce voyage. Ainsi, chaque fois qu'ils coupaient leurs légumes, c'était sur une planchette venant de Hollande, les mitaines de four venaient du Mexique, l'assiette aux hors-d'œuvre, de Chicago, et, pour digérer une fois les invités partis, des pantoufles en laine de lama du Pérou que Robert portait toujours, bien qu'usées à la corde. Dans leur salle de bain, quelques photos témoignaient de leur jeunesse bohème et du camping sauvage où ils se plaisaient tant à décrocher du politique et à passer la journée entière nus comme des vers.

Mais voilà ! Lise trouva encore pour eux une part de leur bonheur. Un beau saladier en bois, sculpté d'une seule pièce. Parfait ! Elle savait déjà où le ranger, il ferait la vinaigrette et ils écluseraient une autre bouteille des vins d'Espagne, leurs préférés, car costauds et affirmés. Justement, ne serait-il pas temps d'en caler un bon verre ? Ils se dirigèrent à la cantine du marché – qui a bu, boira, *que será será.*

Steve aurait aimé être zen comme les Cousineau, mais il était de garde.

Mamie Bi dansait dans l'allée, pâmée sur ses nouvelles sandales. « J'ai l'impression de marcher sur un nuage ! » Le gros petit Eddy détruisait en pièces son hélicoptère pour en faire un futur casse-tête. Steve surveillait les charmants parents à quelques mètres, accoudés à un comptoir de café, où Cassandra s'efforçait de manger « normalement » pendant que Yann négociait la quantité de leur import-export.

« Zou ! Zou ! » tourbillonnait madame Bruchesi, et Steve lui demanda sèchement de se calmer un peu. Elle le trouva grognon. « J'amuse le petit pour pas qu'il nous tape une autre crise. Je veux pas qu'il fasse échouer le *deal*, je veux mes trois pots de chocolat ! » Elle était donc au courant de la manœuvre ? Bien sûr ! Elle comptait sur le chocolat au haschisch pour atténuer les douleurs de son mari. « Si y est trop niaiseux pour suivre des traitements de chimio, ben y va manger des crêpes au chocolat ! » Elle conseilla à Steve de cesser de se ronger les ongles. « T'as l'air coupable en partant ! »

Il blâma Hélène pour son stress, racontant enfin la plainte qu'elle avait logée à sa patronne. Sur son *high* la rendant invincible, Mam'Bi ne fit ni une ni deux, et sortit son téléphone de son sac à main et la copie de la facture de son voyage. « Attends que je lui dise, moi, à Maggie ! » Elle n'avait pas oublié l'enjouée propriétaire de l'agence. Une fois passés les interminables préambules (« Pour continuer en français, appuyez sur le 1 ; pour la direction, le 2 »), madame B. parla très fort parce qu'ils étaient très loin de Montréal : « Bonjour ! C'est madame Bruchesi à la Costa des seuls. Vous m'avez vendu l'idée de partager ma chambre avec une dame « distinguée ». Ben votre distinguée, c'est une égoïste qui monopolise la salle de bain et qui tombe sur les nerfs de tout le monde. Si j'avais du temps à perdre, je vous demanderais de me rembourser une partie de mon voyage, mais comme la vie est courte, je vous conseille juste de ne plus jamais condamner une femme à l'enfer de partager une chambre avec sainte Hélène. Elle a beau être malheureuse comme les pierres, c'est pas une raison pour gâcher notre fun ! Mais le beau Steve, on l'adore, il nous emmène à tous les jours à des belles places différentes, perdez-le pas, c'est un gars en or. » Elle raccrocha, fière de son coup, puis ramassa les pales mordillées puis crachées du défunt hélicoptère.

Steve se crispa : du café, Yann lui faisait subtilement signe de s'approcher. En mode attaque, Mamie Bi souleva aussitôt Eddy de la poussette. « Envoye, ma grosse balloune ! Viens avec moi. » Elle emmena l'enfant voir un beau pitou, chien errant galeux mais qui les éloignerait quelques instants de la scène du crime. Elle confia la poussette à Steve et l'intima de sourire : « C'est le temps de faire ton cute. »

En franchissant les quelques mètres le séparant du jeune couple et des dealers, la poussette lui sembla peser deux tonnes. « Shit, shit, shit… » murmurait-il tout bas. Le *shit* en argot français voulait dire haschisch, et Steve était dans la marde jusqu'au cou.

« Y a rien là, sont ben cool », lui chuchota Cassandra à son arrivée. Yann buvait son café tranquillement avec deux clients « ordinaires » dévorant leurs churros. Au stand, rien n'avait changé sinon l'ajout de trois boîtes de carton, sorties de derrière le comptoir. L'un des dealers s'y appuyait. Le père de Steve avait une cabane à sucre, vingt-quatre conserves de sirop d'érable entraient dans de telles boîtes. Les jeunes parents achetaient donc soixante-douze jarres de chocolat au haschisch. La compagnie Choco Andalou avait un rigolo logo d'émoticône qui se léchait les babines qui semblait se moquer du stress de Steve. L'étiquetage, en espagnol et en anglais, précisait « contient des noix », mais ne disait mot des monceaux de hasch, un beau magot sur le marché noir.

Un ancien collègue de l'armée allemande avait mis Yann au parfum de ce petit trafic plus *safe* que l'importation à même les cadavres des soldats tués, une combine qui avait fait son temps. Un soldat débrouillard pouvait encore faire du troc aux frontières des conflits : shampoing, dentifrice et médicaments s'échangeaient contre de l'héroïne ou du hasch pour le dixième de la valeur sur le marché américain. Mais quel aria de ramener le tout sans se faire prendre ! Les voyageurs aînés étant un marché en constante expansion, Yann avait embarqué dans le bus ! Il changeait d'agence et de destination, c'était leur sixième petite combine de la sorte. Mais leur premier ministre en légalisant le cannabis leur coupait les ailes. « Faut toujours repartir à zéro, nous autres les jeunes, y a pus de permanence ! »

Pour l'heure, le dealer en chef tenait à parler à l'organisateur. Sauvé ! Steve bafouilla à Yann qu'il était un simple accompagnateur ! « Tabarnak ! Y s'en crisse de la sémantique ! Y veut juste être rassuré qu'on est un *bon groupe.* » Dans le jargon des voyageurs, un « bon groupe » ne contient pas de retardataires, suffisamment de gens sur le party et idéalement sans ronchonneur qui critique le programme. Steve avait vu de bons groupes transformer de simples destinations en voyages mémorables et faire naître des amitiés durables. La complicité créée en route facilitait les demi-vérités aux douanes, combien de fois avait-on menti sur l'alcool permis ! Mais importer soixante-douze pots de haschisch, ça dépassait tout ! Sentant son énervement, Yann lui massa l'épaule, serrant un rien trop fort la clavicule.

— Rassure notre ami qu'on a pas de police pis de grandes langues dans la gang. Dis-y que c'est juste des petits vieux innocents.

— *Si solo des* antiquités *! No te preocupes.*

Mais le dealer s'en faisait : son commerce était à la merci de la discrétion des voyageurs et des passeurs comme Yann, qui mit de la pression. Ayoye ! Steve donna des détails rigolos sur les sœurs Trépanier, toujours tendues, les fumeurs grands buveurs devant l'éternel et les anciens beatniks, les Cousineau, tellement unis qu'ils se mouchaient dans le même kleenex.

« *No olvidaste a nadie ?* » Prudent, Steve évita de parler d'Hélène, la seule à son sens qui pouvait tout gâcher. Il montra plutôt la mascotte du groupe, « Mamie Bi ! », qui dans son kit bleu ciel et avec sa danse des sandales sur un nuage, chassa les derniers doutes du dealer. Il poussa les boîtes vers le bout du comptoir. Yann glissa un dépliant de l'hôtel Mélies gonflé par une liasse de billets. Le barista s'en empara et se pencha pour compter rapidement le tout. « *Perfecto !* » Yann glissa une première boîte sous la poussette, dans ce superbe espace très pratique qui contenait jadis le sac de couches. Les deux autres boîtes furent mises debout sur le siège de la poussette même. Le couvercle abaissé, une doudou suspendue pour faire de l'ombre, et voilà : la petite famille avait repris son aspect normal.

« Salut mon grand ! » Victorieux, affectueux, Yann souleva son garçon pour le porter sur ses épaules, fier de sa transaction complétée ; Cassandra s'émut de voir son chum connecter avec leur enfant, persuadée que l'obsession du iPad était liée au manque d'attention du père. Excitée, Mam'Bi regarda sous la doudou la cargaison, au moment même où revenaient Guy et Chantal, surpris de voir les trois boîtes. « Mo doux ! Qu'est-ce que vous avez dévalisé ? » Dès lors, Cassandra prenait la relève des opérations. Elle raconta qu'elle importait un chocolat fin pour ses clientes au salon d'esthétique à qui elle servait toujours à leur arrivée les meilleurs mokaccino et chocolats chauds au monde !

Ah ben là ! Chantal savait pas que Cassandra était dans la beauté. Elle aurait dû s'en douter. « Vous êtes tellement pas comme nous autres ! » Elle se permit de demander tout bas si elle pouvait faire quelque chose « avec lui », désignant subtilement son Guy et sa coupe Longueuil-afro-affreuse. « Pas de trouble ! Cet après-midi sur la plage ? » Chantal ne s'en pouvait plus de joie ! Yann passa son bras autour du cou de Guy, surmontant sa répulsion pour l'odeur de swing, avec une affection qui troubla Steve : Yann agissait donc en grand chum avec tout le monde ? Certain ! On ne pouvait pas passer aux douanes avec soixante-douze jarres sans attirer l'attention ; il fallait des amis qui avaient de la place dans leurs valises.

Et des amis, Yann et Cass savaient comment s'en faire ! « Je vous paye le lunch ! » lança le caïd du chocolat. Chantal avait l'œil sur un petit resto de sandwichs proche du coin des t-shirts rock. « Non, non, on scramme à l'hôtel ! » ordonna Steve, qui avait eu son lot d'émotions pour aujourd'hui. Il n'avait pas encore compris qu'il n'était plus seul à fixer le programme d'activités : Yann prit le *lead* du petit groupe et dirigea la poussette en se vantant avec des récits de terroristes tués en Irak. Steve suait à grosses gouttes. Mam'Bi lui glissa dans la poche la salière-poivrière des fantômes qui s'enlaçaient. « Je t'ai volé ça en passant. » Au secours ! voulut crier Steve, son « bon groupe » est rempli de criminels ! Il abaissa les yeux en arrivant à la gare : deux autres policiers patrouillaient par routine préventive. Ils sourirent au bel enfant qui leur rendit la pareille. « *Hasta luego !* » lança Yann en leur roulant la poussette sous le nez. Cassandra roula des hanches, provocante. La petite famille savait se faire aimer.

* * *

Sous le soleil ardent, la plage débordait de voyageurs de tous les pays, heureux de chanter l'été triomphant. Ça riait, buvait, osait une plonge dans l'eau encore fraîche, profitant de la brise, jouant par-ci à la pétanque, par-là au volley-ball.

Steve réfléchissait à l'hôtel. Et n'osait plus sortir de sa chambre.

Tout au contraire de Yann qui, dès son arrivée au Mélies, monta à leur chambre se dépouiller de sa peau d'homme d'affaires et retrouver son look naturel de beach bum-coupe militaire. Il ouvrit deux boîtes et l'une des soixante-douze jarres pour s'assurer que c'était bien la même qualité : au premier coup d'œil, et à vue de nez, ça sentait le chocolat normal, fallait le savoir que sous le demi-pouce de cette crème onctueuse se cachait de quoi faire flyer !

Comme ils étaient un petit couple jeune et bien rangé, leurs valises avaient été vidées de leurs vêtements, soigneusement pliés dans la commode : Yann y cacha temporairement les pots des deux premières boîtes. La troisième boîte se glissa aisément sous le lit, bien au centre, bien au fond, là où aucune vadrouille ne se glisse jamais et où jacassent quelques minous de poussière.

Yann se roula un immense joint pour célébrer la transaction. C'était bien de digérer la drogue, mais rien ne valait à ses yeux le *kick* instantané de la fumée. Sortant de sa chambre en king victorieux, il entonna dans le corridor *Dream On* d'Aerosmith et fut surpris de voir qu'une femme du groupe connaissait les paroles. C'était la sœur de l'autre, la maigre, qui semblait en pleine forme et qui aimait le rock bien avant d'aimer l'argent. Ils firent ensemble un bout du refrain ; c'est qu'elle était capable de pousser la note ! Yann l'invita à se joindre à eux pour dîner, mais Nadine avait déjà mangé. Des fruits de mer ? Non de l'italien aujourd'hui, elle profitait des deux pour un à la piscine.

Son téléphone sortit Steve d'un sommeil profond, il répondit avec la bouche pâteuse un « allô » guère convaincant. C'était sa patronne, *live* de Montréal. « Est-ce qu'il fait beau ? » Steve bondit du lit, bomba le torse, presque au garde-à-vous, et tonna : « Tout va bien. J'ai un bon groupe ! » L'ironie de sa réponse ne serait pas lue par Maggie. Elle était ravie de l'entendre, tout en trouvant l'environnement bien calme : son monde n'était pas avec lui ? Il bafouilla qu'ils rentraient tout juste du marché de Fuengirola et que chacun avait trouvé chaussure à son pied. Tant mieux ! Elle voulait le féliciter, ayant reçu deux appels de clientes satisfaites. « C'est rare en plein voyage. » Steve joua le surpris lorsque Maggie lui relata le téléphone d'appui de Mam'Bi, mais celui d'Hélène le décontenança.

— Elle dit qu'elle sent une nette amélioration, que tu es plus à l'écoute des besoins de ta clientèle.

— Ben ravi de l'apprendre, répondit-il, un rien amer.

— On a jamais eu de reproches à te faire, tu le sais. C'est juste qu'elle siège au conseil de la Fédération des anciens enseignants du Québec, il faut la dorloter.

Maggie en vint au but de son appel : Hélène craignait que Séville s'avère trop coûteux avec la nuitée et les repas, et proposait plutôt d'ajouter des activités culturelles, moins éreintantes. « Ça manque, selon elle. » Qu'elle s'en trouve, la pimbêche ! Qu'elle sorte, qu'elle s'en fasse, des amis !

Si elle en avait, elle n'aurait pas besoin d'un groupe pour se sentir moins seule, lui rappela Maggie.

Elle lui confia une mission impossible : « Aide Hélène à se faire aimer. » Elle se fiait à son expérience et lui rappela que s'il n'avait pas le tiers du groupe pour Séville, ses dépenses personnelles ne seraient pas remboursées. Le silence de Steve en disait long : il était loin du compte.

Lui, comme Hélène, avait besoin de se faire des amis.

La petite famille n'avait pas ce problème et agrandissait son fan-club.

Cassandra tenait son salon sur la plage, diffusant sa musique à tout venant, ayant redécouvert Marjo et Laurence Jalbert que sa mère écoutait à tue-tête dans son enfance. Ces chants de femme libérée qui demandaient à leur homme respect et amour l'interpellaient.

— As-tu compris ce qu'elle vient de chanter, chéri ?

— Ben oui, ben oui.

Yann disait oui pour la forme, jouant au poker avec les Cousineau, les Tourangeau et les Schmidt. À l'argent, sinon c'est plate.

Mam'Bi se laissait enterrer dans le sable par Eddy, l'activité la moins exigeante qu'elle eût trouvée. Eddy vint d'ailleurs voir sa mère quelques minutes plus tard, alerté ; Cassandra crut à une rechute de iPad, ça allait trop bien, mais il voulait simplement l'aviser que Mam'Bi était morte.

Moment de panique. Yann lâcha ses cartes pour valider. « Est juste *knock-out !* » Encore un peu trop de chocolat pour engourdir la peine, faudra lui apprendre à mieux doser pour son homme à Charlevoix. Nadine Trépanier se fit un plaisir de garder un œil sur Eddy, mais un œil ne suffisait pas : Eddy exigeait qu'on joue avec lui, le stimule, l'interpelle, sinon, il retournait à son iPad. Elle eut le malheur de vouloir répondre à un appel urgent de sa banque ; l'enfant lui sauta presque dessus pour répondre lui-même. Dès qu'elle eut rangé son appareil et mis les mains dans le sable, il se calma.

Attirés par la musique, d'autres voyageurs du groupe passèrent saluer puis ne décollaient plus, dont les Lycra, épatés par la transformation opérée sur Guy. Il avait été réticent à perdre sa belle coupe *pratique* qu'il portait immuablement depuis des années: « Les cheveux dans le cou, ça garde au chaud l'hiver. »

Chantal n'en revenait pas de son nouveau look. Cassandra savait doser – il n'avait pas l'air d'un vieux qui voulait se rajeunir, mais d'un vieux qui avait oublié de vieillir.

« Coiffes-tu les femmes aussi ? » Cassandra demanda juste une gorgée de sangria pour se donner de l'entrain : après Chantal, elle enchaîna avec l'une des trois Futures Matantes puis une des anciennes infirmières, qui souhaitait juste une mise en plis.

— Combien on te doit?

— Rien, ça me détend!

Elle échangea un regard avec son chum : déjà quatre voyageuses leur en devaient une. Un bon groupe, ça s'entraide.

* * *

Rendre Hélène populaire, misère!

Pour se défouler, Steve fila à la mer, le temps de quelques mouvements de crawl pour se dénouer du stress, il plongea sous l'eau où le son assourdi des vagues l'apaisait. Le ressac de la mer aspirait les soucis, mais quand votre seul problème dans la vie c'est aller ou ne pas aller à Séville, on peut dire que ça va bien.

Il sortit de l'eau détendu et trouva Hélène alitée sous un parasol avec une carafe d'eau détoxifiante (citron, concombre et menthe).

— Ma jambe va un peu mieux, dit-elle avant même qu'il s'en inquiète.

— Tant mieux ! L'eau salée fait des miracles.

— Je souhaite pas une souffrance pareille à mon pire ennemi : j'aurais juré mes tendons déchirés !

Elle lui tendit le mollet, avec un petit air de supplication : elle ne s'attendait tout de même pas à ce qu'il la masse ?

Oui.

Il lui parla plutôt d'un spectacle de flamenco ce soir, par une troupe dont on disait grand bien. « C'est juste ici en ville, on ira par l'ascenseur. À moins que vous insistiez pour gravir les deux cent trente-deux marches à genoux ! » Grand taquin, va ! Elle fut ravie qu'il eût « spontanément » pensé à elle, jouissant intérieurement de lui dicter ses volontés au doigt et à l'œil : à ce soir, chère escorte ! Il rit pour la forme et se fia à la musique pour retrouver sa tribu.

« Un verre de sangria, mon chum ? » Steve refusa l'offre de Yann, mais demanda à ses collègues de poker qui d'entre eux viendrait à Séville. Un voyage à l'intérieur du voyage !

Bah, c'est même pas la capitale d'Espagne, on peut vivre sans y aller.

Come on ! Il fallait prendre le TGV une fois dans sa vie.

Le spectre des attentats plomba la curiosité des curieux et comme le résuma la fumeuse Schmidt : « Pourquoi j'irais me faire des ampoules à visiter des vieilles affaires ? » Son escapade était à l'eau.

Cassandra, entourée de quatre reines de beauté, fut plus excitée d'entendre parler du spectacle de flamenco ajouté à l'horaire de ce soir, d'autant plus que le plancher de danse serait ensuite ouvert à tous ! « On s'est pas mises belles pour rien ! » Il pouvait compter sur elles toutes... et fort probablement sur quelques autres, la magie Messenger, Instagram et WhatsApp étant déjà à l'œuvre. « On te dira combien on sera au souper. »

Les Boute-en-train avaient adopté la terrasse extérieure.

Les serveurs s'étonnaient encore de les y voir, surtout en ces soirées fraîches pour eux qui connaissaient les 40 degrés au soleil, mais les Cousineau les invitèrent à venir découvrir les moins quarante pour nous comprendre. Les serveurs avaient été charmés par ces bruyants et fréquents éclats de rire, ces bouteilles hélées à tout venant – « *Otra más !* » –, de généreux pourboires à l'avenant, pas comme les… (on ne dira pas quelle nation est la plus pingre).

Dans sa robe passe-partout colorée, mais pas « engraissante », Chantal ne s'excusait plus d'être heureuse : elle collait sans retenue son petit monsieur jadis tout seul, transformé par sa coupe et la chance d'être aimé. Nadine buvait sans amertume, repensant encore au fling-flang avec l'Allemand, au *secundo plato,* avec son Romain, reluquant au fond de la salle s'il n'y avait pas un potentiel de dessert français dans le nouvel arrivage de voyageurs de la Mère Patrie. Beaucoup de vieilles peaux, c'est pas là qu'elle ferait son avenir. Ce soir peut-être au flamenco ?

Cassandra et ses girls *BFF* riaient de bon cœur aux blagues salées de Mamie Bruchesi pendant que l'enfant aux chastes oreilles courait de la plage au buffet avec son père. Essoufflé, Eddy revint de son deuxième sprint avec des « olives pour ma Mamie ». « Oh, la belle crotte d'amour ! » fit-elle en l'asseyant sur ses genoux. Dans son ivresse bien entamée, elle proposa aux amoureux de prendre deux jours de congé. « Me semble que ça vous ferait du bien. » En plus, Hélène n'y allait pas : la voie du plaisir était libre !

Oh yeah ! *Train wreck* à Séville ! Yann cala son verre et embrassa sa blonde, qui hésitait à accepter l'offre. La cure d'Eddy portait à peine ses fruits, elle trouvait son équilibre bien fragile, encore tantôt, il avait insisté pour jouer sur le cellulaire d'une étrangère. « Tu le rendras pas amish qui dit non à la vie moderne, y est guéri ! » jugeait Yann, sur un *high* de joint-chocolat-sangria depuis l'après-midi. Justement, Mamie Bi leur promit de ne pas prendre de chocolat pour ces deux jours, elle serait une championne olympique du gardiennage sans stéroïdes !

Yann vint voir leur gentil accompagnateur :

— À quelle heure, ton affaire ?

— On prend le TGV de sept heures trente.

— C'est tôt en calvaire !

Steve se fit plus qu'enthousiaste : « Oui, mais vous pourrez dormir à bord, c'est super confortable ; de même, on va avoir deux journées complètes pour visiter, et une belle nuit à vous ! » Cassandra acquiesça, Steve s'emballa ; le vent tournait : si les jeunes leaders d'opinion y allaient, ça devait être cool. Les Lycra se permirent ce petit supplément – manger ici ou là-bas… et puis l'hôtel revenait pas cher ! ; Chantal avait peur de laisser sa sœur toute seule, mais vite celle-ci l'encouragea. « Une collègue à la Banque m'a dit de pas manquer Séville ! » Alors on pouvait compter sur elle et Guy ; les Cousineau avaient dit oui depuis le début, mais les fumeurs, excités surtout par le TGV, cédèrent au désir. « Pis, si on a à sauter à cause d'une bombe, on sautera ensemble ! » Steve expira, soulagé : il avait le minimum requis, son excursion était sauvée ! L'œil pétillant, Yann l'enserra par les épaules. « Tu nous en dois une, mon chum. »

* * *

On ne dicte pas la dynamique d'un groupe en voyage. Si d'aventure certains s'entendent bien, d'autres s'ignorent avec superbe. Mais, lorsque la mayonnaise prend, quelle énergie déployée ! Hélène gloussait de joie, ravie de faire partie du groupe et HONORÉE d'être conduite en fauteuil roulant par le beau Yann, véritable coq de cette basse-cour majoritairement féminine.

La gang se tassa en riant dans l'ascenseur. « Attention de pas me décoiffer ! »

Vilain petit canard, Steve traînait de la patte derrière. À vrai dire, il scannait les visages sur son site de rencontres, tentant de décoder le vrai de la frime de ces poilus de Séville. Quelles photos dataient, quelles offres étaient sérieuses (car il avait le luxe d'en recevoir, étant l'exotique de passage). Il s'efforçait de s'exciter, avait amplement de photos pour ce faire, si peu étant laissé à l'imagination sur ces sites, mais bof ! Sa lassitude l'effrayait : serait-il en train de devenir vieux ? Faisait-il dorénavant partie des Boute-en-train ? Le cas échéant, il se demandait même s'il aurait la force de passer à l'acte : en Europe, les gens sortent tellement tard que c'était toujours remis au lendemain.

La minuscule salle de spectacle les charma dès l'entrée : beaux meubles en bois sculpté, de vieilles guitares au mur, que Yann pouvait enfin toucher ; une variété d'éventails peints (des originaux, pas les répliques en plastique vendues rue San Miguel) et ce qui fit se pâmer le plus Hélène : « Les belles nappes ! » Elle ne s'attendait pas à ce que ce soit un endroit raffiné : après tout, c'était Steve qui avait choisi… Robert Cousineau, déjà en boisson et en boucane, avait commandé des pichets de sangria, pour rester dans les couleurs de l'après-midi. Ils eurent le temps de vider cette première tournée avant que ça commence, hilares et prêts à applaudir fort.

Pour résumer le spectacle de flamenco, madame Bruchesi aura cette formule : « Tout le monde se crie après, mais on dirait qu'ils sont contents d'être en hostie. » Les claquements de mains, les talons martelés sur le sol et les cris lancés de part et d'autre fascinèrent les Québécois tout autant que les autres touristes présents. Les différentes danses de séduction – je t'aime / je te repousse / reviens me supplier – rappelaient à plus d'un leurs aventures de jeunesse. « Ça me fait presque oublier Séville », murmura Hélène pour une vingtième fois. Mais plus personne ne l'écoutait se plaindre, tous fascinés par l'hypnotique danse, même Guy qui avait eu peur que ce soit trop moderne et flyé, et d'avoir à faire semblant d'aimer ça.

L'audace des arrangements musicaux surprit Steve : aux airs traditionnels on avait tissé de subtiles percussions électroniques, comme, chez nous, le faisait le courant électro-trad. Ici, ça devait presque être un crime de lèse-majesté d'oser bousculer la tradition millénaire, mais la directrice de la troupe souhaitait que son art survive, et c'était une beauté de la voir danser avec un jeune danseur noir migrant africain.

Un cellulaire vibra et fit tiquer Hélène qui lança un exaspéré « Franchement ». Ignorant ses yeux accusateurs, Steve ne se contenait plus de joie : Javier lui avait encore envoyé une adresse. Profitant des applaudissements, il fit faux bond à son groupe.

— Tu nous abandonnes ? persifla Hélène.

— Je veux être en forme demain pour Séville !

Elle accusa le coup, il ne vit pas la peine qu'il lui causait. Maudit inculte qui ne reste pas jusqu'à la fin d'un spectacle : Hélène s'en voulait d'avoir donné de bons commentaires à sa supérieure. Le petit effronté courant rejoindre l'élu de son cul se laissait aller sur la pente de la facilité. Elle verrait à redresser la situation.

* * *

Javier avait choisi d'être heureux dans son coin de pays.

Certains vous diraient à coups de renoncements, il vous répondrait qu'il fallait bien un jour comprendre qu'on ne pouvait pas tout avoir. Même si tant de gais refusaient d'accepter la castration et couraient d'un tourbillon à l'autre, vient un temps où l'on se satisfait d'être où l'on vit, où l'on ne regrette pas sans cesse les plaisirs qu'offrirait l'ailleurs.

Il existait une vie hors des grandes capitales et c'était la sienne.

La Costa del Sol ne battrait jamais la frénésie de Madrid, un Paris du Sud en plus paillard, ou ce concentré incroyable de Barcelone où histoire et modernité s'entrechoquaient. Soit.

Mais ici c'était chez lui.

La drag queen chantait pour vrai un vieil air de Baccara, duo féminin moins connu qu'ABBA, mais dont certains airs avaient enflammé l'Europe entière : *I can boogie, boogie, boogie all night long, but I need a certain soul.* Ce boogie, bel euphémisme pour s'envoyer en l'air toute la nuit, *claro que si !* mais encore fallait-il un supplément d'âme, ce fameux je ne sais quoi. Javier ignorait comment expliquer l'attraction de deux êtres : les contraires qui s'attiraient, deux manques qui se complétaient ou deux moitiés enfin réunies ? Pourquoi, avec un tel, les chicanes se succédaient et, avec un autre, le fond de tristesse disparaissait tout à coup, vous donnant la force d'en finir avec le passé, ses rancunes et ses rengaines, pour se rebâtir à neuf ?

Et pourquoi fallait-il tant de temps à se comprendre ?

La drag fut chaudement félicitée, accepta un shooter d'un admirateur puis enchaîna avec un air de

Cher pour rassurer les touristes américains dont l'un dit : « *At last, a song we know!* » C'est ça, eut envie de leur crier Javier, et buvez de la Budweiser partout où vous allez ! Allez bruyamment étaler votre suffisance et contentez-vous de gémir des « fuck yeah ! » anémiques quand on vous baise, *coños*!

Javier ne voyait pas toujours la vie en rose.

« *Hola!* »

Steve le trouva plutôt silencieux pour quelqu'un qui avait fait les premiers pas. La bière fut offerte, *San Miguel por supuesto.*

Beyoncé succéda à Cher, les Américains enchantés beuglèrent leur joie.

« *Mariposas* », grommela Javier. Lourd.

En les voyant boire en silence, un étranger eût cru qu'ils n'étaient que simples collègues de travail, indifférents l'un à l'autre. En fait, étaient-ils quelque chose de plus ? Les désillusions émoussaient tant la capacité des cœurs d'aimer. La drag voulut montrer qu'elle savait émouvoir et s'attaqua à du Mecano. Curieux choix : l'air de Laïka, la pauvre chienne russe abandonnée à son sort dans son spoutnik à la dérive. Rien pour détendre l'atmosphère. Javier buvait lentement, Steve se sentit perdu dans l'espace ; les touristes américains partirent en orbite.

Un air contemporain ramena des étincelles aux yeux de Javier et à la salle : débordante de joie, la drag mordait dans *Solamente Tú* de Pablo Alborán, le beau gosse. Javier redevint passionné et expliqua combien il aimait les paroles des chansons qui étaient, selon lui, nos proverbes modernes, pour qui savait décoder les mots et les langues étrangères. Sur le refrain, il lui fit part de son traité du « Holy Fuck », rappelant combien le sexe pouvait être sacré, si près de WHOLE, entier ; de *holy* à *hole,* c'était une simple voyelle tombée dans un trou, peu importe lequel, mais si on ajoutait un D : HOLD, c'est qu'on tenait à celui qui s'ouvrait à vous. Si les prêcheurs toutes religions confondues diabolisaient tant le sexe, c'est parce qu'il consacrait la mort de leurs dieux illusoires. Fallait lire Freud qui dès 1927 en parlait !

Steve pensa qu'il n'aurait pas dû fumer un joint avant d'entrer : son incapacité à le suivre dans son analyse blessa Javier, qui rangea Steve parmi ces robots inattentifs se contentant d'émoticônes, car ils ignoraient les mots qui eussent pu les délivrer de leurs maux.

Dans son dégoût, Javier lui avoua vouloir prendre sa retraite d'être gai.

Il avait été des premières luttes, alors que *maricones*, noirs, socialistes, écolos travaillaient de concert ; maintenant tous y allaient de leur petit solo. Tous de revendiquer leur unicité, clamant leur si différente différence : le bi-curieux mi-marxiste se distanciant du queer vegan ; le trans de Torremolinos-Sud en froid avec la lipstick lesbienne de Cordoba. Tous disaient vouloir embrasser les gens au-delà des genres mais se retrouvaient en froid *two spirits* à la fois. « *Despiertate !* » Ne voyaient-ils pas que la division permettait le retour en force des tyrannies ? Plus personne ne parlait en chœur, ainsi seule la peur régnait. Tous chantaient leurs doléances sans harmonie commune et se plaignaient que personne ne les comprenait. *Que miseria !*

Sa colère fit s'esclaffer Steve. Ils rirent ensemble plutôt que de pleurer leur monde divisé en milliards d'unités incomprises ; en fait l'humanité coupée en tranches si fines que chacune oubliait qu'elles venaient toutes du même légume. « Gang de concombres ! » osa crier Steve en français, et Javier de rire, avant de retomber dans un lourd silence.

Il fixait le vide. La drag n'existait plus.

Steve se sentait exclu, mais n'osait pas bouger.

Clang !

Javier abandonna sa bière et partit vers l'escalier, sans inviter Steve.

Devait-il suivre ?

Bien sûr.

Au sous-sol, d'anciennes voûtes rappelaient l'ancienne vocation d'entreposage du bar. Dans ce marché d'homosexuels avertis, on consommait rapidement ce que d'autres mettaient des semaines à donner. Loin des jupes des drags, quelques ours festoyaient à en croire ces gémissements fort différents de ceux du flamenco. Dans cette pénombre calculée, trouée du rouge fluorescent des *Salidas* de secours, on passait par-dessus les défauts pourvu que d'autres atouts compensent ; on ne posait aucune question car les réponses étaient données toutes crues. On ne voulait même pas savoir les prénoms, on s'accrochait à un inconnu comme à une bouée.

L'endroit était désaffecté, ajoutant à sa tristesse ; finis les rassemblements, nobles ou païens, grandes et petites misères se retrouvant désormais coincées dans un écran cellulaire. Steve reconnut quelques visages aperçus au bar ou peut-être sur son application de rencontres, il stressait surtout de ne pas retrouver Javier.

Il était avec un autre.

Lorsque Steve le vit embrasser un homme qui le dépassait d'une tête (et large deux fois d'épaules), dans un baiser exagérément bruyant de langues pendantes, il se sentit floué. Il trouva ça ordinaire.

Même s'il connaissait la *game*, Steve n'avait pas envie de la jouer.

Mais, depuis le marché au chocolat, il ne dictait plus les règles, d'autres conduisaient la danse à sa place.

Ainsi Javier entraîna l'armoire à glace dans un repli où deux maigres cloisons donnaient un semblant d'intimité et empêchaient les autres d'entrer.

Dont Steve restant là, bras ballants, tassant un joli barbu trop éméché qui souhaitait faire de même avec lui. Ces mains-là ne l'inspiraient pas.

Savait-il seulement ce qu'il voulait?

Il s'immisça entre les cloisons. L'armoire à glace le repoussa, mais Steve avait de solides arguments.

— Je suis un fils de bûcheron! dit-il en français, la mailloche à l'avenant.

— Moi, prof de gym, fit l'inconnu dans un accent marseillais.

OK, ce serait donc une partie à trois?

Ce le fut quelques instants.

Steve prit cela comme un baume à l'ego, ayant connu son lot de relations où on le minimisait: avoir deux magnifiques spécimens pour le combler l'excita, puis le boogie limité par l'étroitesse des lieux fit perdre toute excitation à la patente. Il se surprit à dire à l'oreille de Javier: «On va-tu finir ça à l'hôtel?» Javier remballa aussitôt la marchandise et remercia l'inconnu d'une chaste poignée de mains.

Ils ne virent pas une seule chanson de la deuxième partie.

Ils n'eurent pas le temps de compter les deux cent trente-deux marches.

Ils oublièrent de saluer la réceptionniste de nuit.

Une fois au lit, parfois autour, ils testèrent tous les angles possibles pour voir s'ils s'emboîtaient toujours aussi bien. Yin et Yang zinguaient avec aplomb et roulaient avec entrain.

Ayant entendu des cris étouffés, l'insomniaque Lise Cousineau sortit sur son balcon. Sur la pointe des pieds, en se penchant un peu, le cou étiré, on pouvait entrevoir, PAR HASARD, un peu de la chambre voisine, ce qu'elle fit, mais seulement pour s'assurer que tout allait bien, vous pensez bien.

Elle fut contente de reconnaître le profil du chauffeur, ainsi que certains de ses généreux attributs.

Sa curiosité satisfaite, Lise retourna se coucher, se blottissant dans le lit jumeau contre son Robert, qui dormait à poings fermés. Elle le serra fort dans ses bras comme lorsqu'elle allait le retrouver à la résidence étudiante de l'Université Laval, sachant dès lors qu'elle avait trouvé son ancrage. « Bonne nuit, mon amour. » Elle s'endormit paisiblement, et demain il lui sourirait à son réveil. N'était-ce pas une chance inouïe, dans notre monde de fous, d'amorcer et de fermer ses journées tendrement ?

Récupérant oreillers et draps dispersés aux quatre coins, Steve tremblotait de la cuisse mais souriait de contentement. Qui était la conquête de qui ? Javier posa sa tête sur le torse de Steve, rassuré par le battement régulier du cœur, et soupira. « C'est ma place. »

Steve ne voulait pas être ailleurs.

Mercredi 5 avril 2017 – Séville et Benalmádena

Où nos voyageurs s'évadent de leur ordinaire

Ses parents le retardaient. Allez-vous-en, tout va être correct ! pensait Eddy, mais sa mère persistait à montrer à Mamie Bi chacun de ses jouets, des vêtements de rechange, comme si avec cinq petits-enfants elle ne savait pas de quoi il en retournait. Puis elles chuchotèrent. Sûrement à propos de son iPad qui perdait TEMPORAIREMENT de son importance tant les vacances étaient passionnantes ! Bon point pour la madame docteur qui avait recommandé le voyage à sa mère : ne pas la gifler à la prochaine visite.

« Bon, ben je pense que vous avez tout ! » conclut Cassandra, inquiète. Elle embrassa Eddy, le cœur gros. « À demain, mon homme ! » Papa Yann lui fit un simple « Salut mon grand ! » et rassura sa blonde. « Elle a notre numéro de téléphone si y arrive de quoi. » C'est justement la raison pour laquelle Cassandra angoissait : il arrivait toujours quelque chose avec Eddy. C'était sa faute, elle avait trop joué au Xbox enceinte, ça avait conditionné le fœtus à l'excitation perpétuelle. La spécialiste l'avait dit, que l'isolement des jeux vidéo rapprochait tant de jeunes de la schizophrénie ! Chut ! Yann fit taire ses remords et sa culpabilité par une judicieuse lichette de chocolat.

Libre, il était libre ! Eddy jubilait. Dès les premiers instants, Mamie Bi le laissa toucher à tous les pitons à sa portée. Dans l'ascenseur : « Pèse sur le 4 ! » ; à la porte de chambre : « Passe la carte. » Le maniaque d'iPad en sevrage contrôlait le monde réel !

Encore ! Il ouvrit et ferma la porte de chambre par deux fois pour le plaisir de revoir le voyant vert s'allumer.

« Chut ! Faut pas déranger la madame. » Cloîtrée dans la salle de bain fermée, Hélène devait s'y maquiller, son heure rituelle pour se mettre presque belle. Madame Bruchesi glissa la valise d'Eddy près de son lit, et ils ressortirent aussitôt, lui juché sur le siège de sa poussette, d'où il accédait plus aisément au monde des adultes.

« C'est moi qui le fais. » Il commanda la venue de l'ascenseur et une fois à l'intérieur, appuya sur tous les chiffres. Deux Italiens trouvèrent l'enfant cute, un couple de Français, plutôt mal élevé : ces arrêts aux étages les retardaient d'une grosse minute.

Toutes les mamies du monde pourraient vous le confirmer : c'est plus facile avec les petits-enfants. Suffit de lâcher du lousse, de les aimer sans bon sens et de hausser la voix de temps en temps. « Non, Eddy, non ! » Et le petit d'obéir, ne voulant pas perdre ses privilèges d'enfant gâté par la vie. Comme il était plus loquace après une semaine avec eux ! Mamie Bi voyait bien là les bienfaits de l'émulation. Par exemple, un enfant doit apprendre tôt à cuisiner si on veut qu'il se débrouille une fois adulte, quoi qu'en pensât sa bru, qui paniquait à rien : « Ils vont se couper avec des couteaux coupants ! » Brillante, la bru, elle pouvait bien faire partie de la secte du tout « préparé d'avance ».

Elle poussa l'enfant-roi à la salle à manger comme s'il avait été le petit Saint-Jean-Baptiste du défilé, accueillant avec joie les éloges et compliments. « Y est pas à moi, mais presque ! »

Au buffet, elle le laissa choisir ce qui lui tentait. Croissants, tranches de melon, cubes de fromage, Eddy en touchait plus qu'il n'en saisissait. Madame Bruchesi le trouvait à croquer, se rendit compte qu'il fouillait aussi dans son nez, mais bon, les ti-doigts n'avaient pas touché plus que cinq secondes les aliments. Tout allait bien.

* * *

Les Cousineau avaient mal compris la consigne et traînaient leur énorme valise sur le quai de la gare.

— On pensait qu'on changeait d'hôtel à partir d'à matin.

— Coudonc, prenez-vous de la drogue ?

— Moins qu'avant, affirma Lise sans rire.

Yann prit le relais de Robert pour rouler la valise, qui, loin d'être pleine, avait de la place en masse pour les souvenirs. Une bonne affaire !

La gare de Malaga bourdonnait d'activités, dans quelques heures tout ce beau monde serait à Marseilles, à Munich, et eux, à Séville. C'était une sortie en couples, les anciens papotaient avec les nouveaux : les Schmidt de Laval avaient déjà été à l'animalerie des Lycra et se désolaient pour eux de sa fermeture imminente. « Avez-vous une idée de ce que vous allez faire après ? » Pas le moins du monde, ils aimaient mieux ne pas y penser et allèrent s'acheter leur billet aux bornes électroniques avec leur nouvelle amie Cassandra, qui les comprenait tellement (« Faudrait bien lui payer un verre ou quelque chose pour la remercier »).

Nerveux, Chantal et Guy n'osaient s'avouer l'un à l'autre la pression d'avoir à se faire face vingt-quatre heures sur vingt-quatre. Ils voulaient tant que ça marche, mais comment ça marche au juste, un couple ?

Le vieux garçon ne savait pas vraiment, la veuve avait oublié, sauraient-ils réapprendre ensemble? Chantal évitait de montrer son trouble: elle et Guy allaient partager la même chambre. Depuis la mort de son mari, pas un seul homme ne l'avait vue dans son intimité. En acceptant ce «voyage à l'intérieur du voyage», elle avait demandé à Guy une chambre avec deux lits «si ça te fait rien» – il avait dit oui, aussi gêné qu'elle, comme ça faisait longtemps qu'il n'avait rien fait au lit. Ado, il se demandait si son nez allait se cogner à celui de la fille pendant le bec, il avait figuré qu'il fallait incliner le visage, mais si les deux se penchaient du même côté, les nez se cogneraient quand même... C'est vous dire combien il calculait d'avance comment aborder les rondeurs et la pudeur de Chantal.

De son côté, elle était partie ce matin sur la pointe des pieds, laissant un mot sur le lit à sa sœur pour s'excuser de son absence: «J'espère que tu ne t'ennuieras pas trop.» Nadine n'en revenait pas encore: sa sœur raisonnable qui fuguait? C'était le monde à l'envers!

Et l'occasion d'en revirer une dans sa chambre.

Comme tout homosexuel, Steve savait mentir. Jeune, c'était par survie, pour éviter les questions compromettantes; maintenant, c'était pour le *kick*. «Six billets âge d'or», demanda-t-il à la guichetière, montrant son identification Vacances Voyages et ces petits vieux au loin qui l'attendaient. Seuls les Cousineau avaient légalement droit au rabais, mais Steve escomptait avoir un bon pourboire pour ces petits tours de passe-passe. Les Schmidt apprécièrent; pas Chantal, humiliée. «J'ai pas cet âge-là et lui non plus.» Elle se sentait quasiment jeune mariée, et Guy avait des bobettes neuves. «Mais vous sauvez 50 % du prix!» s'étonnait Steve, mais Chantal, ayant coincé plus d'un faux jeune qui tentait d'avoir des réductions sans sa carte étudiant, ne voulut pas tricher sur son âge. Steve grommela et retourna faire la file pour le guichet. Il craignit un instant d'avoir oublié sa dose de comique, vérifia dans son sac à dos et sursauta en entendant: «J'avais peur de vous avoir ratés!»

Hélène, la miraculée.

Steve en échappa sa boîte de joints, qui s'ouvrit sur le sol. Il les ramassa en vitesse, sous les gros yeux de sa cliente préférée, qui montrait du doigt les soldats patrouillant dans la gare. «Vous allez encore nous faire honte!» Steve cacha ses cigarettes joyeuses en bredouillant que c'était du tabac local. Croyait-il la berner? Hélène n'insista pas: couchée tôt, nuit de rêves, elle s'était réveillée en sursaut très tôt. «Carmen m'appelait!» Sa jambe l'élançait moins. «Mon mollet vous pardonne, on dirait!» Elle avait retourné son fauteuil roulant à la réception de l'hôtel et obtenu en échange une canne laissée aux objets perdus de l'hôtel (on y trouvait même des dentiers, avis aux intéressés). Un taxi, charmant, et la voilà!

Steve lui acheta son billet plein prix et eut le pressentiment qu'il allait encore payer pour ses erreurs de jeunesse.

* * *

En fuyant en Europe, madame Bruchesi avait réussi à prendre des distances avec sa colère.

Elle se rapprochait chaque jour de son amour.

La bouderie terminée, elle reprit ses habitudes, comme ces petits mots du quotidien où l'on informe l'être cher de nos allées et venues. Au début de leur mariage, ces mots s'accrochaient sur le frigidaire: «Je rentrerai pas tard, oublie pas d'acheter du lait. XXX». Maintenant les deux s'étaient convertis aux textos pour être de leur époque. Ainsi en pleine nuit dans un hôtel de Caroline du Sud, Pierre-Paul Gauthier fut réveillé par la vibration de son téléphone pour apprendre : «Je pars avec mon petit-fils adoptif voir les oiseaux. Bonne journée mon chéri, ta Yvonna de toujours». Une photo d'elle dans son kit orange flash, robe soleil des grandes sorties, illumina sa nuit : Pierre-Paul Gauthier se rendormit, apaisé.

Excité, Eddy voyait à tout. «Je suis capable!» Il opéra le guichet automatique pour sa mamie adoptive. Elle lui disait les chiffres à voix haute – un esprit malveillant aurait pu tout retenir – mais y avait point de mauvaise personne : c'était une journée bonheur. Marchant comme un grand, Eddy poussait sa poussette, où elle avait emmailloté son sac à main dans la doudou pour la sieste (qu'il n'avait pas l'intention de faire, mais chut!). Parvenus au Cercanía, encore lui : « C'est moi qui le fais! » Il acheta les billets et nourrit la guérite à l'entrée : les portes s'ouvrirent devant lui comme par magie. Wow! ses petits doigts maîtrisaient le monde, Eddy ne se contenait plus de joie.

* * *

Steve avait l'air bête. Le TGV n'irait jamais assez vite à son goût : assis aux côtés d'Hélène, ils formaient le sixième couple officiel de la délégation québécoise. Elle avait passé la première demi-heure à relater « son Séville et ses attraits », tentant de convaincre les autres couples de la suivre. Les Cousineau firent semblant d'être fatigués et avaient fini par dormir pour vrai ; Yann et Cass surfaient sur le Net à haute vitesse, le cœur à la fête et l'estomac au chocolat ; les Lycra arpentaient les wagons pour compenser le jogging qu'ils n'avaient pas eu le temps de faire ce matin ; Chantal et Guy partirent déjeuner en tête à tête dans le wagon restaurant, espérant être habillés assez chic pour ça.

Restèrent seulement pour écouter le prêche d'Hélène les Schmidt qui n'avaient pas de projet précis, trouvant déjà leur bonheur à voir la campagne défiler à toute vitesse. C'était le premier TGV de madame, qui avait fait tout le Sud et ses plages mais était une « débutante en Europe » ; lorsqu'Hélène tenta de les convertir au bien-fondé du culturel, la fumeuse lui répondit sans complexe :

— On est pas très musée pis ces affaires-là.

— Franchement ! avait abdiqué la si préparée Hélène, monopolisant ainsi depuis l'attention de Steve.

Excitée, elle sortit son vieil ordinateur portable ainsi que des écouteurs d'un autre siècle :

— Bien sûr, vous connaissez Carmen !

— De Michel Tremblay ?

— Nono ! glousssa-t-elle en lui expliquant son admiration pour cet opéra populaire dont la version au MET « dirigée par NOTRE Yannick Nézet-Séguin » l'avait chavirée.

C'est cette version qu'elle voulait lui faire découvrir. « Votre vision de Séville sera à jamais changée. » Pédagogue un jour, pédagogue toujours, elle sauta les premiers récitatifs et l'introduction ravissante – « Nous y reviendrons » – pour lui faire entendre l'air d'entre tous les airs. « Bizet l'aurait copié, mais bon, vous aussi vous trichiez en copiant sur vos camarades aux examens. Mais vous ne pondiez pas des chefs-d'œuvre pour autant. »

L'amour est un oiseau rebelle que nul ne peut apprivoiser… Bien sûr, Steve connaissait l'air, mais redécouvrit combien la musique adoucissait les mœurs et les traits : les mains fragiles d'Hélène virevoltèrent, comme si elle attrapait des notes au vol ; ses yeux d'ordinaire si sévères pétillaient d'une jeunesse lascive, alors qu'elle chantait en écho avec la soprano. Entrouvrant les yeux, Robert Cousineau ne reconnut pas la sainte nitouche, qui termina l'air sur la bonne note : *Mais si je t'aime, prends garde à toi !* Aux airs ahuris des camarades, elle redoubla de joie. « Vous vous rendez compte ? C'est là où on s'en va ! » Pas une transposition en carton-pâte, pas une projection, la vraie affaire ! Elle marcherait enfin sur l'Histoire ! Son enthousiasme réveilla Lise à son tour, tant mieux, elle pourrait entendre le prochain air. Ça ne les gênait pas d'ailleurs si elle montait un peu le son ? Pour une fois qu'on entendait de la « vraie musique » dans ce voyage ! *Près des remparts de Séville, j'irai danser la séguedille et boire du manzanilla.* Chantant, elle fut prise en photo par un Japonais, ce qui flatta son orgueil et lui donna soif. Elle donna vingt euros à Steve, le mandatant d'aller leur chercher deux cafés. « C'est moi qui te l'offre ! Mais c'est toi qui trottes ! »

Au wagon-restaurant, Chantal et Guy regardaient dehors et trouvaient tout beau, même si ça manquait de vaches à leur goût.

* * *

« Oiseaux ! Oiseaux ! » Eddy courait indifféremment après les canards, les oies et les pigeons qui bordaient le grand étang du parc Paloma à Benalmádena : il adorait les voir s'envoler devant lui, ça lui procurait un sentiment de puissance. Madame Bruchesi comptait l'épuiser ainsi. Quelle belle matinée !

Elle jacassait avec son mari qui commençait sa journée de bonne heure et du bon pied en lui parlant. Il se vanta d'avoir encore gagné hier au golf, même s'il soupçonnait ses amis de perdre par exprès, histoire de lui remonter le moral. Il n'avait pas pu taire longtemps la raison de ce voyage précipité. Ce seraient ses dix-huit derniers trous avec eux, merci pour toutes ces parties d'éternité.

Temps splendide en Géorgie – « Nous autres aussi ici » –, gros soupers arrosés – « Moi, j'ai une surprise à te faire essayer » –, les vieux époux avaient tous deux hâte de se revoir, mais qu'elle « continue de faire le plein » : à son retour, ils entameront ensemble le dernier voyage. Elle aura besoin de toute son énergie.

— J'aime les oiseaux ! claironna Eddy comme dans la chanson qu'il avait écoutée en boucle car sa mère trouvait Yann Perreau super charismatique.

— Pas trop proche de l'eau ! rappela Mam'Bi au garçon.

Eddy, fasciné par les cygnes au milieu du lac, les appelait en vain. Il avait épuisé ses miettes de croissants et courut revoir sa fournisseuse. « N'a pus ! » Prévoyante, elle avait écumé le buffet de l'hôtel et émietta un autre croissant ; Eddy s'impatientait, craignant que les canards aillent voir quelqu'un d'autre, mais elle le rassura d'une caresse à la joue. « Crains pas, c'est toi leur meilleur ami à matin. » Ses mains joufflues débordantes de miettes, il retourna à son devoir. « Ici ! » Il effrayait les canetons par ses cris, mais les adultes picossaient les miettes qu'il leur lançait en riant. Madame Bruchesi s'essuya les mains en vitesse et sortit subtilement sa tablette pour filmer l'enfant sans qu'il la voie. Pas envie qu'il fasse une rechute de techno mais plutôt qu'il reste l'enfant aux oiseaux !

Elle envoya aussitôt la vidéo aux parents avec un petit mot : « Tout va bien ! Profitez bien de vos vacances ! »

* * *

Cassandra textait via WhatsApp à une amie lorsqu'elle reçut les images. « Checke ! » Yann s'approcha de sa douce : en fait, on y voyait surtout le sac à main de Mam'Bi (qui ne pourrait jamais se recycler comme *camera woman*), mais durant cinq brèves secondes les parents se délectèrent à voir leur petit homme rigoler en courant après les oiseaux. Soulagée du poids de la culpabilité, Cassandra accepta un *refill* de chocolat. Yann lui aromatisa son café d'une généreuse dose. « Hey, hey pas trop ! Je veux être capable de visiter ! » Il transvida la moitié de son café dans le sien.

Il s'était senti chez lui dès leur arrivée dans le vieux quartier de Séville, comme ces nomades qui entraient dans la ville pour une première fois. Attablés dans une des ruelles de l'ancien quartier juif, ils n'avaient d'autre projet que d'être *stone* et peut-être de magasiner un peu, car Cassandra n'avait toujours pas trouvé LA robe qui lui rappellerait ce voyage.

Hélène hurlerait d'indignation de les savoir *high* à dix heures vingt-sept du matin ; elle ignorait la joie des parents qui avaient enfin une journée à eux ! Cassandra étendit ses jambes sur les cuisses de son chum, et ils savourèrent leur mokaccino maison.

Yann observait la course des damoiselles aux fort belles cuisses et toutes en jupe ; elle, *los hombres*, élégants dans des habits seyants, chemises ouvertes, comme s'ils sortaient, alors qu'ils allaient simplement travailler ou étudier. Elle devinait les cuisses musclées sous les pantalons, car peu osaient le short, et elle s'imaginait le reste.

Leur appétit de chasseur était réveillé.

Peut-être seraient-ils sur le mode panique s'ils savaient qu'au même moment Mam'Bi cherchait leur garçon, envolé.

Les Cousineau aimaient flâner – à quoi bon courir, la vie se joue au long terme. Au hasard des vieilles rues, ils découvrirent un Palacio à visiter et s'immobilisèrent dès l'entrée, fascinés par une fresque de céramique au plancher. Était-ce une scène de la vie des bourgeois de jadis, de la mythologie grecque ou romaine ? Les amoureux s'assirent pour mieux en débattre. Lise trouvait que l'homme avait la queue en trompette comme les nus à Florence, Robert trouvait que le sein dénudé faisait plus grec, aussitôt ridiculisé par sa douce :

— T'as eu une amante de Parc-Extension, toute une référence !

— Tu peux bien parler, ton lover italien était gai.

— Il était mêlé. J'ai quand même eu droit à la totale. Et du bon vin.

Le vin coulait d'ailleurs abondamment dans cette fresque. Des visiteurs ralentissaient pour tenter de comprendre ce qui fascinait tant les vieux excentriques dans un plancher et continuaient, pressés de visiter les chambres au deuxième.

Armés d'un audioguide, les Cousineau visitèrent avec la même lenteur la cathédrale, joyau du patrimoine mondial. Robert se mêlait dans ses chiffres : il admirait la sculpture # 6 pendant qu'une voix lui racontait l'histoire de la # 8 ; il chercha des yeux sa femme partie voir l'autel (# 23), oubliant de s'extasier au passage sur les vitraux # 32. Il retrouva sa femme à une sculpture fort populaire : selon la légende, si on caressait le pied gauche de ce Christophe Colomb, on se mariait, et on revenait à Séville si l'on flattait le droit. Autrefois envahie par les touristes, la sculpture était depuis gardée par des cordages, ce qui n'empêcha pas Lise la délinquante d'aller frotter un orteil et de se faire siffler par un gardien. Elle fit mine de s'excuser, jouant très bien l'innocente, et rejoignit son chum, curieux de savoir :

— As-tu caressé le droit ou le gauche ?

— J'y aurais ben frotté la poche. As-tu remarqué que même les saints, il leur en sculpte toujours des énormes?

L'orgue se fit alors entendre, un joli récital gratuit à heures fixes. Robert repartit dans un de ses laïus politiques : il devrait y avoir de la musique dans tous les parcs provinciaux et les squares des villes. On avait formé des musiciens, des acteurs qui sortaient de nos écoles par centaines chaque année, des mélodies et des pièces jouées à cœur de jour, ça serait plus beau que des trottoirs refaits à coup de millions! « Chut, fit Lise en lui tapotant doucement l'avant-bras. Restons en congé du Québec. Pourquoi gâcher des vacances ! »

Steve n'avait jamais vu une femme jouir de la tête.

Pâmée par une clôture en fer forgé, Hélène en frottait les splendides grilles ouvragées, lançant des cris de fillette excitée. « Je peux pas croire que je suis là ! » Elle en oubliait presque d'avoir mal à son mollet, s'appuyant sur l'épaule de Steve, son chevalier servant depuis la matinée. Pour eux tous, il avait choisi un hôtel avec cachet – rien d'exubérant, propre et confortable – pour sa proximité avec la gare. Les groupes organisés l'évitaient car il n'y avait pas d'ascenseur et ne pouvait accueillir tout un autobus. Hélène avait d'ailleurs voulu savoir s'ils partageraient une chambre pour limiter les coûts. Pousse pas ta *luck*, ma belle, mais pousse la note !

Ce qu'elle faisait allègrement. *La fleur que tu m'avais jetée...* Oh, le bel air méconnu de Don José qu'elle fredonnait avec toute l'intensité voulue ! Steve se rendait-il compte que c'était ici que leur histoire d'amour avait commencé? À cette ancienne manufacture de tabac !

— C'est écrit *Université...* douta Steve.

— Maintenant ! Mais, du temps de Carmen, six mille femmes y roulaient des cigares. L'armée occupait aussi quelques locaux : d'où Don José le dragon qui gardait l'entrée !

Comment la cérébrale Hélène pouvait tant se pâmer sur une histoire qui finissait mal ? « Avec moi, ça aurait fini autrement. » Elle voulut sa photo devant la belle façade sculptée, lui confia sa canne, cabrant un peu les hanches, replaça une couette de ses cheveux, esquissa un demi-sourire et clic ! Elle vérifia, nerveuse, si elle paraissait bien et le remercia tout bas. S'il ne la savait pas si *stuck up*, Steve jurerait que cette photo servirait sur un site de rencontres. Bingo ! Il y avait un site pour gens de qualité, où Hélène cultivait un dernier espoir de rencontrer « un homme qui avait de l'allure ». Elle y rejetait systématiquement ceux qui lui écrivaient au son : un message bourré de fautes provenait assurément d'un homme rempli de défauts, point final.

Elle repensait parfois à Luigi, briqueteur modeste qui s'était amouraché de la maîtresse d'école. « Il avait quarante ans, moi trente. Il m'a emmené à Québec ça faisait même pas un mois qu'on se fréquentait, ça a du lui coûter un bras. On allait souvent prendre un *smoked meat* rue Saint-Hubert. Une fois, en passant devant les robes de mariées, il m'a demandé en mariage. J'ai dit non. Niaiseuse… Il était fin, il buvait pas, il disait que j'étais belle. Il me faisait sentir toute petite, il me berçait. Mais y avait juste un secondaire V, ça me partait pas de la tête. Je voulais un homme cultivé. » Elle avait rompu avec Luigi, qui mit des années à recimenter son cœur brisé. Avait-elle pensé reprendre contact avec lui ? Elle fut catégorique : « On revient pas en arrière sinon on referait toujours les mêmes erreurs. »

Elle resta soucieuse un instant puis chassa toute idée noire. « On va quand même pas rester sur le bord de la porte, viens ! » Enjouée, elle le tira par le bras comme s'il eût été son fils. Ils entrèrent pour se mêler aux milliers d'étudiants qui occupaient les lieux. Steve fut déconcentré par tant de beaux jeunes hommes, ce qui fit dire à Hélène : « Penses-tu à autre chose que le sexe ? Ça a ruiné tes études, gâche pas ta vie à courir après des secondes d'extase, le beau est ailleurs. »

Comme dans cette imposante statue aux ailes en cuivre dominant l'entrée, ces fenêtres alignées harmonieusement de part et d'autre d'un élégant escalier et cette fontaine où jadis les travailleuses manuelles prenaient quelques minutes de répit. Dix minutes, le temps de souffler un peu alors que les cigares qu'elles fabriquaient seraient dégustés pendant des heures par des hommes à qui tout était permis.

Mais, avec tout ça, on oubliait Fripon !

Déjà midi, que le temps file en bonne compagnie ! Elle sortit en vitesse son portable, fit mine de chercher une meilleure réception des ondes. « Voyons… la ligne est pas bonne ici non plus… » Souriant de sa pingrerie, Steve lui offrit une vidéoconférence :

— Après dix jours, ça doit vous manquer de le voir en personne ?

— Vous pourriez faire ça ?

— J'étais peut-être pas votre meilleur élève, mais je suis pas un mauvais gars pour autant.

À l'Hôtel des compagnons, il demanda à la réceptionniste de se connecter à Facetime, un pet pour elle qui manipulait gadgets et applications depuis toujours. Steve constata l'élégance de cet hôtel hors de prix où on recueillait chiens et chats bien nantis. Puis l'écran sembla passer au noir, en fait c'était un obstacle de taille. « Mon petit bilou-bilou minou d'amour ! C'est Lélène ! Qu'il est beau le garçon à sa maman ! »

Fripon était une baleine. Rond et large autant qu'il était long, il ne rentrerait pas dans une petite cage portative comme on en voit parfois dans les autobus : non, Fripon occuperait un panier d'épicerie complet.

Cette fois, Steve contint son rire, d'autant plus qu'Hélène affichait un air consterné. « T'as l'air triste, mon Fripon. Passe-moi la madame ! Passe-moi la madame ! » L'hôtesse reprit les commandes de l'appel et Hélène la gronda : « On dirait qu'il mange pas ! » Steve se retint : Pardon ? On dirait qu'il a mangé tous les autres chats de l'hôtel ! L'hôtesse confirma que Fripon vidait bel et bien sa ration de croquettes ET les extras prévus. Il devait donc s'ennuyer à mort de sa maman ! Lélène chanta à son bilou-bilou minou d'amour un petit bout de *Carmen* et fut rassurée, demandant même à Steve son avis :

— On dirait déjà qu'il va mieux, trouves-tu ?

— Oui, il sourit.

Une carrière de diplomate pourrait lui réussir.

* * *

Lorsque le paon avait déployé sa grande queue multicolore, Eddy, fasciné, l'avait suivi.

Penchée sur sa tablette, toute à sa joie d'avoir parlé à son mari de vive voix, madame Bruchesi avait voulu lui envoyer un petit mot tendre débordant d'émoticônes.

Lorsqu'elle jeta son coup d'œil distrait au lac, Eddy n'y était plus.

La peur de sa vie.

Le paon avait conduit Eddy à une petite fille au ballon Frozen gonflé à l'hélium. Eddy avait tenté de le lui arracher ; bousculée, la petite fille en avait échappé son ballon. Bye princesse ! Les parents engueulèrent Eddy dans une langue étrangère et cherchèrent ses parents, qu'ils crurent trouver auprès du vendeur de crème glacée.

Yvonna Bruchesi courait déjà autour du lac, apeurée de voir l'enfant y flotter. Ah si les canards pouvaient parler ! « Eddy ! » criait-elle alors qu'il se mit à hurler lui-même pour avoir un cornet, car les étrangers étaient trop cheap pour lui en payer un.

Mamie Bi sut à son cri qu'il était vivant. Son sac à main sous le bras, elle fila vers le vendeur de glaces, faisant détaler à son tour pigeons et canards. « Ôtez-vous de mon chemin ! » La voyant retontir, Eddy crut avoir gagné son cornet, mais c'est une gifle qu'il reçut. « Fini les oiseaux, on s'en va ! » Mamie Bi méchante avec lui ? Il redoubla ses cris, « mais c'est pas toi qui mènes ! » Elle le tira par la main, il avait intérêt à suivre. Revenue au point de départ, elle l'installa un peu brusquement dans sa poussette, nettement trop petite pour lui, lui serrant les ouïes lorsqu'il voulut lui donner des coups de pied. « Oh non, mon petit homme, tu commenceras pas ça ! Une femme, ça se respecte ! » Il se calma un peu, non pas qu'il eût compris la leçon, mais parce qu'elle parla d'aller manger des frites, un truc qui pogne tout le temps avec les enfants.

Sur la rue commerciale, elle vit dans une animalerie une superbe laisse rouge avec des motifs de taureaux. Ça ferait un souvenir original pour son fils qui avait un gros berger anglais, mais d'ici là, la laisse servirait pour Eddy : deux mètres de liberté, c'était amplement pour un enfant de deux ans. Assis, Eddy !

* * *

Gelés comme une balle, Yann et Cassandra se perdirent dans le dédale de ruelles et aboutirent par pur hasard au Real Alcázar. Yann croyait y visiter une prison, toujours cool à voir, mais c'était le château du roi.

Ils dépassèrent en vitesse un groupe et son guide multilingue – « Pus jamais ! » – pour se réfugier dans une pièce à l'ambiance feutrée ; Yann sentit la « *vibe* de sexe » avant même de lire sur un panneau que c'était l'alcôve retirée des regards et du jardin. «Je le savais qu'il y avait eu des orgies ici ! Les murs parlent ! » Et il les entendait, fantasmant à l'opulence du choix, tant de seins, tant de bouches pour le satisfaire. Cassandra aimait sa gourmandise : tant d'anciens soldats s'enfonçaient dans des dépressions et ils évitaient de les côtoyer. « Revenez-en, *man* ! » pensait Yann, trouvant qu'ils se complaisaient dans la douleur des désillusions : c'était pas évident d'assumer qu'on menait une guerre complètement inutile ; qu'on défendait des intérêts privés et non pas la liberté. Ces éclopés restaient hantés par les morts qui avaient enrichi les armateurs et les marchands de pétrole. Fallait se trouver un sens de la vie ailleurs. Comme auprès de sa blonde.

Et de la dope.

Cass en aimait l'engourdissement qui la coupait du stress des rendez-vous de coiffure et esthétique alors que toutes ses clientes voulaient être belles dans le temps de le dire, le nez plongé dans leur cellulaire. Mais on ne changeait pas de tête en criant ciseau ! Fallait savoir faire le vide ! Cassandra s'en voulait de penser au travail.

Au sortir de l'alcôve, des fleurs dont elle ignorait le parfum l'invitèrent à ralentir. Elle se laissa choir sur un banc à l'ombre d'un opulent palmier, impressionnée par l'élégance des sentiers impeccables, sans une feuille morte au sol ni une seule branche cassée aux arbres. Nickel.

Douces minutes juste à elle.

Une vibration de son cell la sortit de sa rêverie : une nouvelle invitation galante sur leur site échangiste. Elle siffla son chum pour qu'il la rejoigne : sultan Yann voulait vivre une fantaisie et « c'est à soir que ça s'passe ».

* * *

La sieste dans la poussette, c'est le best! On s'endort quelque part, puis surprise! on se réveille dans un bel ailleurs! Voyant la mer à ses pieds, en super forme, Eddy bondit pour jouer dans les vagues, Mam'Bi avait intérêt à le suivre.

Après quelques minutes, Mamie eut vite besoin d'un remontant. Au bar de la piscine, elle retrouva ses amis allemands du *happy hour* et maintint son Eddy à bout de laisse. Quelle trouvaille formidable pour dompter les enfants tannants!

Il avait amplement de lousse pour aller fouiller dans les bols de chips des tables voisines et se faire offrir des bretzels.

Madame Bruchesi cala son premier verre et se détendit avec les amis. Elle aimait voyager en groupe parce qu'en général les gens s'efforçaient à la bonne humeur, à tout le moins de sourire un minimum. De nos jours, tout le monde évitait de se saluer et avait l'air bête comme ses pieds; le cynisme ambiant nous rendait méfiants et moins enclins aux amitiés de passage.

«Z'ai soif!» vint lui rappeler Eddy. Trop de chips et d'arachides salées aussi. Elle lui paya un deuxième jus d'orange avec des bulles «mais c'est le dernier» et se permit un autre deux pour un. Elle fit une autre petite vidéo pour montrer aux parents combien leur grand garçon était heureux. «Dis allô à maman!» Eddy terminait d'engloutir un verre et fit un «tata» un rien mollet. Mam'Bi n'avait pas remarqué que ce n'était pas son Orangina qu'il terminait, mais le daiquiri d'un Allemand.

* * *

De leur suite, vaste et ouverte sur la ville, quand Cassandra vit son garçon finir le *drink* d'un étranger, la culpabilité l'assaillit de nouveau. «Je le savais qu'il deviendrait *addict* ! » La petite boucane pour calmer les crises d'insomnie du petit l'avait rendu alcoolique. Et il n'avait pas encore trois ans !

Yann resta surpris par la laisse autour de la taille son fils, mais calma sa blonde pour la forme :

— Relaxe, on a tous fini les *drinks* des mononcles dans les partys du jour de l'An.

— À dix ans !

— Notre fils est un petit vite. Dans *Dune*, les enfants développent des pouvoirs parce que leur mère a pris de l'épice quand elle était enceinte.

— Hey, j'ai rien pris pendant toute ma grossesse ! Je mangeais même pas de sushis parce que j'avais lu quelque part que le poisson cru, ça pouvait être néfaste.

— Tu lis trop, relaxe…

Il dévissa le pot de chocolat spécial, y trempa le bout de son sexe et demanda à sa douce de lécher. « Pas avant la job ! dit-elle en sortant mollement ciseaux et brosse, déjà étourdie par le chocolat de la journée. Veux-tu que je moffe la tête à la Mère supérieure ? » Yann força la chose, son pénis se gonflant d'excitation, il le lui remit sous le nez. Elle l'engloutit enfin sans se faire prier davantage. Quelle bouche chaude elle avait ! Et une langue qui savait tourner autour des pourtours du gland. Il s'écrasa sur le lit pour se faire manger confortablement, la drogue le rendait plus cochon – comme si besoin était ! Ils s'amusèrent un peu sur le sofa de leur suite, il la lécha goulûment à son tour, raffolant de ce mélange estival de miel et de sueur des petites comme des grandes lèvres, assouplies par ses coups de langue. Il croqua doucement un repli, frôlant le bouton de rose, le clitoris clignotant quasiment de contentement. Cassandra en frémissait de joie.

On frappa à la porte. Déjà ? Bandé comme un chevreuil, Yann courut se cacher dans la salle de bain,

Cassandra replaça sa jupe pour aller ouvrir, riant, affolée.

— Je vas sentir le sexe !

— Elle doit même pus savoir ce que ça sent.

— Oh non, mon homme, ça ne s'oublie pas.

Cass ouvrit à sainte Hélène, qui trouva leur chambre lumineuse, bien plus grande que la sienne, puis la remercia de la charmante attention de la coiffer avant le souper. C'est parce que vous avez une grande valise, lui aurait répondu Yann le méchant loup, mais Cass affirma qu'il n'y avait rien de trop beau pour les amies. « Surtout après tout le mal que vous vous êtes donné pour nous à Granada. » Ils mentirent tous deux pour dire que ça valait le coût, mais franchement, Séville ça battait tout !

Ravie, Hélène confia sa grosse tête aux doigts experts de la belle... qui sentaient l'amour à plein nez. De quoi avoir quelques rêveries mélancoliques.

À l'étage en dessous, la politesse aussi était de mise : qui prendrait sa douche en premier ? Gentleman, Guy voulut laisser l'honneur à Chantal, le temps de se maquiller, et tout et tout, mais non, « après toi ! » Elle alluma la télévision pour s'assurer d'avoir de la musique ou des nouvelles, n'importe quoi ! Pourvu que ça couvre ses gaz plutôt sonores. Maudites épices, ça n'avait rien d'érotique ! Lorsqu'il sortit de la douche, drapé de sa serviette, elle remarqua en premier lieu le joli renflement. Rasé de près, il lui souriait gentiment ; rougissante, elle s'engouffra dans la salle de bain pour y cacher ses émotions troubles.

Pour s'habiller, Guy n'avait apporté avec lui que du neuf, acheté et approuvé par Chantal. Le hic, c'est qu'il n'était pas certain de combiner les bonnes couleurs. Il téléphona à sa sœur à Montréal. « Est-ce que du ligné ça va avec des souliers en cuir ? » Sa sœur lança un cri joyeux : son vieux garçon de frère avait rencontré quelqu'un ? Miracle à la Costa del Sol !

Fripon avait mangé toutes ses données.

C'était plus facile de le blâmer que les minutes perdues sur les sites de rencontre, mais Steve débordait de mauvaise foi.

Et de stress : il paniquait à l'avance pour les pots de chocolat espagnol à passer aux frontières canadiennes. Yann et Cass en menaient trop large, ayant entraîné la « gang de chums » à aller souper au quartier Alameda-Hercule (un excellent choix, ceci étant dit). Leur ascendant lui pesait. Il se souvenait vaguement de deux sœurs en voyage qui avaient ramené deux valises de cocaïne. Il avait oublié leur nom, voire si elles étaient innocentes, mais il savait une chose : il devait reprendre le contrôle de SON groupe. Et aviser sa patronne ?

Ainsi, lorsque Yann débarqua dans le hall, Steve voulut l'attaquer de front, mais son énergie sexuelle le décontenança. « *Party time!* » Fier de sa prise, il montra à Steve les photos d'un couple d'amis avec qui ils « sympathiseraient » en soirée. Steve fut sans voix. On ne parlait pas de brigands, mais d'un couple dans la trentaine resplendissante, affichant sans honte sa richesse et sa réussite. Yann se délectait d'avance de la *chick*; le mari était moins glamour, un homme d'affaires sans histoire, mais fortuné par ses avoirs et ses attributs. « Le manche vissé après ça, tu capoterais, il me bat ! » Steve en oublia momentanément pourquoi il devait le gronder, mais lorsque Yann sortit de son veston en lin le fameux pot de chocolat bien entamé et lui en offrit, il prit son courage à deux mains et demanda :

— Comment vous comptez ramener ça ?

— Fais-toi en pas avec ça, *man*, c'est pas la première fois.

— Ouin, mais les autres fois j'étais pas responsable du groupe.

— Hey, je me mêle-tu de savoir combien d'hommes te passent dessus? Penses-tu qu'on les entend pas, tes petites sonneries d'appli de *cruise*? Amuse-toi pis gâche pas notre business!

Steve se permit d'insister, Yann lui expliqua dans le casque comme il eût fait à une recrue: «Le pot va être légalisé chez nous dans quelques mois. Ils l'ont annoncé d'avance pour que toute l'industrie pharmaceutique et la mafia se réorganisent pour avoir les permis avant nous; les petits commerçants, on s'est encore fait tasser. Il me reste un an max pour amasser un peu d'argent pour ma retraite. Alors amuse-toi, voyage pendant que le reste du monde doit gagner sa vie, il va rien arriver de mal à ta gang.» L'accompagnateur était démis de ses fonctions, le putsch consacré: l'armée prenait les commandes des Boute-en-train. Qui semblèrent ravis de la chose.

«*Here are the ladies!*» claironna lieutenant Yann. Cassandra attirait tous les regards et les gardait captifs, dans sa robe au décolleté plongeant qui lui enserrait les jambes et lui dessinait une silhouette de sirène, sourire suave à l'avenant. La deuxième femme laissa Steve sans voix.

Il ne savait pas qu'Hélène pouvait être belle.

Cassandra lui avait dégagé le visage, ôté un surplus de maquillage et prêté une blouse, qu'elle ne pouvait attacher considérant sa carrure, mais qui parait ses bras et épaules d'un voile coloré telles les ailes d'un colibri. Hélène flottait, ravie par la joie pure de voir une ville illuminée et de sortir en «couples». «Votre main, cher accompagnateur?» Elle avait envie d'être aux bras d'un homme, fût-il gai ou incompétent ou les deux. Il obtempéra:

— Je serai votre bâton de vieillesse.

— Que nenni, mon *fuck body!*

Tous éclatèrent de rire; seul Steve eut un petit frisson.

Périmètre d'attaque: quartier Alameda-Hercule

Mission: trouver une table pour dix

Officiers responsables: Yann et Cass

Ils menaient les troupes, rigolant, les Lycra pour adjuvants. Les Cousineau s'étaient mis sur leur trente-six: lui dans une belle chemise fleurie, elle avec des souliers à petits talons plutôt que ses sandales si confortables; Steve remarqua enfin le discret dauphin qu'elle avait tatoué sur la cheville. Les fumeurs fumaient, Chantal et Guy suivaient, charmés par ce quartier animé: la place publique s'étirait au centre en un long parc filiforme aux arbres matures bordé de deux rues aux édifices de quatre à six étages, éclairés par des vieux réverbères stylisés; des musiciens de rue et des violonistes aux tables disséminés çà et là semblaient chanter leur amour naissant.

Les parfums des fleurs exhalaient à la nuit tombée. Du jasmin, ici, à ce temps de l'année? Peut-être la glycine qui se mêlait à l'odeur des cuisines des nombreux restaurants. « Des artichauts grillés par là! » s'emballa Hélène, qui les adorait. « Vous avez le nez fin! » la complimenta Yann; c'est ce que Steve craignait par-dessus tout: le chocolat au haschisch sentait-il dans une valise? Prends garde à toi, Hélène.

Un premier restaurant leur parut intéressant, mais tout à côté un clown soufflait des ballounes pour les enfants et faisait des galipettes: comme Yann haïssait les clowns pas drôles et n'avait pas son arme pour éliminer celui-ci, ils trouvèrent une table en retrait de l'animation et des passants.

Les Tourangeau tinrent à payer les deux premières bouteilles ; très bien : les Cousineau se chargeraient des suivantes. Guy ne se lassait pas de « ces petites bouchées à toutes sortes d'affaires », il en commanda une variété en entrée. « Ma contribution. » Il vola un petit bec à Chantal. Sa vie ne goûtait plus le surgelé.

Monsieur Schmidt avait été déçu de sa visite : entrepreneur de métier, il avait participé avec sa firme à la construction du pavillon du Canada pour l'Expo de Séville de 1992. « Du solide ! » Mais, comme notre Expo 67, le site s'avérait en partie abandonné. Sa femme trouvait qu'il exagérait (un parc technologique et l'université occupaient quand même d'anciens pavillons…), mais lui s'attristait des canaux envahis par les herbes folles, des stations de monorail, désormais inutilisé, souillées de graffitis. Attrapant la balle au bond, l'ex-urbaniste surenchérit sur l'insouciance de l'humanité qui perpétuait le prêt-à-jeter. Pourquoi ces expositions hymnes à la beauté du monde n'étaient pas pensées pour durer ? Comme nos relations amoureuses qui s'étiolaient avant de s'enraciner ?

« T'es un peu jeune, cher, pour être aussi amer, l'arrêta Lise. Tu devrais aller surfer sur des sites plus constructifs au lieu de te saborder le moral à cœur de jour. » Elle aimait bien positiv.fr, qui recensait quotidiennement des initiatives changeant le monde pour le mieux, elle allait lui envoyer le lien. Activiste encore et toujours, Lise n'était pas prête pour la chaise berçante, il y avait encore tant de batailles à livrer ! « Même s'ils coupent les ponts entre les générations : on se pensait fins en allant sur Facebook, y ont envoyé les jeunes ailleurs pour être certains qu'on leur apprenne rien. » Plus de photos, moins de texte. Elle se désolait de ces soi-disant « influenceurs » qui parlent mode et maquillage, se sentant impuissante relativement aux montées d'intolérance. Quant à « Schmidt-chose bine », elle comprenait que ça lui donnait un coup de voir ses réalisations ravagées par vingt-cinq années d'outrage du temps, mais qu'y pouvait-il? Sinon boire une autre coupe de vin! Ravie par cette réponse, son épouse fit plus ample connaissance avec Cassandra. En voulait-elle un deuxième après Eddy? « Moi oui, mais Yann est pas prêt. » Enjôleur, celui-ci servait abondamment compliments et deuxièmes portions. Se sentant un peu « fofolle », Hélène accepta même une seconde coupe de vin, « mais pas remplie, on doit marcher après ». Yann surenchérit: « *Come on*, la prof! Même tes héros d'histoire sont pas parfaits: Iberville était un mercenaire payé pour attaquer les Anglais. » Steve en doutait, mais Hélène approuva du bout des lèvres. Aucun héros n'est sans tache, même sa Carmen. Yann demanda si ça baisait beaucoup dans cet opéra-là ou si ça faisait juste chanter?

Hélène répondit que « peut-être » dans une caverne, à l'acte III, les brigands s'amusaient ferme avec les gitanes, provoquant la jalousie de Don José, mais l'opéra était au-dessus de tout ça:

— Tout est dans le non-dit.

— Oh bien, nous, on dit oui!

Hélène rigola, appréciant ce vin corsé. Cassandra aida son homme à faire circuler les plats: « Resservez-vous! On peut recommander de tout. » Steve n'aimait pas voir le petit couple jouer les grands charmeurs. Déjouant sa méfiance, Yann lui glissa à l'oreille: « On va avoir besoin de renforts à soir si ça te tente, les femmes sont gourmandes. » Steve faillit s'étouffer avec sa gorgée.

« C'était super le fun! À demain! » Sans surprise, les Lycra quittèrent les premiers: ils prenaient le train tôt demain matin pour visiter Córdoba, ils avaient vu ce qu'il y avait à voir à Séville.

« Franchement ! se désolait Hélène, à tout visiter à haute vitesse, on en perd les détails. » S'ils avaient été intimes, les Lycra lui auraient confié qu'ils allaient justement à leur chambre s'apprécier en détail, histoire de bien finir la soirée, mais ça, il fallait le deviner à leur regard coquin.

Yann et Cass commandèrent des cafés.

— Pour tout le monde ?

— Non merci. À cette heure-ci, je dormirai pas de la nuit ! fit Hélène.

— C'est justement ça le but ! claironna Yann, chatouillant sa blonde, qui explosa d'un rire communicatif.

Robert Cousineau lui tendit sa tasse pour qu'elle les aromatise « avec votre recette secrète ». Guy, rendu plus volubile par l'amour et l'alcool, voulut savoir c'était quoi au juste, la patente. Steve leur coupa le sifflet : « Les jeunes font des cafés explosifs ! Même moi, je trouve ça trop fort ! » Voilà qu'il jouait au saint à force de côtoyer Hélène ! Cassandra prépara discrètement les mokaccinos des Cousineau et un petit pour Guy, « juste pour dire qu'on y goûte ». Chantal approuva. « C'est fête après tout ! »

Les Cousineau trinquèrent avec les amoureux, appréciant le petit goût de noisette ou de piment qui donnait tout son charme au chocolat. Cassandra confirma : « Mes clientes au salon de beauté en raffolent ! »

Guy les comprenait, mais s'excusa à son tour de leur faire faux bond. « On va rentrer tout seuls. » Tous leur souhaitèrent bonne nuit, mais s'ils savaient combien Chantal stressait de se montrer nue à nouveau devant un homme ! Oui, il l'avait rassurée par le classique « Ça m'en fait plus à aimer » ; oui, elle en mourait d'envie, mais les années d'abstinence avaient nourri ses peurs, qui s'évanouirent grâce à la balade romantique du retour à travers les vieilles rues à l'éclairage discret. Lise Cousineau vous le confirmerait : passé un certain âge, autant il faut garder un certain mystère – un tissu sur l'abat-jour, une chandelle, et le bannissement des miroirs qui parfois se font cruels –, autant il faut savourer le chemin qui mène au lit. La montée au ciel se planifie.

Yann avait perdu sa démarche de militaire, plus alangui, épaules arrondies, le pas lent et le sourire idiot. Robert Cousineau avait le même : la nuit tous les chats sont gris et les tigres sont *horny*.

Seul Steve gardait les fesses serrées et le front cerné par les soucis.

Yann et Cass s'excusèrent de leur fausser compagnie : ils allaient prendre un dernier verre avec des amis. Les Cousineau partirent de leur côté, la soirée leur semblait jeune même à soixante-douze ans.

Steve, qui faisait dorénavant partie des vieux, escorta donc à l'hôtel les fumeurs et son amie Hélène, qui se pendit à son bras.

— J'ai abusé de mes forces et j'ai un peu trop bu !

— Ben là, deux verres.

— Je me suis rendue à trois !

Ayant trottiné à l'aller, elle boitait au retour, s'appuyant sans gêne à lui, pour le bonheur de se coller à un bel homme. « Dites-moi-le si je suis trop lourde. » Elle le remercia encore sincèrement d'avoir sauvé son Séville, il avait fait sa joie, pensant seulement faire sa job. Magnanime, elle lui accorda congé demain matin. « Nous pourrions commencer les visites seulement à dix heures ! » Ouh, ça c'est de la grasse matinée !

Galant, il la reconduisit à son étage (il avait pris soin de réserver sa chambre loin de ses clients). Elle s'excusa d'insister : « Ça vous gênerait de rester un instant ? Avec ma jambe blessée, j'ai peur de glisser dans la salle de bain. Ce ne sera pas long. » Steve s'y prêta de bonne grâce. « Vous êtes un ange ! » Ouais, un démon du sexe d'ordinaire, mais Yann lui avait volé son rôle.

Crevé de sa journée d'accompagnateur, Steve s'assit sur le second petit lit jumeau le temps qu'elle se prépare pour la nuit. Il n'avait pas ouvert son cell de la soirée, sachant avoir son lot de woof d'hommes intéressés à échanger quelques mots et quelques gestes avec lui.

Mais il pensait à Javier.

Il le voyait clairement sans même consulter une photo.

Comme si le visage de Javier était un astre dans la nuit, comme un soleil bienveillant qui lui sourirait. Ça le rendit *high* naturellement.

* * *

Madame Bruchesi adorait grignoter le soir devant la télé. Mais Hélène l'avait grondée le deuxième soir en disant combien c'était néfaste de manger après dix heures. « Surtout à nos âges ! »

La Mère supérieure partie, la télé jouait à plein volume, les vêtements traînaient sur les chaises... et Eddy pouvait sauter sur le lit ! Trois bonds et deux bouchées d'assiette de desserts rapportés du buffet de l'hôtel.

« Encore cinq minutes de télé, pis après on va se brosser les dents. Y est assez tard. » Ils avaient dépassé l'heure recommandée par Cassandra, mais bon, il était en vacances lui aussi. D'autant plus que des « petits bonshommes » en espagnol, c'est éducatif : Eddy riait de bon cœur de voir *Bob Esponja.* Il flottait dans la camisole de minou, trop grande pour lui, qu'Hélène, dans sa hâte, avait oubliée derrière elle. « Regarde ici ! » Mamie Bi le prit en photo, à croquer avec Fripon qui riait aussi sur la jaquette. Elle se retint de ne pas envoyer la photo à son « amie coloc », qui lui avait donné toutes ses coordonnées dès le premier jour en disant : « Nous deux, c'est pour la vie. » Elle se doutait bien qu'Hélène ne trouverait pas ça drôle du tout.

Quant aux parents, pourquoi les déranger ? À cette heure, Yann et Cass devaient avoir la tête ailleurs et, disons, plusieurs parties de leur corps également.

* * *

Hélène trouva plutôt très charmant à sa sortie de la salle de bain de voir Steve endormi sur le petit lit jumeau au côté du sien. Elle marcha sur la pointe des pieds pour ne pas le réveiller.

JEUDI 6 AVRIL 2017 – SÉVILLE DE 4 AM À 4 PM

Où l'on ne suit pas tout à fait les traces de Carmen

Il lui est déjà arrivé de passer out dans des partys trop arrosés, mais se réveiller aux côtés de son ancienne professeure dépassait tout ce qu'il avait vécu jusqu'ici. Steve bondit hors du lit jumeau, cherchant à se remémorer la soirée : avait-il été malade ? Drogué à son insu ? Il ne sentait pas le vomi, il portait encore le linge de la veille, juste un bel épuisement.

Quatre heures du matin !

Il sortit tout doucement, apeuré de réveiller Hélène avec les grincements de la vieille porte de chambre. Non, elle ronflait comme une bienheureuse.

Il prit l'escalier en colimaçon jusqu'à son étage.

De la musique en sourdine provenait de la suite voisine, des éclats de rire étouffés, un lit frappant le mur à intervalles réguliers : gitanes et brigands s'amusaient ferme.

Steve fixa la poignée de porte de ses voisins de palier.

Était-il trop tard pour mal faire ?

Il cogna tout doucement pour le regretter aussitôt.

Niaiseux ! Il devrait s'en aller, mais l'appétit du sexe tuait toute logique. La porte s'entrouvrit sur le sourire aux dents blanches de Yann. « Steve ! Juste au bon moment, les filles voulaient se reposer un peu entre elles. »

Et les gars avaient envie de fourrer encore un peu.

Ce n'était pas dit ainsi, on était entre gens civilisés, on savait recevoir un invité ! Les visiteurs du soir lui furent présentés en bonne et due forme : Escamillo y Micaëla partageaient le lit, flambant nus ; elle en profita pour aller à la salle de bain, lui se retira de Cassandra. Steve resta sans voix à la vue du volume de son sexe, Yann surprit son regard. « Je t'avais pas menti, hein ? »

Il aurait eu la chance de partir, s'excuser, après tout, une grosse journée de visites l'attendait encore. Mais un peu de chocolat n'a jamais fait de mal à personne : Yann lui fit enfin lécher son index, chut ! pas un mot à personne. Aimerait-il une moitié de Viagra, ça aide à allonger les nuits et affermir les intentions.

Tire la langue, amen !

Micaëla proposa un joint de mi-parcours, oh la bonne idée.

Puffèrent les amis, malgré l'interdiction de fumer dans l'hôtel, qui n'a pas ouvert sa fenêtre et expiré dehors la boucane interdite ? Au loin, on voyait le clocher de la cathédrale ou était-ce un minaret, Steve rapidement perdit le fil. Car les filles l'aidaient à se déshabiller. « *Join the party !* Sinon on va se sentir gênées d'être à poil. » Hôtesse hors pair, Cass l'invita à passer à la salle de bain se rafraîchir – « Tu vas voir, elle est full cachet » –, laquelle contenait ce qu'il fallait pour que les gars se sentent pas mal d'aller tremper leur pinceau ailleurs.

Il serait leur trait d'union.

Lorsqu'il sortit de la douche, les amis avaient déjà repris leur conversation entre les jambes de l'un et de l'autre. Ne voulant pas qu'il se sente exclu, ils lui firent une place dans la joute oratoire. Les gars le touchaient peu, mais lui laissaient le champ libre pour tâter leur marchandise.

C'était la première fois, il le jure, en autant de groupes accompagnés, qu'il s'apprêtait à donner « le petit plus qui fait toute la différence dans le service à la clientèle ». De fait, il recevrait un peu trop d'attention à son goût. Mal lui en pris : il avait fantasmé sur Yann, toutes les femmes du groupe pourraient en dire autant, mais de là à passer à l'acte ?

Ce n'était pas violent. Les filles s'amusèrent de leur côté du lit, toutes langueur, langues averties sachant faire tinter leur clitoris ; parfois, elles se rinçaient l'œil, mais avaient d'autres chattes à fouetter.

Les matous s'occupaient entre eux, l'invité à quatre pattes y goûtait. À fond. « T'aimes ça, ma salope », lui lança alors Yann. Non, il n'aimait pas qu'on s'adresse à lui au féminin, le dit à voix haute, mais Escamillo lui en mit plein la gueule pour le faire taire. Il avait un argument de taille, et Steve, de l'expertise. Yann continuait sa besogne. « Grosse cochonne, ta boss est-tu au courant de ce que tu fais sur la job ? » Steve voulut se relever, ça devenait moins drôle d'être le gai de service et serviable, mais Yann l'enserra par la taille et le maintint en place.

Pour varier les manœuvres, les filles vinrent voir de près comment ils recevaient leur homme, ravies de voir leur membre viril disparaître à chaque extrémité du trait d'union. Cassandra embrassa son chum, se laissant empoigner les seins fermement pendant qu'il le pistonnait. Micaëla disparut sous lui pour voir ça de plus près et lui lécha les couilles. Steve en oublia ses protestations.

« Tu tripes fort, la guidoune ! » Il voulut dire non, il voulut arrêter. Mais, *tag team* oblige, Escamillo prit les commandes, le retourna sur le dos et lui tint les jambes en l'air pour avoir la voie libre. Tout en lui léchant les tétons, Micaëla lui susurra de se laisser faire, ça faisait moins mal et faisait durer le plaisir. Qu'il semblait éprouver, n'en témoignait-elle pas une imposante érection que chevaucha Cassandra ? Elle aimait bien la courbe de sa queue qui chatouillait délicieusement.

Puis, flip-flop ! les joueurs changèrent encore et encore les façons d'unir les solitudes ; Yann le vira comme une crêpe, lui enfonçant sa toute-puissance à volonté ; suggérant aux camarades des combinaisons – *tu ahi, ven aqui* – il menait les troupes, et Micaëla ne fit qu'une bouchée du sexe de Steve, encore luisant et goûteux des parfums de Cassandra.

À quatre sur lui et en lui, à ne plus savoir où donner de la tête ni du cul, Steve prit son trou, couchant ses dernières volontés sur le matelas. Yann et Camillo donnèrent à Cassandra le spectacle de leur virilité, ils lui commandèrent de rendre la pareille à Micaëla pendant que l'un ou l'autre ajouterait un wagon au train du plaisir. L'action redoubla, les insultes reprirent :

— T'aimes ça jouer avec nous autres, hein, ma putain subventionnée ?

— J'ai dit…

— Ta gueule pis savoure !

Yann connaissait ses angles et ses vecteurs, et alla droit au point J ; la prostate par trop stimulée, Steve eut honte de jouir à gros volume.

Et le souffle coupé de voir plus de sang que de sperme.

« *Are you sick, fucker ?* » D'une main ferme, Escamillo le repoussa hors du lit, la tête de Steve heurta le coin de la table de chevet.

Dégoûté, l'invité fila à la salle de bain se rincer en jurant, apeuré. Il sauta dans ses pantalons, la chemise ouverte, prêt à déguerpir. Micaëla enfila aussitôt sa robe, malgré la supplication de Cassandra de rester, qu'ils finiraient le party entre eux. Sonné, affalé au plancher, Steve pensa s'évanouir : le rouge de son sang perlait sur son torse, des gouttes tombaient de son sexe et de sa tempe fendue. Il voyait sa mort de trop près. Le tassant loin de lui du pied, Yann, dégoûté, renchérit : « As-tu le sida, crisse ? » Steve bredouilla que non, rassembla ses vêtements.

Mais la tête lui tournait quand même un peu.

Escamillo tira sa femme par la main, qui, obéissante, eut à peine le temps de remettre soigneusement son voile sur ses cheveux, au cas où ils croiseraient quelqu'un de la famille qui croyait qu'ils croyaient encore.

Les visiteurs du soir détalèrent à l'aube, laissant la porte ouverte.

Flambant nu, Steve s'esquivait. « Attends ! » Cassandra lui ramena gentiment un soulier oublié. Debout derrière elle, l'air mauvais, Yann fixa la putain malade avec tout le mépris dont il était capable, mais Steve soutint son regard. S'ils connaissaient les paroles de Carmen, ils auraient pu la citer : *Décidément, tu n'es pas fait pour vivre avec nous, chiens et loups ne font pas longtemps bon ménage.*

Cassandra ferma la porte. L'incident était clos. Séville cachait un secret de plus.

* * *

En se réveillant à neuf heures et demie du matin – « Mon doux ! » –, Hélène se sentit coupable de gaspiller sa journée. Vite, elle réduisit son rituel matinal à l'essentiel et n'appliqua pas sa dose usuelle de fond de teint. Complexée par sa peau jadis ravagée d'acné, Cassandra lui avait dit qu'elle exagérait : « On est toujours trop sévère envers soi-même. Il serait temps qu'on s'aime, sans attendre que les autres nous *likent*. » Une si bonne fille ne pouvait mentir. Hélène descendit en fredonnant : *C'est des contrebandiers le refuge ordinaire… Je dis que rien ne m'épouvante…*

Elle s'étonna d'être seule à la salle à manger. Les prestations de leur modeste hôtel n'étaient pas aussi généreuses qu'au Mélies : fallait se contenter d'un assortiment de viandes froides, un panier de fruits mollassons, céréales, pains à tartiner et « du fromage Kraft, franchement ! C'est effrayant ! » Heureusement que la ville magnifique compensait !

Hélène but son café lentement, relisant ses guides pour faire le difficile choix de visites. Tant à voir et si peu de temps ! Les Cousineau s'emmenèrent, les traits tirés, et volèrent quelques fruits.

— Vous avez dormi sur la corde à linge ? se mourait d'en savoir davantage Hélène.

— On s'est pris les pieds dans un bar à tapas ouvert tard.

— J'oublie chaque fois c'est quoi, un lendemain de veille, confirma Lise.

Pas grave ! Ce fut si agréable ! Main dans la main, ils allèrent grignoter leurs fruits dans la petite cour arrière où soufflait un petit air de vent. Hélène chantonna un rien plus fort pour accompagner leur rêverie.

Lorsqu'on peut s'attarder au lit en matinée, on sait avoir atteint une certaine intimité.

En fait, Guy et Chantal avaient collé les deux petits lits jumeaux la veille et s'y s'étaient endormis l'un contre l'autre, il y avait des siècles que ça ne leur était pas arrivé. Comme de faire la « chose » en toute connaissance de cause, lentement, avec le désir partagé que ça marche du premier coup. Il y eut d'agréables fous rires lorsque les lits s'espaçaient dans la joie de leurs ébats : « Attention, je vas tomber dans la craque ! » gloussa plus d'une fois Chantal, se sentant la plus chanceuse des femmes. Doux, prévenant, Guy avait du volume pour qu'elle sente tous ses efforts en elle ; il n'avait pas perdu la main et la fit frissonner plus d'une fois par des caresses savantes entre les jambes, vous savez là où les cuisses sont plus douces ? Il aimait coller ses seins de chaque côté de la tête et les lécher sans fin. Il dut s'arrêter souvent pour retarder l'explosion, au grand soulagement de l'élue. Ils firent l'amour par étapes, une station debout, un petit détour par la salle de bain, avec des pauses et des confidences, puis, Guy n'en pouvait plus, elle se stimula pour exploser avec lui. En même temps.

Avec en écho le tumulte de Séville, ils repensaient tous deux à cette première fois. La lumière trop forte du jour tuerait-elle le charme ? Verrait-il les replis abondants de sa chair ; serait-elle dégoûtée de ses cicatrices ? Chantal savoura le petit bec timide de Guy, sans peur d'avoir mauvaise haleine : ils avaient mangé tous deux la même chose hier soir. « Comme ça, si on pue de la bouche, on va puer égal. »

Il ne voulait pas la laisser partir, de peur de prendre froid, lui flattant doucement le dos, s'excusant si sa main était un peu rêche. Il lui faudrait un peu de crème. Une douche d'abord. « Je te laisse y aller en premier. » Elle s'entoura d'un drap, les vedettes d'Hollywood faisaient ça au matin dans les films. Mais eux ont des doublures pour les scènes de nu : c'est même pas leurs vrais seins qui font fantasmer les messieurs ! C'est injuste de devoir se battre contre l'industrie du faux lorsqu'on est une vraie femme. Mais ça n'empêcha pas Chantal de chantonner sous la douche. Guy trouvait qu'elle avait une jolie voix.

Et se surprit de bander encore une fois.

* * *

« Papa ? » Eddy avait dormi tard et s'inquiétait de ne pas voir ses parents au réveil.

— Maman ?

— Ils vont revenir ce soir, au souper ! tenta de le rassurer Mamie Bi, mais la lèvre d'Eddy tremblotait.

Oh, oh ! Ça sonnait début de crise !

Elle s'habilla en un tournemain, le kit mauve (qui avait déjà servi mais n'était pas vraiment sali), et le laissa choisir le sien dans sa petite valise. Il ne voulait pas se départir de son chandail de minou. « OK, mais mets ton costume de bain en dessous. »

Par la fenêtre de la chambre, Mam'Bi pouvait voir de jeunes familles à la piscine. Allemands, Italiens, Anglais, elle s'en foutait : avec des flotteurs et des petits amis, Eddy pourrait oublier qu'il s'ennuyait !

La chimie fonctionna entre les enfants, fiou ! Mam'Bi se cacha pour téléphoner à son mari : cinq heures du matin en Caroline du Sud, c'était son heure. Elle le réveilla, mais il était content de lui parler de vive voix. Ça allait ? Oui, mais…

Mais il n'avait pas complété son dix-huit trous. Inhabituel. « La mémoire du bras » – qui calcule pour nous force et distance – lui avait fait défaut comme l'énergie générale. Elle rageait d'impuissance à distance :

— Je te l'avis dit que ça avait pas de bon sens de se sauver de l'hôpital.

— Je me suis pas sauvé, j'ai refusé qu'on m'y enferme.

Ils jouèrent un peu sur les mots, elle redit son inquiétude, lui sa colère devant les traitements inutiles. « Crisse, y donnent même de la chimio aux chiens ! Maudite industrie à faire de l'argent. » Elle eut beau répéter que plusieurs s'en sortaient indemnes, il rappela qu'il avait en lui plus de dix-huit trous de cancer. Qu'elle arrête de s'en faire pour lui : il serait là pour l'accueillir à l'aéroport puis le temps de paqueter l'essentiel, ils repartiraient à Charlevoix, comme les saumons retournent frayer et mourir là où ils sont nés.

« *Are you all right ?* » La maman de la petite fille qui jouait avec Eddy avait vu ses larmes. Madame Bruchesi avoua simplement : « *My silly husband !* » La dame, Mirella, lui proposa un café.

Elle et son groupe venaient d'arriver. Elle n'avait pas encore été « en haut ». Madame Bruchesi se fit un plaisir de lui montrer le truc des deux cent trente-deux marches, une excellente façon d'épuiser un enfant. Elle n'osa pas passer la laisse à Eddy, qui se comportait bien devant sa petite amie Nadia. Ah les Italiennes, on sait faire ! pensait fièrement Yvonna Bruchesi, ravie de papoter plutôt que de s'inquiéter.

Elle montra à Mirella l'exquis resto précorrida près de l'église, « mais on était un peu soûls, c'était peut-être pas si bon que ça ». Elles trouvèrent des bons *deals*, et Mamie Bi en profita pour acheter un petit cadeau à son petit monstre ; un jouet qui ne se briserait pas dans la prochaine heure : un ballon de soccer, un vrai, l'officiel aux insignes de l'équipe nationale. L'eût-elle mieux connu, madame Bruchesi aurait vu le même ballon dans la bibliothèque de Javier : son ex-ex-ex jouait pour cette équipe, mais n'avait jamais avoué publiquement ses préférences. Le ballon était signé, la blessure aussi.

* * *

De retour à sa chambre pour s'y réfugier, Steve avait voulu se rendormir comme après un rêve étrange. Le *high* de chocolat le mit *down*, il se sentait sale ; il prit une douche interminable, lavant sous les ongles, frottant sa moustache pour ne plus sentir le sexe, mais sa tempe et le *danger zone* l'élançaient.

Le sang l'inquiétait au plus haut point.

Il fouilla sur le Net, et sa liste de symptômes le convainquit d'avoir bien des maladies. Le cancer de la vessie notamment faisait pisser du sang. Mais le sperme ?

Il dormit peu.

Le rendez-vous de dix heures arriva trop vite.

Hélène avait vu plus d'un étudiant crevé de ses nuits de galère, qui handicapaient souvent ses chances de succès. « Allez-vous être capable de me suivre ? » Séville lui avait redonné son énergie de jeune fille, elle voulait revirer la ville à l'envers ! La tête lourde, Steve négocia pour un compromis : on visiterait à vélo. Hélène en gloussa de joie. « En tandem ? J'ai toujours rêvé d'essayer ça ! » Elle offrit même de payer la location, mais voyant les coûts, négocia un repas en échange. Steve eut de la difficulté à enfourcher le tandem, la selle lui parut piquée de clous lui rappelant sa rencontre avec les brigands. Il conduisit sur le pilote automatique.

« Attention ! » Le cri d'Hélène et un klaxon le sortirent de sa rêverie, il porta toute son attention à la route. En raison de sa cheville encore faible ou de son mollet un peu enflé (elle en changeait la raison), Hélène profitait de la balade, le nez en l'air, donnant occasionnellement quelques coups de pédales. Elle le faisait rire, mais n'allez pas le répéter : détester Hélène Tétrault était d'usage au secondaire, et la snober, un triste acquis parmi les voyageurs.

La journée commencerait à merveille par le Musée des beaux-arts, sis dans un ancien couvent : « C'est gratuit, on serait fous de ne pas en profiter ! » Bonne idée, mais il imposa ses limites : « On passe vite sur les Jésus. » Il en avait assez de voir les souffrances de celui-ci et de sa bande ; cette sainte famille inventée pour culpabiliser les humains d'être faillibles, les femmes, d'être sexuées, et les parents, d'être impatients : on est tanné d'eux autres! Ils prennent trop de place dans les musées, comme nos ministres qui font toujours les nouvelles, sans tenir leurs promesses.

Au fil de l'exposition, traversant un des trois patios fleuris pour s'aérer les esprits, Hélène voulut en savoir plus. « Vous n'aimez pas la politique non plus ? » Il désespérait que ça change : Israël toujours en chicane, l'Afrique encore en famine, la Russie sous Poutine, la pollution grandissante. À chacune de ses visites aux États-Unis, il trouvait nos efforts de recyclage bien futiles devant la quantité astronomique d'emballages uniques jetés : le lait, le savon, le jus, le lave-glace... « Les hôtels emballent même les verres et chaque ustensile individuellement ! Notre monde est plastique ! » Chaque année, des vidéos de la Floride et de la Louisiane inondées circulaient, mais ça n'empêchait pas la construction effrénée de tours de condos au bord de l'océan. Il avait hâte qu'elles tombent pour qu'enfin les gens comprennent. Mais bon, ils avaient voté Trump, l'espoir d'éveil était mince...

Nous étions condamnés.

Son dépit lui déplut, elle l'encouragea à y croire encore un peu : « T'as quarante et un ans, c'est jeune. Y a des chances que tu voies une révolution verte. »

D'ici là, ils se mirent d'accord pour retourner voir le beau au-dehors. Mais, fit-elle : « Je conduis ! »

Sur les traces de Carmen ! Elle aurait habité, selon Hélène, dans un des vieux quartiers populaires « l'autre bord de l'eau ». Ils traversèrent le pont de Triana, où elle s'arrêta pour toucher les pierres. Sentait-elle quelque chose ? L'eau visqueuse du fleuve Guadalquivir en contrebas. Elle s'interrogea à savoir si le vélo existait déjà à l'époque de Carmen. Le pont avait-il connu son lot de manifestations ? Elle voulut fouiller sur le Web pour en savoir davantage ; il l'arrêta :

— Allez-vous vraiment retenir ça ?

— Je le fais davantage pour exercer ma mémoire. Quand vous serez vraiment vieux, vous comprendrez à quel point c'est notre plus grande peur.

— Peut-être, mais relaxez avec les dates. La dernière fois que j'ai guidé en Nouvelle-Écosse…

— … guidé ou accompagné ? fit-elle, moqueuse, n'en manquant pas une.

— Très comique, madame. Le guide historique d'Halifax a dû dire au moins cent fois qu'il y avait eu une explosion le 6 décembre 1917. Le lendemain matin en chemin, j'ai demandé pour le fun qui s'en souvenait : trois passagers sur cinquante.

— Quatre avec toi. C'est pas rien. J'ai enseigné trente-deux ans. On essaie d'ignorer ceux qui cognent des clous, on se concentre sur ceux pour qui on fait une différence. On peut pas changer le monde, mais en sauver un ou deux à la fois, ça oui.

Ils reprirent la route, doucement. Elle pédalait un rien plus fort dans ce vieux quartier, taisant la douleur lancinante mais pas les confidences. Elle se savait une professeure détestée. « J'étais pas folle, mais un laboratoire de sciences, c'est pas une cour de récréation. » Elle lui rappela sa chance de voir du pays et des gens différents à chaque destination, alors que les professeurs faisaient face aux mêmes classes parfois hostiles. « Quatre fois par jour revoir vingt-huit faces, quand c'est pas trente-quatre, qui haïssent en chœur ta matière obligatoire, c'est difficile d'avoir toujours un beau sourire. » Il la complimenta en disant que les profs chiants forçaient les étudiants à étudier. Sans elle, il aurait possiblement échoué. « Mais je sais pas pourquoi j'ai appris tout ça ! J'ai pus la moindre idée comment calculer les moles, les sinusites… » Elle éclata de rire, lui rappela la base d'un calcul différentiel, sinus et cosinus. « C'est ça ! Et le maudit tableau périodique des éléments en chimie. » Elle lui fredonna dans l'ordre « hydrogène, hélium, lithium, béryllium, bore, carbone» comme si c'eût été un air de Bizet. Elle buta sur le molybdène et le technétium, mais se rendit au cent dix-huitième, l'oganesson. Il l'applaudit, «mais gardez vos mains sur le guidon!»

Devait-elle tourner à gauche ou à droite?

Qu'aurait fait Carmen?

À gauche toute!

Hélène trouva le quartier charmant, persuadée que son héroïne y avait vécu, marchant chaque jour deux kilomètres aller-retour vers l'usine de cigares. Steve doutait:

— Elle a existé pour vrai?

— Elle est éternelle. Contrairement à nous.

Sa jambe malade l'élançait, il proposa une pause, mais elle voulut continuer un peu. «Il fait si beau! Si les nuages revenaient, je m'en voudrais!»

Et c'est là qu'elle la vit.

Sa nappe.

Dans une boutique de quartier, à un prix d'ami! «Carmen m'a porté chance!» Elle entonna avec entrain «*Holà, holà, José!*», un truc triomphant normalement chanté en chœur; jamais nappe n'aura été mieux accueillie dans une vie!

* * *

De Séville, Chantal et Guy ne virent pas grand-chose, mais ils l'avaient vu ensemble. À leur rythme, avec autant de pauses café qu'ils en souhaitèrent. Elle trouvait qu'ils voyageaient bien ensemble; Guy se plaisait à ralentir le pas, oubliant la cadence de la machine qui lui dictait d'ordinaire les mêmes gestes. Ils trouvèrent belles les maisons et les couleurs, même si «je mettrais jamais ça dans mon appartement». Ils étaient d'accord, c'était donc plaisant.

Parcourant ainsi les boutiques de l'Avenida de la Constitution et les échoppes de Calle Sierpes, Chantal cherchait un souvenir de ce premier voyage. Elle leva le nez sur les confitures, les cigares (ils ne fumaient pas ni l'un ni l'autre), la bouteille de vin qui se viderait trop rapidement. Il trouvait les éventails peints très jolis, mais Chantal se voyait mal jouer à l'Espagnole dans le métro Crémazie.

Elle trouva un parfum.

Elle en portait rarement, mais elle ne voulait plus de sa vie d'avant qui sentait la peur et le renfermé ; elle appréhendait même de réintégrer son appartement bruyant où, les jours de smog, l'odeur des autos empestait. Armée de son parfum, elle pourrait s'évader à Séville le temps d'une goutte derrière le cou.

— Vous sentez donc bon ! remarqua aussitôt Robert Cousineau lorsque les deux couples se croisèrent au détour d'une ruelle du vieux quartier juif.

— Oh, merci ! roucoula Chantal. C'est Guy qui me l'a offert.

Il allait répondre qu'il n'y était pour rien, Chantal lui donna un petit coup de coude complice. Lise confirma que c'était un bon choix : « On le sent quand c'est sur la bonne voie. » Ils s'en allaient au château, recommandé hier au souper par Yann et Cass. « Venez-vous avec nous ? » Et si on allait faire un tour de bateau plutôt ? L'embarquement se faisait tout près, on pouvait même boire à bord. Au fil du Guadalquivir, la bière locale – la Cruzcampo – parut si délicieuse à Guy qu'il voulut la prendre en photo. « Collez-vous un peu ! » Lise les immortalisa, enlacés, cheveux au vent… et bière brandie comme la Torre Giralda. « Ça va faire un beau cadre pour mon salon. » Dommage qu'ils vivaient si loin l'un de l'autre. Guy chassa le spleen et regarda défiler le site de l'Expo 92, qui ne lui parut « pas si pire » avec notamment un parc d'attractions, qu'il aurait bien aimé essayer, s'il avait su plus tôt.

Allant à vélo mollo dans Séville, Hélène se sentait bien. Le charme des vacances opérait, malheureusement elles s'achevaient. « Changez votre façon de compter, lui proposa Steve. Au lieu d'être en congé de vous-même 15-20 jours dans l'année, soyez-le trois cents jours ! On est bien hors du cadre, loin de la loi des Pères : *greater than God is your own good* ». Elle ne le trouva pas si con et fit un bref appel à Fripon, s'excusant de ne pas avoir le temps de lui parler : le temps file à Séville ! Il lui était carrément sorti de la tête, comme si Carmen pouvait oublier Don José ! Deux trois minou-menoum, elle eut faim, ça tombait bien. « Pédaler, ça donne soif, surtout pour un pédé ! » Elle s'étonnait qu'il s'insulte lui-même ; il s'arrogea le droit de rire de son histoire. Dans son enfance, PD, c'était Pas Déniaisé, avant l'odieux du pédéraste qui le rendit si coupable d'office. « J'ai visé le Ph.D, mais j'ai jamais réussi. Juste le H qui m'a déniaisé ! »

Près d'un square à peine assez grand pour y laisser jouer cinq enfants, ils s'attablèrent à un bistro de quartier, sans touristes ni voitures pour rompre le charme. Seules ombres au tableau : les tables et les chaises Coke en plastique verni ne payaient pas de mine. Hélène ne fit ni une ni deux et déballa sa nappe sur-le-champ. Elle la lissa de sa main, s'extasiant encore du tissu et des couleurs. Steve commanda du vin, elle demanda au serveur de les prendre en photo. « Tête-à-tête à Séville ! » Elle n'était plus à la course, élimina une xième visite de musée, davantage excitée par la salade de piments, juste assez piquante, le ceviche de poissons au citron explosant en bouche. L'alcool aidant, elle revint sur ses demi-réussites amoureuses :

— J'aime pas dire *échec*, car, si on n'apprend pas de ses erreurs, ça donne rien d'avancer dans la vie.

Ma mère disait que j'étais trop difficile et que ça allait me jouer des tours. « Tu te penses trop intelligente, les hommes n'aiment pas ça. » Les gars plates, je comprends qu'ils me fuyaient, je leur disais en pleine face qu'ils étaient cons. Y en a un qui m'a rappelé après que je l'ai insulté.

— Y avait pas grande estime de lui.

— Ou y reconnaissait ma valeur. On s'améliore au contact de gens différents, non ?

Elle laissa flotter sa question, qu'il ne jugea pas bon relever ; d'autant plus qu'elle se mourait d'envie de parler de son Marc.

— Y avait des beaux mollets musclés, ma partie préférée chez un homme. Je m'étais fait coiffer ; c'était l'époque où les bottes étaient aussi hautes que nos ambitions de refaire le monde ; j'ai sorti mon manteau de fourrure hérité de ma grand-mère, l'excentrique de Trois-Rivières. Ma mère m'a dit que j'allais effrayer mon cavalier, mais je voulais qu'y sache à qui y avait affaire.

— Et qu'y sorte son argent !

— Exactement ! Au début, c'était merveilleux, mais Marc avait des problèmes. La coke, ça fait pas toujours ressortir le meilleur des gens, hein ? Mais bon, c'est pas parce qu'une histoire finit avec un œil au beurre noir qu'il faut oublier qu'elle a bien commencé.

Un ange passa, puis le serveur avec l'addition griffonnée sur un papier blanc.

Il avait été convenu qu'on se rejoignait à l'hôtel à quinze heures pour marcher ensemble jusqu'à la gare. Les fumeurs en fumaient une dernière à l'extérieur et s'esclaffèrent, en voyant dévaler vers eux le tandem des inséparables Steve et Hélène. « Coucou les amis ! » Elle se chargea des bagages en consigne et envoya « son homme » reporter leur vélo à la boutique. Elle s'enflammait sur la ville, tout autant sur Steve qui avait été « for-mi-dable » avec elle. Elle montra à tous sa splendide nappe, elle remarqua seulement alors la minuscule étiquette « *Made in Turkey* ». Oh non ! Le vendeur lui avait pourtant juré qu'elle était typiquement espagnole ! Hélène grimaça de dépit, fut sur le point de développer un regret puis aussitôt coupa l'étiquette de ses dents : l'Espagne était ex-territoire arabe, sa nappe aussi !

Yann et Cass s'amenèrent les derniers, cheveux encore mouillés de la douche. Apprenant qu'ils avaient *chillé* au balcon toute la journée, Hélène fut scandalisée.

— Franchement, en Europe, faut voir des vieilleries !

— On a soupé avec vous hier soir, c'est assez !

Ils la riaient encore à bord du train.

* * *

« Y est pas tuable ! » Deux jours avec Eddy l'avaient épuisée. Comment ses parents faisaient-ils à longueur d'année ? Elle comprenait tellement qu'ils eussent cédé à la *puff* pour l'endormir dans ses périodes de crise, au moins avaient-ils leurs nuits pour récupérer.

Quand ils furent rentrés à l'hôtel, pour la sieste qu'il ne voulait pas faire et la douche « pas tout de suite », elle crut bon le laisser jouer au soccer dans le long corridor de l'étage, comme elle craignait pour les lampes et l'écran télé de la chambre.

Yahoo !

Dans sa grande jaquette de Fripon, qu'il avait adoptée (et que Mamie Bi n'avait pas voulu lui ôter par peur d'une crise), Eddy kickait le ballon en le ratant une fois sur deux. Il le lançait aussi contre les murs et les portes de chambres, fort heureusement vides à ces heures de *happy hour* et où s'ouvrait la salle à manger. « OK, c'est assez, un dernier coup, pis on vient prendre sa douche. » Elle voulait qu'il soit beau à croquer pour ses parents, un vieux truc de mamie avertie ! Elle tenta de lui confisquer le ballon : un sport en soi, car il voulait constamment faire « le dernier des derniers coups ». Il se savait adoré et ambitionnait un peu, ne la prenait pas au sérieux, il continuait peinard à lancer encore son ballon au bout du corridor. « Mon petit chenapan, toi ! » Elle voulut le retenir, il lui glissa entre les mains, elle fit le monstre « si je t'attrape, je te mange » ; surexcité, Eddy courut à l'autre bout du corridor, mais s'enfargea dans la trop longue jaquette de Fripon.

Bang !

Le front direct sur le terrazzo !

Eddy sonna l'alarme à pleins poumons : un blessé à l'étage, la lèvre fendue qui saignait abondamment. Catastrophée par la douleur de l'enfant, elle essaya de le calmer. « Chut, chut, c'est correct, c'est correct. » Mais ce ne l'était pas ! Il roula de grands yeux paniqués à la vue du sang sur le sol et sur les mains de Mamie. Elle prit un coin de la jaquette pour l'éponger, mais ça ne faisait qu'empirer l'état du petit qui se débattait. « Maudit soccer ! » pesta-t-elle, et elle l'entraîna dans la chambre. Il paniqua davantage de se voir saigner dans le miroir de la salle de bain. Voulant appliquer une débarbouillette humide sur la lèvre, elle s'efforçait de la maintenir en place, mais le petit n'arrêtait pas de gigoter. Il appelait maman et papa ; Mam'Bi geignait de culpabilité. « Je suis une mauvaise gardienne ! » Mais pas à ses premiers bobos d'enfant : elle sortit de la glace du petit frigo ! La coupure ne semblait pas profonde au point de nécessiter des points de suture, voulut-elle bien croire, mais sur le front, on devinait qu'une belle poque allait enfler. Son père va me tuer, pensa tout bas madame Bruchesi.

* * *

À bord du TGV Séville-Malaga, Yann trinquait avec les boys. Robert Cousineau avait acheté deux bouteilles de manzanilla et en versait aux hommes dans des verres à café en carton. « Et moi ? » insista Hélène. Ne manquaient que les cigares ! Tous en avaient acheté, mais souhaitaient les ramener intacts dans l'emballage. « Sont chiants des fois à la douane ! » Imaginez pour des pots de chocolat…

Steve gardait ses distances avec le charmant petit couple qui, eux, continuaient la *business as usual.* Les amis avant toute chose !

Il leur en voulait autant qu'à lui-même, détestait ce feeling de rejet, alors qu'eux avaient déjà oublié l'incident (et continué la fête sans lui). Épuisé, il s'endormit.

Pour fidéliser leurs amis à vie, Yann discourait des chances du Canadien de faire les séries, Cassandra tenait promesse et tenait salon. Au tour de Lise Cousineau !

Lise n'était pas la plus coquette du groupe, mais la plus déterminée, ça oui, et fière de ses cheveux blancs. « J'ai assez travaillé pour les mériter ! » Pour elle, se teindre, c'était vouloir revenir en arrière. « Et les femmes reculent assez comme c'est là. » Elle se désolait pour une petite-nièce qui s'était fait poser des seins pour son bal de fin d'études. Bénévole dans un centre de crise, elle ne comptait plus le nombre d'ados qui s'automutilaient.

— Trouvez-vous que vous avez brûlé vos brassières pour rien ?

— Non, mais je te brûlerais quelques barbes qui nous font la morale. L'expression BBQ, ça vient de là, tu savais ?

Cassandra l'ignorait et échangea un sourire complice avec son homme, semblant dire : « On a un bon groupe, on manquera pas de valises. »

* * *

Eddy n'était pas mort au bout de son sang.

Mais Mamie Bi s'étonnait quand même qu'il eût encore de la voix.

Il reprenait des forces, zombie gavé de chips, fixant les cartoons en espagnol.

Il se touchait la lèvre abîmée ; sur le front, une grosse poque était apparue comme prévu.

* * *

En descendant du train, Hélène s'étirait la jambe engourdie et demanda à Steve « si ça ne lui faisait rien » de traîner sa valise un instant. Il s'exécuta, n'en comptant pas moins les minutes jusqu'à la libération : après le train de banlieue, les deux cent trente-deux marches, sa mission Carmen serait accomplie.

Lise Cousineau courba la tête pour se protéger du courant d'air qui s'engouffrait dans le tunnel par peur d'être décoiffée : « J'aimerais ça que ça dure au moins jusqu'au souper ! »

Tous marchaient, pépiant gaiement. C'est Chantal qui reconnut l'homme au bout du quai. « Le premier *kick* de ma sœur ! » Javier portait sa livrée officielle de chauffeur. Steve sentit son cœur battre. En vingt ans de voyage, rarement on l'avait attendu aux arrivées avec des fleurs ou la pure joie de se retrouver. Dans sa gêne, il put paraître un peu sec : « *Qué haces aquí ?* » Mais il l'aurait serré longuement dans ses bras.

« L'autobus des Québécois est là », dit Javier avec un accent charmant. Les couples le suivirent, enchantés de ce petit extra qui leur évitait le Cercanía bondé en cette heure de pointe. Steve marcha aux côtés de Javier et se retint de ne pas le prendre par la main comme le faisaient les Cousineau.

Hélène fermait la marche, seule de nouveau. Sa valise lui parut très lourde, sûrement la nappe qui ne servirait jamais plus.

* * *

« Maman ! » En la voyant arriver à l'hôtel Mélies, Eddy courut dans ses bras. De peur d'être grondée, madame Bruchesi resta en retrait, agrippée à la poussette contenant tout le kit du *sleepover*. Devant le visage meurtri de son petit homme, Cassandra poussa un cri. « Qu'est-ce qui t'est arrivé ? » La lèvre guérirait-elle sans laisser de cicatrice ? La montagne sur le front se résorberait-elle ? L'épuisement de sa nuit la rendit moins tendre auprès de Mamie. « On vous faisait confiance ! Aviez-vous encore pris de la drogue ? » Se voyant honnie, madame Bruchesi encaissa l'accusation en courbant la tête. « C'est pas de ma faute. » Yann la remercia et excusa l'impatience de sa blonde : « Faites-vous-en pas : tous les mois, y se pète la fiole. La tablette, c'est ben moins dangereux que la vraie vie. » Il reprit la poussette, rejoignit son petit chaudement blotti contre sa mère qui lui flattait les cheveux, ne cessait de l'embrasser. La petite famille fila la première vers l'ascenseur, au passage Cassandra jeta un regard mauvais à Mamie Bi.

Que c'était donc ingrat !

Elle méritait un deux pour un.

Les sœurs Trépanier renouèrent.

Nadine ne souffla mot de ses aventures olé-olé ; Guy parut gêné d'être présenté plus qu'officiellement, surtout lorsque Chantal demanda à sa sœur : « Ça te fait rien de dormir toute seule jusqu'à la fin ? » Sans attendre la permission, elle passa ramasser sa grosse valise et alla rejoindre Guy à sa chambre quelques portes plus loin.

Nadine était contente que sa guenille de sœur ait trouvé ce torchon. Elle prit quelques minutes pour répondre aux courriels négligés, sans voir qu'elle se parlait toute seule.

« Pis, c'était comment ? » Les Boute-en-train se racontèrent mutuellement ces deux journées : Séville en valait la peine, et décrocher sur la plage, tout autant. Des voyageurs espéraient accrocher Steve pour lui poser des questions sur l'excursion de demain : qu'y avait-il tant à voir à Antequera ? Mais nulle trace de lui au Mélies.

Javier l'avait kidnappé. La navette parée pour le départ du lendemain, il n'aurait pas à faire de détour pour passer au garage, il pourrait dormir une heure de plus si Steve voulait bien de lui.

Steve ne voulait que lui. C'était là sa joie et son problème.

Mais il devait lui dire quelque chose.

Il lui fit honteusement le récit écourté de la matinée, surtout l'explosion finale, ce sang qui sonnait la fin des réjouissances. Craignant qu'il visse sa blessure à la tempe, pressentant le rejet, Steve gardait la tête baissée.

« *Conos !* » criait Javier aux conducteurs trop lents. Il aurait pu se rendre là les yeux fermés. Ils débarquèrent en plein repas à la fermette des vieux amis, s'excusant de déranger. Javier eut droit à une coupe de vin, Steve à une consultation. Connaître un docteur, même à la retraite, avait ses avantages. Devant cet étranger, Steve escamota certains détails : il oublia de mentionner la présence d'Escamillo y Micaëla, ne voulut pas mêler ses clients Yann et Cassandra à son histoire, alors il avoua plutôt s'être masturbé. Mmm… Au lieu de devenir sourd, vieille peur d'adolescence, il avait saigné sa culpabilité.

Hématospermie.

Le diagnostic était simple, le vieux docteur, prêt à retourner à table. Steve l'arrêta : il n'avait pas un cancer de la vessie ? Y avait-il eu préalablement des brûlures et élancements ? « *Quizás…* » Bon ! Il avait alors une maladie transmise sexuellement, la gaieté comportant sa part de risques. Le médecin lui rédigea une ordonnance pour traiter sa chlamydia. Avait-il un partenaire régulier à aviser ? Oh, la gêne…

Javier reçut la nouvelle comme jadis on recevait l'absolution à la confesse. Est-ce qu'on pouvait parler d'autre chose ? Vous prendriez bien un autre verre de vin ? Steve restait là, abasourdi. Non, il ne mourrait pas au bout de son sang, non, il n'était pas une putain subventionnée, mais un gars en perte de repères. « *Calmate !* » Javier lui enserrait la main en rigolant sous les étoiles, à discuter politique internationale et ragots locaux. Un souper entre amis des plus ordinaires et des plus agréables.

En entrant dans la salle de bain, Hélène poussa un cri de mort lorsqu'elle vit des serviettes maculées de sang. Sa cheville manqua de lui lâcher de nouveau lorsqu'elle ramassa un petit tas en boule sous le lavabo : sa jaquette souillée de sang séché, avec des traces de doigts ensanglantés sur le pelage de Fripon qui lui donnaient des allures de tigre tué en safari.

Hélène se signa, pressentant le pire.

Vendredi 7 avril 2017 – Antequera

Où Javier s'avère essentiel

En l'absence de Steve, madame Bruchesi avait mis le paquet pour partir le buzz : la petite balade à Antequera n'était pas à rater pour tout l'or du monde !

La garde rapprochée des sorteux, les « réguliers », ne se firent pas prier, mais à ceux qui se demandaient ce qu'il y aurait à voir : « Juste des choses qu'on a pas chez nous ! » Les voyant tentés, elle avait ajouté : « On va être reçus comme des rois ! À ce prix-là, c'est donné ! »

Sa verve avait porté fruit : ce serait *sold out !* Ivre de ce succès, et des relents des deux pour un de la veille, elle ne s'attendait pas ce matin à être grondée par un Steve affolé.

— Vous avez promis un dîner inclus ?

— Ben, à Grenade…

— C'était de la marde ! Le grossiste vous a emmené à une place cheap. J'ai jamais parlé de repas fourni ! Je vas arriver dans le trou.

Il ne s'attendait pas à la voir pleurer ni péter sa coche parce qu'il était aussi ingrat que ses enfants ! « Je suis censée être en vacances pis je me ramasse à garder un monstre ! Ça fera ! » Heureusement, Steve put compter sur Javier, qui calma la donne et la madone, comme il l'avait fait avec lui la veille. Il passa son bras autour de la dame et l'invita à entrer la première dans la navette. Pour les groupes qu'il voulait chouchouter, Javier passait toujours à sa boulangerie préférée faire le plein de biscuits et de café frais dans un immense thermos.

« *Mi Reina, con lèche o azúrar ?* » Madame Bruchesi prit son café noir, le jugea bien meilleur que celui de l'hôtel, mais c'est l'odeur de ces joues fraîchement rasées qu'elle apprécia. « C'est ton ordinaire, ou tu fais ça pour Steve ? » Les deux : Javier était un professionnel du service client, clairement amoureux. Quand un yin trouve son yang, ça roule, même si tout se terminait dans trois jours.

Pas le temps d'être chagrin : *hop la música !*

« C'est pas un peu tôt pour ce genre de bruit ? » demanda Hélène en entrant. Javier la fit tournoyer sur elle-même et offrit quelques biscuits « *à la más linda de la Costa del Sol* ». Hélène le crut et grignota toute en joie. Détendue, elle avait pris ses précautions, craignant une mauvaise connexion dans ce petit village perdu. «J'ai utilisé le wifi gratuit de l'hôtel pour envoyer une petite vidéo à Fripon à l'Hôtel des compagnons. À lui montrer à midi pile, pour ne pas briser ses habitudes ! » Elle répéta à ses voisins de siège combien Séville avait été extraordinaire et qu'Antequera avait besoin d'être à la hauteur. « C'est classé juste une étoile dans mon guide… » Son naturel chiant était revenu au galop ! Détendu, Steve lui confirma ainsi qu'aux sceptiques que ce serait la plus belle journée de leur vie… jusqu'ici. « On est entre bonnes mains ! » Il enserra l'épaule musclée du chauffeur. Hélène trouva cette marque d'affection un peu déplacée : travailler dans le public imposait un devoir de réserve sur sa vie privée. Ces jeunes se croyaient tout permis !

Et la génération suivante empirait : l'enfant mal élevé entra en criant à tue-tête : « Mamie Bi ! » Hélène chercha à pincer la joue au passage du « petit chenapan qui a détruit ma jaquette ! », mais Eddy l'ignora totalement, tout comme ses parents qui, sans une excuse, lunettes fumées et air de *hangover* en prime, filèrent s'isoler au fond de la navette. L'enfant-roi voulut retrouver sa reine mère adoptive, mais Cassandra le lui interdit. « Elle a besoin de se reposer, reste avec nous, joue avec ton toutou. » Elle lui fourgua dans les mains un petit taureau rapporté de Séville, acheté à la gare par excès de culpabilité – « On a rien ramené au petit ! » Madame Bruchesi fut chagrinée elle aussi de la mise au ban et prit un *refill* de café pour faire passer l'amertume.

Les jeunes parents auraient préféré une simple journée à la plage, mais souhaitaient cultiver leur amitié avec les Futures Matantes, filles à peine plus âgées qu'eux mais ennuyantes au possible. Elles se vantèrent de leurs flirts Tinder – qui parurent bien chimériques aux oreilles de Yann (il savait quand une femme fourrait pour vrai) – alors Cassandra les invita à venir avec eux à un party sur la plage samedi soir près de l'hôtel.

— Est-ce qu'il y a un *cover charge*?

— Non, pis c'est un DJ connu !

Les DJ sont toujours connus quelque part dans le monde… Yann surenchérit que les gars seraient légion, de quoi ravir le trio de célibataires. « Comptez sur nous ! » La machine politique Yann et Cass consolidait son avance et marquait des points : soixante-douze pots à ramener au pays, ça prenait des cruches.

Lorsque la navette s'engouffra dans la campagne cachée derrière ces villes balnéaires, Chantal Trépanier crut reconnaître le chemin de sa première excursion, mais Javier rayonnait de fierté. « *Todo es nuevo ! La nueva vida empieza ahora !* » Chantal et Guy prenaient goût à ces sorties du cadre quotidien. Guy lui avait vanté le bateau des îles de Sorel prévu à leur retour, et elle, une marche sur le mont Royal (en se stationnant en haut pour ne pas avoir à le gravir). L'avenir leur paraissait possible.

Assise à l'arrière, Nadine vérifiait le cours de la Bourse et effectua trois transactions. Elle mourrait peut-être seule, mais pas pauvre et criblée de dettes.

* * *

De quessé ? Des flamants roses par milliers.

Non pas deux ou trois parqués dans un enclos bétonné de zoo, mais une colonie entière dans un vaste lac bordé de joncs. « Sont beaucoup ! » s'exclamait Eddy, juché sur les épaules de son père, marchant en tête de file. Les murmures étonnés des voyageurs n'arrivaient pas à enterrer le pépiement bruyant de tous ces oiseaux venus s'accoupler avant les grands envols migratoires. Des clôtures empêchaient les voyageurs de s'approcher des aires de nidification, mais un autre sentier permettait d'aller plus en avant.

— On a-tu le temps ? demanda Chantal.

— C'est votre journée !

Une sortie de groupe pas calculée à la minute près, c'est fête ! À la queue leu leu, les voyageurs s'enfoncèrent dans ce sentier boueux ; les flamants roses indifférents à leur présence plongeaient la tête à l'eau pour s'y nourrir.

Comment faisaient les couples de flamants pour se rencontrer ? Avaient-ils des phéromones comme pour les humains ? Ou la bête loi du premier arrivé, premier servi ? Les flamants étaient-ils fidèles comme les loups et les dauphins ? Et ceux-là au plumage jaune, d'autres au rose plus flétri, étaient-ils les plus vieux de la colonie ou des ados qui ne se sont pas encore affirmés ?

— Vous devez savoir ça, vous ? demanda Robert Cousineau à Hélène.

— Je ne suis pas en devoir, répondit-elle, boudeuse.

Les flamants n'étaient pas à ses yeux une véritable sortie culturelle. Les amis fumeurs au contraire étaient ravis : ils adoraient les zoos, y allant à chacun de leurs voyages. « Après tout, eux autres aussi, c'est des locaux ! »

La lagune accueillait aussi des hérons et des cigognes, perchés tout au fond. Il leur aurait fallu des jumelles pour mieux les voir, pesta Lise ; Guy lui prêta les siennes.

Eddy glapissait de joie, il n'avait pas assez de ses deux yeux pour tout les contenir. Le trouvant trop mignon, madame Bruchesi demanda la permission à sa mère de prendre « votre enfant » en photo avec les oiseaux. Cassandra enterra la hache de guerre : la vie était trop courte pour se bouder. Javier prit une photo de la petite famille élargie avec Mamie Bi, rayonnante, photo qu'elle publia illico sur Facebook en les présentant comme ses pushers de bonheur !

Après ce départ canon, ça jasait fort à bord de la navette, prémisse joyeuse d'une journée réussie. Javier et Steve se firent un *high five*, l'équipe du tonnerre ! Mais, se plaignant de maux de tête, Hélène demanda un peu de silence à bord. « Coudonc, avez-vous mal dormi ? » Oui, sans sa jaquette fétiche pour la rassurer et surtout car sa coloc était ENCORE entrée aux petites heures (minuit pour être exact), après le spectacle de danses tropicales. Sans compter des jeunes qui riaient sur la plage à l'heure où les honnêtes touristes essaient de dormir. Steve la prit en pitié, comme ce devait être lourd de générer chaque jour des frustrations et des rancunes ! La plaignante se fit alors suppliante :

— Nous passerons à côté des dolmens de Menga, ce serait un sacrilège…

— *Dólmenes* ? crut comprendre Javier, l'oreille fine et le service client à même son ADN.

Il changea à l'instant son parcours, et cinq minutes après Steve put annoncer au micro : « Arrêt photo ! Des ruines préhistoriques ! » Hélène n'en revenait pas qu'on ne prenne pas la peine de les voir pour vrai, « ce serait instructif ! » Mais, sur les vingt-cinq voyageurs, seule la moitié jugea bon sortir du véhicule. Gang de blasés ! Elle fit à sa tête de cochon, grimpa en direction du tumulus pour pénétrer dans le dolmen. Elle y prit un *selfie*, sombre comme son humeur. « Au moins, j'aurai une preuve que j'ai été préhistorique ! » Oh, ça oui, elle était d'une autre époque !

« *Bienvenidos a Antequera! Mi madre nacio aqui, siempre vinimos los domingos y en la Pascua par ver mis abuelos!* »

Sa grand-mère préférée (facile, l'autre était morte) recevait régulièrement la famille, cousins et cousines y compris, jusqu'à ce que la vie les disperse et que les morts les ramènent au bercail : les funérailles à Antequera furent nombreuses, le caveau familial attendait même Javier un jour. Pas de presse ! Steve traduisait au fur et à mesure, mais tous pouvaient comprendre l'émotion et la fierté de leur chauffeur pour son coin de pays. Lise résuma : « C'est comme moi si je vous emmenais à Saint-André-de-Kamouraska : l'affection pour son chez-soi, ça devrait valoir une étoile de plus sur un guide de voyage. » Hélène se sentit visée ; personne ne la comprenait (et tous avaient compris qu'ils ne la voulaient pas comme amie). Les Futures Matantes, en manque de shopping, s'inquiétaient de ne trouver rien d'autre qu'une boulangerie et une pharmacie. Les fumeurs n'iraient pas « encore » dans un musée, Hélène osa leur dire :

— Faudrait surtout pas que vous soyez cultivés !

— Hey, la frustrée…

Javier mit fin à l'hostilité naissante avec son sourire désarmant :

— *Antequera no cambio mucho, no fue destruido por guerras o por el turismo como la Costa. Es como un museo del tiempo pasado.*

— C'est comme si on voyageait dans le temps, traduisit Steve à sa façon.

Dans cette ville oubliée par les temps modernes, lovée entre les montagnes et la campagne environnante, Javier leur conseilla même d'éteindre leur téléphone, gorgez-vous les yeux ! Il pouvait leur donner des liens Web aux vidéos et photos superbes. Madame Bruchesi trouva cette fois qu'il charriait un peu : rien ne battrait son talent de photographe. « Mille huit cent soixante-sept photos à ce jour, toutes écœurantes ! »

Javier distribua une carte photocopiée de la ville où de petits X indiquaient ses endroits préférés. Vite, Guy confia sa carte et sa destinée à Chantal : c'est toi qui choisis ! Hélène grogna que sa copie était pâle, le nom des rues se lisait mal. Steve l'aurait giflée, mais Javier enlaça plutôt l'enquiquineuse, qui sursauta, ayant perdu l'habitude du contact direct. « *No te puedes perderte aqui. Hay dos pingas !* »

Les deux tours d'églises (San Augustin et San Sebastian), montrées de visu, servaient de repères évidents, mais Steve se retint de traduire ces deux *pingas*/pénis, sachant que ça en offenserait quelques-uns (mais ravirait Lise qui trouvait que l'institution patriarcale avait bien besoin d'être déboulonnée).

— Il a le tour avec le monde, chuchota-t-elle à Steve.

— J'y cherche encore des défauts.

— Pourquoi tu cherches le malheur ? Y a assez de cyniques dans le monde comme c'est là. Dis merci à la vie si elle te gâte enfin !

Steve encaissa cette vérité.

Rendez-vous fut donné pour midi, « *Aquí mismo* », la navette garée devant une auberge encerclée sur la carte. Avant de laisser le groupe, habilement, Javier fit saliver les clients avec la description du repas « typique » et une coupe de vin pour seulement quinze euros. Un extra fort raisonnable qui n'avait rien d'une extorsion. Bien entendu, Hélène s'insurgea :

— Le dîner était inclus !

— *Por supuesto !* termina Javier : une soupe aux légumes et un sandwich au jambon.

Mais s'ils le souhaitaient, les aubergistes pourraient préparer un repas typique comme ils l'offraient aux familles après les noces, les baptêmes ou les funérailles. « C'est déjà tout pensé, l'interrompit Guy. On veut bien manger ! » Le petit monsieur tout seul d'hier prenait du poil de la bête depuis qu'il n'avait plus l'air d'une chenille à poils ! Et puis sa blonde, un nouveau mot pour lui tellement doux en bouche, prenait goût à une vie plus épicée. Leur enthousiasme fit boule de neige, tous les clients se permettraient les quinze euros en extra. Steve regarda amoureusement Javier, qui venait encore de lui sauver la vie, mais celui-ci ne faisait que remettre ce qu'il avait déjà reçu : un ex l'avait dépanné dans une période creuse de la vie, c'était la juste loi du retour. « Bonne visite ! » Javier confirma aux aubergistes qu'ils prendraient la totale, sauf une qui se contenterait de la soupe et du sandwich prévus au programme. « J'ai assez fait d'excès à Séville, culpabilisait Hélène. Mon estomac est encore fragile. » Par trois verres de vin ! Souffrance que ça semblait difficile, être une sainte.

Et triste. Elle partit seule découvrir cette ville à une seule étoile.

* * *

Son petit plan en main, chacun explora Antequera au gré de sa fantaisie, une chasse au trésor mais sans course. Les Lycra n'avaient pas compris cette subtilité et grimpaient déjà dans la partie montagneuse de la ville, attirés par ses anciennes fortifications. Les musulmans protégèrent leur royaume de la reconquête espagnole durant deux cents ans, les Lycra mirent cinq minutes à en faire le tour.

Chantal et Guy s'invitèrent à suivre les Cousineau, « si ça vous dérange pas » : côtoyer de vieux couples portait chance, et on y apprendrait des trucs pour durer. Aujourd'hui :

1) ne pas se piler sur les pieds, chacun ayant son rythme ;
2) ne pas sauter d'étapes : l'humain résiste au changement, même s'il vit emmuré dans de vieilles douleurs, il a peur de l'inconnu ;
3) écouter les désirs de l'autre.

D'un commun accord, ils firent la tournée des maisons des riches, ces palais baroques toujours habités. Ceux-ci n'avaient pas deux garages, mais s'enorgueillissaient d'avoir de belles façades ouvragées : Antequera comptait sur une école de sculpture, alors emmenez-en des statues et enjolivements ! Voyant les Cousineau le nez en l'air à se pâmer sur des pierres, Guy et Chantal firent de même. « C'est rare qu'on regarde par en haut. J'ai tellement peur de piler sur une crotte de chien. » Lise Cousineau lui expliqua que les mouvements totalitaires méprisaient les arts et faisaient taire les intellectuels. « Comme chez nous », ajouta Robert.

Steve déambulait dans les souvenirs d'enfance de Javier. Là, l'école primaire, avant le déménagement plus près de la côte; ici, le parc des premiers matchs de foot et blessures aux genoux. Et, enfin, la pharmacie pour aller y chercher l'antibiotique qui viendrait à bout de la chlamydia. Javier entra sa tête dans le commerce, gêné d'y reconnaître une amie de la famille au comptoir, il chargea Steve de lui ramener sa dose. Il n'y avait ni drame ni blâme, comme une simple crevaison qui surviendrait au milieu des vacances. Puis la balade se poursuivit.

Ahi, los mejores pasteles del mundo! Parce que c'étaient les premières goûtées.

Aqui, la maison de l'*abuela*, où les repas dominicaux s'éternisaient. À quinze ou seize ans, il s'emmerdait à entendre parler politique à table ou sa mère se plaindre de la grande sœur partie à Madrid « qui ne reconnaissait plus sa famille ». Javier ado avait alors la permission de s'esquiver; il tournait le dos aux *palacios* et se ramassait soit à errer dans les boisés aux limites de la ville ou dans le parc près des arènes. Il ne le savait pas alors, mais c'était aussi des lieux de *cruise* d'homosexuels, peu nombreux et beaucoup honteux, mais il fallait bien que le corps exulte. Il y rencontra Gino, un gars de la place, à peine plus vieux que lui mais qui travaillait déjà en construction. Pour l'aborder, Gino prétexta avoir besoin de feu. Ça s'est fait vite, cachés derrière un arbre, excités par l'interdit, jeux de mains pas vilains du tout. « *Este roble.* » Le chêne en question tenait encore debout. Comme Javier qui, à cinquante et un ans, affichait fièrement son âge, sans amertume lui courbant l'échine ni bedon de colère réprimée. (*Hunger/anger* sont si proches, pas étonnant que tant d'Américains soient si gros et hargneux.) Steve l'embrassa avec fougue. Les dix années qui les séparaient s'oubliaient aisément: Steve assumait lentement l'idée de vieillir, entouré d'exemples qu'il était possible de le faire en beauté.

Madame Bruchesi avait été attirée par la tour de la forteresse, pensant que c'était un château de princesse. Fatiguée par la courte ascension, elle s'affala dans le jardin en face, Plaza de los Escribanos, où elle écrivit à son mari de yvonnabruchesi@hotmail.com :

Bonjour mon grognon préféré,

Tu dois être sur le chemin du retour de ton voyage de golf; salue bien tes chums, même le gros colon à Raymond qui me tombe sur les nerfs. Moi, je visite une belle petite ville antique, voyons, le nom m'échappe déjà, en tout cas, c'est ben beau. Les jardins sont déjà tout en fleurs et les plantes sentent différent. La Costa del Sol est pas mal plus variée que je pensais. Il y a même des terrains de golf, on pourrait revenir un jour! Bon. Je sais que ça n'ira pas en s'améliorant, mais j'ai envie de rêver encore un peu. Je suis certaine que le bon air de Charlevoix va t'aider à guérir. Ça s'est déjà vu. Souviens-toi de notre voisin à qui ses médecins avaient donné un an à vivre : il a vécu six ans. Abandonne-nous pas aussi vite. Je t'apporte une belle surprise chocolatée, ça va aider à réduire tes douleurs et enrayer la progression du mal, je suis certaine. Je t'aime, ma tête de cochon.

Ta vieille femme de toujours, Yvonna

Elle chassa un début de sanglot, son mari n'aimait pas les grands épanchements et qui prend mari prend ses plis. Le message envoyé, elle se demanda s'il était trop tôt pour un premier verre. Jamais trop tôt pour bien faire.

Cassandra était fière de ses hommes.

Sur la carte photocopiée, Yann avait décodé les icônes de fontaines, transformées en jeu pas fou du tout. « Un autre splouch ? » Déshabillé en bedaine, Eddy pouvait jouer autour et surtout DANS les fontaines publiques. La première dégoûta Cass avec sa couche de mousse verdâtre sur les rebords, mais n'empêcha pas fiston de tenter d'attraper les sous dans le fond. Cette fontaine-ci, près d'un des clochers-pénis, s'avéra plus propre avec, en bonus, des oiseaux. Laissant Eddy s'amuser, ses parents amoureux fixaient le soleil, se remettant de la nuit blanche à Séville. Un monsieur vint les avertir qu'Eddy croquait des sous et qu'il vaudrait mieux garder un œil sur lui. « Excusez. *Gracias...* » Gênée de passer encore pour une mère indigne, Cassandra installa le définitivement trop grand enfant pour une poussette dans celle-ci, Yann fit un sprint. « À la statue du Capitaine ! À l'attaque ! » Yann zigzagua, faisant des pirouettes avec la poussette, son fils s'agrippa en hurlant de rire et d'effroi. Cassandra soupira d'aise : fini les nuits d'insomnie, les *puffs* pour endormir et les remords. Comme un enfant normal, Eddy n'avait pas demandé à jouer avec les tablettes d'aucune des dames dans la navette. Elle pouvait tourner la page sur cette époque. (Mais jusqu'à quand ?)

Le musée des Capucines et celui de la mère de Jésus laissèrent Hélène sur sa faim. S'y vendaient là aussi des bouts de bras de saintes dans le formol et des morceaux du saint suaire au-then-tiques, franchement ! La religion en petits morceaux *made in China* lui leva le cœur. Elle se surprit à passer tout droit devant le Musée de la ville, mais dut se l'avouer : elle était tannée d'apprendre des choses. Sa soif de connaissances ne s'étanchait jamais et la laissait plus fourbue que repue. Elle grimpa à son tour dans la partie haute de la ville, parce que dans l'effort son cerveau fonctionnait moins. Ça la reposait de ne penser à rien, c'est plate que ça lui arrivait rarement: « Ça m'apprendra à être intelligente. »

Bien qu'athées, les Cousineau appréciaient la beauté des églises. Antequera en comptait trente-deux, fallait au moins en voir une ! Bingo ! Celle-ci ressemblait à un gâteau de fête débordant de crémage, des colonnes de marbre vert et rose paraissaient tressées, serties de petites fleurs en sucre décoratives. Ils s'avancèrent vers son autel tout en rondeur et brillant de mille feux.

À la honte de leurs parents, depuis longtemps disparus, les Cousineau ne s'étaient jamais mariés. Ils avaient fort bien vécu dans le péché, en avaient redemandé, madame exigeant son dû, monsieur plus que content d'y consentir. Robert Cousineau s'était senti désiré depuis le premier jour, allumé par la verve de sa forte tête. Sans s'annoncer, il lui prit doucement la main et lui fit face devant l'autel.

— Je sais que ça fait juste cinquante-deux ans qu'on est ensemble pis qu'on attendait d'être certains de notre affaire… mais qu'est-ce que tu dirais qu'on se marie avant le dîner ?

— Oui, je le veux. Parce que quand t'étais jeune t'étais trop niaiseux.

Riant, les yeux mouillés, ils s'embrassèrent ; Guy et Chantal, émus, ne dirent pas un mot, officiels témoins de la noce minimaliste. Bon, Chantal pleura quand même un peu, Guy prit en photo les nouveaux mariés de soixante-douze ans, puis la vie reprit son cours normal : Lise se moucha, Robert prit le kleenex souillé et partit à la recherche d'une poubelle.

Vite, Hélène se cacha dans un confessionnal pour ne pas être vue des deux couples qu'elle enviait. À tant craindre la peine d'amour, elle n'en avait pas connu l'ivresse. Oh l'amertume de ces occasions ratées ! La petite soupe aux légumes la ferait-elle passer ?

* * *

Arte de cozina al Coso San Francisco! Bienvenue à cette vieille auberge espagnole pour un festin de rois ! « Et de reines, précisa Lise avec raison. Nous sommes en majorité. »

Chantal se pâmait sur les vieilles poutres, madame Bruchesi les avait déjà prises en photo. Deux longues tables et de grands bancs en bois avaient été montés dans la cour intérieure, une vigne courait le long du crépi, et ça sentait bon dès l'entrée.

Les Boute-en-train trinquèrent sans attendre à cette belle matinée qui avait filé comme un éclair, Mamie Bi proposa aussi un toast à leur super accompagnateur et à leur chauffeur. Hélène trinqua à l'eau et à l'aspirine.

Le service débuta sans tarder : par ici la bouffe !

Cuisiner au volume simplifiait la vie de tous, réduisait l'attente et les coûts ; et s'il y avait attrape c'est que la visite de la ville donna soif : le premier verre offert devint vite bouteilles commandées ! Javier et Steve recevraient 10 % en commission, la contravention de Malaga était chose du passé, ils pouvaient envisager l'avenir et boire en se regardant dans les yeux.

« Aux beaux débuts », insista Lise, qui voulut faire tchin-tchin avec eux.

Les soupes à l'amande et à l'ail englouties, les premières bouteilles vidées, on se passait les corbeilles de pain tiède à tremper dans trois sortes d'huile d'olive. « C'est leur propre production, claironna Steve, ils en vendent si vous en voulez ! » Informée de la chose, Cassandra se mit à pleurer. Ses voisins de table voulurent savoir pourquoi l'huile d'olive la troublait à ce point, mais « elle ne voulait pas gâcher leurs vacances avec ça ». Elle s'appuya contre sa chère Mamie Bi et tenta de réfréner ses sanglots.

Mais la belle Cassandra, l'amie de tous, était inconsolable.

Ben là, tous voulaient savoir ! La jeune maman leur exposa la situation : « Au salon, je fais des mokaccinos et des chocolats chauds à mes clientes, c'est ma marque de commerce ! On a trouvé le meilleur chocolat au monde, j'en ai acheté trois boîtes à prix d'ami ! Mais j'ai appris qu'on dépassait le quota permis, on va être imposé le gros prix ! Je mange tous mes profits, moi qui pensais me rembourser pour Eddy… » Et, *on cue*, son fils lui fit un beau câlin. Cassandra le serra contre son cœur de mère, Yann entoura ses amours de ses bras musclés : « Shh, shh, on va passer au travers. »

Leur performance ne leur vaudrait pas un Oscar, mais attendrit tous les cœurs ; surtout lorsqu'on sut qu'ils avaient dû aussi payer le voyage au prix d'un adulte pour l'enfant. Du vol ! mais ça valait la peine, y est tellement plus calme ! Ça oui, tous se souvenaient de sa crise de nerfs dans l'avion, de ses rages à la salle à manger de l'hôtel ou des hurlements de manque des premières nuits.

La petite famille fit pitié encore un peu, et les aînés statuèrent : « On va vous aider ! » Après tout, qui n'a jamais acheté de chocolat pour financer les activités scolaires de ses neveux et petits-enfants ? Lise avait de la place dans sa valise. « Ah ben là, moi aussi tant qu'à faire ! » Les femmes aux cheveux coiffés n'abandonneraient pas leur amie. Des petits pots de chocolat, y a rien là ! Yann sourit avec défiance à Steve, l'air de dire : freine pas notre petit commerce, toi astheure. Et, à propos, as-tu raconté ton voyage à Séville à ton amoureux ?

Tous mangèrent du taureau – sa destination ultime après sa mort à la corrida – mijoté dans une divine sauce tomate qui coulait sur les bajoues d'Eddy, qui se gavait de tout, ravi d'avoir retrouvé le confort des cuisses et de l'opulente poitrine de sa Mamie Bi. Guy recommanda une ration des trois variétés de croquettes (patates pilées, jambon, artichauts), les préférées de sa gourmande blonde qui se demanda si on pouvait trouver la recette quelque part. Cassandra allait lui trouver ça. Il restait un peu de poulet, qui en voulait? « Passez-moi les légumes grillés ! »

À un bout de table, une fesse à demi hors du banc commun, Hélène mastiquait en silence son sandwich. Guy, son voisin de table, se sentait coupable de finir chaque plat et d'y tremper son pain pour nettoyer la sauce. « Vous êtes sûre que vous voulez pas y goûter ? » Oui, elle en mourait d'envie, mais c'était son rôle d'être raisonnable, et elle ne savait toujours pas comment en dévier. Même quand l'assortiment de desserts déferla sur la table, elle se contenta d'une tisane « si c'est compris dans mon forfait ». Hey, la martyre, bien sûr que oui ! Steve insista pour qu'elle goûte aux biscuits locaux, dont ces beignets remplis d'une crème aux pistaches. Elle mordit dans l'un d'eux et fit la grimace. « Trop sucré pour moi. » Elle refusa la coupe de vin de dessert, le Malaga, offert par la direction. Un deuxième café ? Le temps filait, Javier proposa plutôt de remplir son immense thermos et de le prendre en terrasse. Avec des biscuits *to go* !

Les Boute-en-train n'étaient pas au bout de leurs surprises.

* * *

Il n'y avait que quinze kilomètres à rouler avant de se trouver vingt mille lieues sous les mers.

Parc Torcal. Ce curieux parc national vous faisait sentir si petits dans le cours de l'univers : jadis le fond de l'océan, maintenant près des nuages, on y marchait où nageaient autrefois poissons et requins. Sur ces parois rocheuses, fleurs et plantes désertiques jetaient quelques taches de couleurs là où avaient pullulé coraux et algues. « C'est quand même flyé ! » s'étonnait Yann, amateur de plongée sous-marine, qui s'étonnait de respirer sous l'eau. Hélène voulut savoir à quelle ère l'océan s'était retiré :

— Y a cent ou deux cents millions d'années, avança Steve.

— C'est vague.

— Ça tombe bien, c'est la mer !

Ça fit rire les camarades, comme jadis à l'école – « Petit comique… ». Hélène s'efforça de sourire. Javier l'invita à le suivre au centre d'interprétation pour tout y apprendre : il y avait même une vidéo sur les mystères des rochers calcaires. Génial !

Lise félicita Steve pour cette journée bâtie en *crescendo.* « Le mérite revient à Javier », avoua-t-il sans honte, c'était son coin de pays qu'il avait tant voulu nous faire aimer. Elle se permit une indiscrétion :

— Ça a l'air sérieux, vous deux.

— On prend ce qui passe.

— Retiens-le, surtout.

Hélène ne savait plus où donner de la tête : un photo-reportage sur les bouquetins et les chèvres sauvages ? La maquette à l'échelle du Torcal à l'époque du crétacé ? Et une exposition sur les fleurs de montagne en pleine saison d'éclosion ? Elle n'aurait jamais le temps de tout apprendre. Vite, elle prit tous les dépliants offerts et lut des trucs en diagonale.

Au comptoir de restauration, Javier négocia l'achat de verres en carton et d'une pinte de lait, rassurant la préposée que ses touristes attablés au Mirador Las Ventanillas viendraient sous peu pour un digestif avec cette chaleur. D'ordinaire, les chauffeurs se privaient des activités au programme, soit parce qu'ils les avaient déjà faites, soit parce qu'ils en profitaient pour nettoyer le bus ou dormir à bord. Mais rien n'était ordinaire depuis que Steve lui était apparu. Javier se sentait en terrain de confiance. Ces Québécois, il les connaissait trop bien : il retrouvait chez eux le côté expansif de sa mère, l'économie affective de son père ; des vieux pans de religiosité qui lui étaient drôlement familiers. Ça aurait pu être un pique-nique du dimanche avec ses tantes et ses oncles gourmands et bruyants, mais non, c'étaient des Boute-en-train de Chicoutimi, des Montréalais et banlieusards à qui il rapportait l'essentiel pour le café. « Un mokaccino pour fêter les nouveaux mariés ! » proclama plutôt Guy. Steve capotait : si même le petit monsieur tout seul sans histoire passait dans le camp des brigands, c'était vraiment le monde à l'envers ! Il arrêta Javier, ses verres et son thermos au nom de la direction des parcs d'Espagne Unlimited !

Pardon ?

Le café en public était une mauvaise idée ! Javier voulut calmer Steve : il n'allait pas gâcher ces belles heures ? Tout ça pour des pots de chocolat à tartiner ? Ils passèrent à l'espagnol pour ce qui sembla à Lise Cousineau leur première chicane de couple. Steve était outré de voir Javier banaliser la chose : « *Sabes que hay máz que chocolate !* » Ce sont des adultes consentants qui rendent service à d'autres adultes. Qu'il fasse comme s'il n'en savait rien. Il était bien au courant de la corruption dans la construction, faisait-il quelque chose pour la freiner ? Lorsqu'il poppait un speed dans un rave, faisait-il un cas de conscience envers ceux qui l'avaient fabriqué ? En fumant son joint, n'avait-il pas chanté la gloire de la légalisation, comme ces étudiants adeptes du « 420 », le joint à l'heure du thé, quatre heures vingt plus exactement, ou ces vétérinaires qui soignaient déjà les bêtes au cannabis ? Il était où, le problème ?

Même madame Bruchesi l'envoya paître. « Marchez à notre santé, les jeunes, on va s'exciter à la caféine ! » Elle prit le thermos des mains de Javier pour commencer le service, mais Yann l'invita plutôt à se reposer à une table de la terrasse donnant sur l'infini. « Vous en avez assez fait. » Sa blonde l'aida au service du café.

Chassé du paradis, Steve jeta tout de même un coup d'œil derrière lui : le chocolat semblait encore un truc d'initiés, les Cousineau en tête de file qui envisageaient déjà un voyage de noces au Portugal à l'hiver prochain. Des amis triés sur le volet eurent vent des vertus du moka.

Certaines valises seraient au courant, d'autres pas.

Les sentiers de randonnée étaient subtilement indiqués par des éléments peints sur les roches : triangle vert, cercle jaune ou carré rouge selon la distance et difficulté voulue.

Hélène essayait de se distancier de son mal-être.

Un observateur aurait vu qu'elle se parlait toute seule. Elle se maudissait, elle n'en pouvait plus de la ligne droite ; ayant surestimé ses forces, son mollet lui rappelait sa blessure quasi mortelle. S'asseyant sur une roche pour se reposer, elle se rendit compte qu'à vouloir se perdre dans ses pensées elle s'était égarée tout court. Elle avait raté le dernier triangle indiqué, avait voulu voir une chèvre de plus près – qui s'était éloignée en sautant habilement de roche en roche –, pour aboutir à un précipice qui jadis menait aux grandes profondeurs.

En un flash, elle se vit se jeter dans le vide et cette pensée l'effraya.

Elle la chassa en faisant défiler des images de Fripon, de ses amies du club de lecture, de sa nièce préférée et de la serveuse du St-Hubert près de chez elle où elle avait ses habitudes.

Quelques personnes l'aimaient un peu.

Était-ce assez pour continuer ?

Steve lui avait fait le compliment : « Vous étiez chiante, mais vous faisiez de nous des meilleurs élèves. » Était-ce un bilan suffisant ? Elle devait bien avoir encore une utilité dans ce monde ?

La frimousse de Fripon chassa l'appel du vide. Vite, Hélène fit demi-tour, espérant être sur le bon chemin.

Le soleil était plus que supportable en terrasse, « avec un bon air de vent ». La démonstration chocolat fut un succès auprès des couples présents (seuls les Cousineau souhaitent s'afficher pour l'instant, l'identité des autres vous sera peut-être dévoilée plus tard).

Eddy voulut courir ; Yann étant un peu *high*, Mamie Bi ressortit sa laisse de son sac à main et y accrocha l'enfant. « Comme ça, tu vas être *safe.* » Peut-être qu'adolescent Eddy pourrait avoir une muselière ? Père et fils partirent compléter la courte boucle de 0,75 kilomètre. Un ridicule aller-retour à un beau point de vue, le temps de s'extasier, car oui, la vue sur la Costa del Sol était splendide, sachant d'autant plus qu'ils étaient sous la mer en regardant la mer en face ! Hallucinait-il, ou pouvait-on voir l'Afrique du Nord ? Yann montra à son fils les chameaux au fond là-bas. Meuh… « Ben oui, regarde comme il faut ! »

Ils revinrent excités à la terrasse, Yann enlaça sa blonde dans un french un peu cochon, attacha littéralement l'enfant au bras de sa Mamie par la laisse et prit du lousse. « On va faire un petit tour… » L'idée de faire l'amour vingt mille lieues sous les mers le titillait. Il devait bien y avoir quelques rochers à l'abri des regards…

Il s'en trouva pour envier la vigueur de leur amour, Chantal était repue du sien. Elle avait étendu ses jambes sur une chaise et sans rien demander, Guy lui massait consciencieusement les pieds. Elle n'en revenait pas, *please* faites que ça dure ! Les Cousineau étaient rendus à la bière :

— Ça aide à digérer, disait mon père.

— Ton père était alcoolique, avança Robert.

Lise contesta par un bon rot bien senti.

Les Lycra revinrent de randonnée les premiers, s'attendant peut-être à une médaille d'or. La bière la rendant plus volubile, Lise demanda après quoi ils couraient tant. « Ralentissez, vous allez être les premiers à mourir de stress. » Les Lycra la trouvèrent heavy et allèrent voir les souvenirs à la boutique du parc. Lise s'en voulut de cet impair. Robert dormait, tout comme Eddy et sa gardienne avertie, Mamie Bi, la laisse entourée à son bras tel un cordon ombilical les unissant. Le trio de ronfleurs fut pris en photo et partagé sur les médias sociaux.

C'était temps libre pour eux aussi. Marchant dans un sentier, Steve n'en finissait plus de remercier Javier de lui rendre la vie plus facile. « *De nada.* »

À quel kilomètre avaient-ils commencé à marcher main dans la main ?

À quel moment leurs pas adoptèrent-ils le même rythme, gauche-droite, gauche-droite, ralentissant subtilement leur course ?

Est-ce la chaleur de la course ou le bec de l'avant-midi qui leur fit oublier le paysage marin pour avoir envie de concombres de mer ?

Après tout, ils étaient seuls au monde.

Steve n'aimait rien de plus que faire l'amour à l'extérieur, il s'y sentait libéré de toute culpabilité et de tout regard divin. Il disait oui à sa nature dans cette grande nature. Entre deux rochers, il empoigna Javier, lui massa les pectoraux puis le cul généreux ; vite, les culottes tombèrent, les queues furent remises en liberté ! Qu'ils soupesèrent, astiquèrent, se suçant sous l'eau pour la première fois de leur vie. Steve s'apprêtait à faire plus, mais fut ramené à la surface par un tonnant « Franchement ! » L'accompagnateur et le chauffeur remontèrent en vitesse lui son short, lui son pantalon d'uniforme, tentant de cacher leur énorme érection respective.

Hélène restait là, hébétée par cette intimité étalée au grand jour. Le peu qu'elle connaissait de l'homosexualité, elle aurait juré que c'était l'aîné, le *daddy*, soumettant le plus jeune à sa médecine. Elle n'avait pas idée de la versatilité, du flip-flop, et savez-vous quoi, elle aurait aimé mieux ne rien en savoir ! Elle balbutia qu'elle s'était perdue entre deux triangles et cercles indicateurs.

Steve essayait d'avoir l'air « normal » dans les circonstances :

— C'est par là, on est presque arrivés.

— Merci, fit-elle en abaissant les yeux, je vais me retrouver.

— Attendez, on peut vous accompagner.

— C'EST VRAIMENT PAS NÉCESSAIRE ! Continuez à écouter Madonna, on voit ce que ça donne !

Et elle détala en vitesse de petit triangle en petit triangle pour retrouver la terrasse. Sa coloc madame Bruchesi la trouva bien alertée, voulait-elle un restant de café ? Mais Hélène aimait mieux ne pas en parler : « TOUT VA BIEN ! »

Les premiers soixante kilomètres qui les séparaient de Malaga se firent en silence.

Steve avisa le gérant de la salle à manger qu'ils arriveraient un peu dernière heure, de surtout ne pas fermer le buffet sans eux. Javier fit entendre le Concerto de guitare Aranjuez qui invitait à la mélancolie. Repus et ravis, les explorateurs conversaient parfois plus intimement; l'un comme l'autre repartiraient avec des petits secrets qui s'évanouiraient dans les mois suivants. Hélène doutait de pouvoir oublier sa vision de copulation. Gênée, elle s'était même réfugiée tout au fond de la navette, sur le banc des tannants, loin des amoureux prétextant « laisser la chance à quelqu'un d'autre d'avoir la meilleure vue » : elle avait vu le sexe de son accompagnateur d'un peu trop près. Pourquoi c'était toujours à elle que ces choses-là arrivaient? Pour lui rappeler que ces choses pourraient encore lui arriver? Elle s'enfonça dans ses guides de voyage et ses notes de recherche. Elle s'en voulait de ne pas avoir vérifié la présence humaine dans les grottes du Torcal, chrétiens et maures s'y cachant en alternance au rythme des conquêtes; elle s'était juré d'en apprendre davantage sur les oiseaux de proie qui y nichaient, la petite section d'un de ses guides ne l'en informait pas suffisamment à ce sujet; elle avait bien revu l'exquise petite fleur mauve aperçue à Mijas mais en ignorait toujours le nom. Elle attaqua tous les dépliants d'informations récoltés au Centre, mais n'y trouva rien qui la satisfasse: la paix n'était pas écrite noir sur blanc. Elle soupira à fendre l'âme. À même ses notes, elle revit consigné ce petit événement, concert anniversaire qui pourrait changer le mal de place :

Viernes 7 – 30e aniversario del Teatro Cervantes

L'idée la fouetta ! Elle se leva et alla inviter, pour la forme, sa coloc, sachant bien que ce n'était pas son genre, mais sait-on jamais : « Un requiem *aleman*, op. 45, de Johannes Brahms, ça va être beau ! » Les yeux ronds et le sourire ravi de chocolat, madame Bruchesi l'assura qu'elle « aurait bien aimé ça l'essayer, lui là, mais qu'elle avait promis à ses amis allemands, justement, qui partaient déjà, pauvres eux autres, d'aller toute la gang voir le *show* au bar de l'hôtel. DUO PLATINO, sont ben bons, sont juste deux, mais y jouent pour vrai des chansons que tout le monde connaît, on les a vus au ENIGMA SHOW l'autre soir : fameux ! Mais on pourrait déjeuner ensemble demain matin ? » Oh ! Ça fit tellement plaisir à Hélène : « Comme de vraies amies ! » Excitée, elle revint à sa place, fourgua ses guides dans son sac, hop ! sous le bras. Elle remonta en vitesse l'allée de la navette vers leur chauffeur et chassa vite vite une vision de son sexe brandi en plein air pour demander gentiment « un petit détour de rien », là en chemin, pour qu'il la dépose à une station du Cercanía. Elle irait seule comme une grande trouver son bonheur.

* * *

Hôtel Mélies, à la descente de la navette, Steve remercia sa gang et leur souhaita un bon appétit. « Oubliez pas demain, journée COMPLÈTEMENT libre, mais dimanche, on sort à Malaga en soirée ! Mettez-vous beaux ! »

Javier se permit de prendre le micro et dans son français approximatif : « Je l'espère que vos aimez mon petite village. » Oh, ça oui ! Et ils le lui signifièrent en lui donnant de généreux pourboires, surtout qu'on ne le reverrait peut-être pas. Dommage.

Il devait ramener la navette au garage pour y connaître ses affectations, toujours changeantes, de la semaine prochaine. Steve voulait-il l'accompagner?

Claro que si!

Ils soupèrent «à la maison», sans alcool, en trinquant à l'eau et aux antibiotiques pour traiter la maladie honteuse. Pour bien guérir, dix jours d'abstinence sexuelle étaient recommandés. Steve en serait-il capable? Franchement! Pour qui on le prenait!

* * *

Hélène arriva tout juste à temps au théâtre Cervantes. Malgré son humble tenue sportive, elle se sentait parmi les siens; sans rien comprendre de la conversation des beaux messieurs en complet et des dames en robe, elle savait qu'ils parlaient de choses distinguées (elle aurait été bien déçue d'apprendre que l'une racontait sa difficulté à trouver une bonne gardienne et que l'autre conversation tournait autour de la maîtresse déclarée d'un acteur de *telenovela*). Elle se considéra comme chanceuse d'avoir un billet, même avec vue obstruée par une colonne de bois qui soutenait le plafond peint – c'était tout ce qui restait –, mais avec un coussin sur les gradins de l'époque Hélène était au paradis, dernière rangée. Ces soixante-dix minutes la mirent en état de veille. Merci, Coro de Ópera de Málaga, vos voix unies l'avaient aidée à ne plus penser à elle et à oublier momentanément la raison de sa colère. Elle laissa la foule quitter la salle, sortant parmi les derniers pour ne pas crever la bulle feutrée d'un peu de paix entre ses deux oreilles. Elle fut surprise de voir des musiciens en smoking boire un verre avec des amis, là, au pied des marches, comme tant d'autres couples qui festoyaient aux terrasses avoisinantes. Malaga bourdonnait de vie, le *shift* de nuit ne faisait que commencer. Hélène se permit un shooter, et c'est sourire aux lèvres qu'elle fila doucement vers la station de train, sans hésiter sur le chemin à suivre. « Ça va bien aller, se répétait-elle, ça va bien aller. »

Samedi 8 avril 2017 – Sur la mer Mé-Mé-Méditerranée

Où l'on se dénude de quelques vieilles peurs

Hélène se sentit coupable en se réveillant à 9 heures 24, elle gaspillait sa journée ! Elle prit une douche en vitesse, hésita devant ses cinq sacs de maquillage / essentiel de beauté et garda confiance en les conseils de Cassandra à Séville : *less is more.* Elle s'efforça d'attendre son amie presque sans la presser, l'aidant à ouvrir son Ziploc du jour. Hélène craignait qu'il n'y ait plus personne à la salle à manger, mais n'en revenait pas de la voir bondée : « Le monde se lève donc ben tard en vacances ! »

Depuis qu'ils avaient adopté la terrasse extérieure, les Boute-en-train s'y donnaient toujours rendez-vous pour manger, converser bruyamment ; le soir, y jouer au 500 et, au matin, s'y prélasser lorsqu'il n'y avait pas d'excursions. Hélène trouvait la terrasse un peu loin du buffet… À ce commentaire, Lise Cousineau se permit d'ajouter : « Personne vous oblige à venir avec nous autres. » L'amitié, ça ne se force pas. « À nos âges, on perd pus de temps. » Mais madame Bruchesi insista pour inclure sa coloc dans la gang.

C'est lorsqu'elle alla se chercher une deuxième assiette de desserts – la première ayant été remplie à ras bord – que son téléphone vibra. D'ordinaire, son sens re-mar-qua-ble du civisme l'aurait conduite à sortir pour prendre l'appel, mais comme c'était l'Hôtel des compagnons, vite, elle répondit. « Allô j'écoute ? » Ce n'était pas la réceptionniste qu'elle avait appris à connaître dans les derniers jours. Le jeune homme parlait un français laborieux et s'enquit de savoir si elle était bien la propriétaire de Fripon.

— Je suis sa mère.

— *Well,* nous sommes la désolation de vous annoncer…

Hélène balbutia que c'était impossible, Fripon était en excellente santé. Le petit impoli osa répondre : « *Well, maybe overweight* un peu gros, ça arrive le cœur *can't follow. Heart attack.* » Trouvé mort au fond de sa cage.

Une onde de choc ébranla la salle à manger en entier. Japonais, Italiens, British et Allemands eurent vent de l'ouragan Fripon.

« FRIIIIIPOONNNNN !!!! » Croyant se cramponner au comptoir de gâteaux, elle accrocha plutôt une assiette de sucreries qu'elle fit tomber et qui se cassa sur le plancher. Une dame belge pensant bien faire vint voir l'éplorée, mais Hélène perdit les pédales et la griffa comme l'eût fait un chat. La Belge décampa aussitôt. « Fripon !!! » beugla encore sa veuve. Le maître d'hôtel vint à la rescousse. « S'il vous plaît, madame, par ici… » Du haut de ses six pieds imposants, Hélène le repoussa contre une table du buffet, vlan ! une assiette de fromages et un bol de fruits déboulèrent à leur tour. Hélène tomba à genoux, provoquant une troisième secousse sismique encore plus forte. « FRIIIIPONNNNNNNN !!! »

Silence de mort dans la salle à manger : couples, amis, voisins de table échangeaient des regards, se doutant bien qu'un enfant était mort. Un drôle de prénom, mais bon, ces Québécois sont toujours aussi singuliers !

Hélène hyperventilait, refusait les mains tendues jusqu'à ce qu'elle voie la figure soucieuse de sa seule amie, madame Bruchesi, à qui elle pleurnicha :

— Fripon est mort !

— Ben oui, pauvre p'tit chat.

— Il était toute ma vie !

Se relevant péniblement, elle suivit sa coloc en silence jusqu'à leur chambre pour s'y réfugier. Madame Bruchesi mit une bonne heure à la consoler ; elle s'en voulait tellement d'être partie s'amuser à l'étranger pendant que Fripon se morfondait en cage.

— Il est mort de peine, j'en suis certaine !

— Ben non, ben non, tentait de la consoler madame B.

— Tout ce qu'il demandait c'est un peu d'affection ! Ils devaient le caresser au moins trente minutes tous les jours, je suis certaine qu'ils ont manqué à leur devoir !

Elle se mit dans l'idée de poursuivre l'Hôtel des compagnons pour négligence criminelle ! Si ça se trouve, ils avaient nourri Fripon avec de la nourriture de chihuahua ! Madame Bruchesi la força à prendre une petite *shot* de gin pour apaiser sa peine. Hélène refusa et se vêtit de sa jaquette souillée de sang pour sentir Fripon contre elle. À son amie, elle imposa un *best of* de Fripon sur son ordi : Fripon croque des croquettes, Fripon fait de la façon. « Regardes-y la belle frimousse. » Ben oui. Madame Bruchesi hochait la tête pour apaiser la peine de sa coloc, qui insista pour lui montrer Fripon qui déballe ses cadeaux à Noël (une vidéo sur YouTube, sept *views*). Puis Fripon qui écoute du Bach en marquant le rythme avec sa queue. « Il a toujours eu de l'oreille ! » s'émouvait encore Hélène, pleurant une autre chaudière de larmes en voyant Fripon qui jouait avec la petite souris en caoutchouc (sa préférée). La carrière cinématographique de Fripon ressassée au grand complet, sa maîtresse finit par s'apaiser.

Madame Bruchesi resta pour la border, en cas de rechute, et ne put s'empêcher de penser à son mari, qui se savait condamné. Elle en voulut à Fripon de lui avoir rappelé la fragilité de la vie.

* * *

Il faisait encore noir lorsque Javier réveilla Steve. « *Despiertate!* » Avec le temps, Javier avait développé un sixième sens commandant à son cerveau le réveil – peu importe son état de fatigue. Il prépara le café dans la pénombre et le silence, prolongeant ainsi de quelques minutes le repos bienfaisant de la nuit. Il avait congé aujourd'hui et souhaitait consacrer la journée à eux deux: demain, Steve retrouvait son groupe pour une dernière activité et, lundi matin, bye bye. *Que lastima!* Javier s'efforçait d'être détaché, Steve faisait son indépendant, tous deux ne pouvaient nier l'attachement grandissant. Mais les amours à distance, bien que jolies, faisaient rarement long feu sans quotidien pour les cimenter. D'autres occasions se présenteraient, on oublierait combien c'était bon, l'avenir possible s'évaporait ne laissant derrière qu'une photo souvenir, comme celles de ces ex dans la bibliothèque aux côtés d'un ballon de soccer.

Sandales au pied, ils traversèrent la ville endormie, de rares lumières aux tours effilées de condos trouaient le noir du ciel peu à peu dilué par le retour du soleil. Ils passèrent sans les saluer les sculptures de Dalí pour arriver sur la plage, où trois pêcheurs affrétaient leur chaloupe. On parlait non pas de chalutiers, mais de simples récifs de bois à la peinture écaillée.

« *Hola, Papi! Mi amigo, Steve.* » Barbe propre, yeux bleus, la peau tannée, ledit Papi terminait de rouler proprement un filet de pêche et l'examina en silence. Steve se sentit petit, à la limite sale, mais eut la permission de monter à bord. Il alla s'asseoir au fond, loin de Papi. Javier poussa la barque et y sauta. La petite chaloupe s'enfonça dans le bleu sombre, attirée par la barre rouge sang de la journée qui s'affirmait.

* * *

Par solidarité, madame Bruchesi se changea en noir elle aussi. Hélène lui en fut reconnaissante. « Merci, je ne pourrais pas passer au travers sans vous. » Plus vieille fille que jamais – avait-elle acheté ses fripes d'une religieuse décédée ? –, Hélène se cacha derrière des lunettes fumées. Les employés ramassaient la salle à manger, maintenant vidée ; Mam'Bi prit une brioche au vol, Hélène se contenta d'un demi-pamplemousse qui faisait maigrir et lui éviterait la crise cardiaque. « Les amoureux se suivent souvent dans la mort. » Mam'Bi la trouva un peu déplacée ; Hélène s'excusa de lui avoir rappelé ce qui l'attendait et suggéra une petite marche entre amies.

« Pas plus loin que la piscine », l'avertit sa coloc, qui entendait bien profiter de sa journée de congé. D'un parasol à l'autre, Hélène récolta plusieurs condoléances en anglais, en italien, en chinois même. À chacun, elle raconta un beau souvenir de Fripon. « Vous l'auriez aimé si vous l'aviez connu. » Comprenant alors qu'il ne s'agissait que d'un chat, et non d'un enfant, plusieurs s'éloignèrent avec un sourire poli. Hélène eut droit aux inévitables : « La vie continue », « Y va y en avoir d'autres », « Au moins y a pas souffert ». Cette dernière remarque la ramenant à son idée d'enquête de coroner et de poursuite judiciaire pour négligence.

N'en pouvant plus d'entendre une quinzième anecdote de Fripon – « Il aimait se faire brosser les dents, c'est fou ! » –, madame Bruchesi proposa un peu de Scrabble.

* * *

Chantal avait insisté pour passer un peu de temps avec sa sœur. « On se voit quasiment pus ! » Elles avaient mangé en vitesse pour avoir de bonnes chaises « bien placées » sur la plage.

Nadine essayait de s'avancer un peu dans son roman, mais fatiguait de voir le nouveau petit couple se demander constamment s'ils étaient bien, si elle n'avait pas trop chaud, si lui avait soif, et les petits becs avec un petit *je t'aime* aux dix minutes vinrent à bout de sa patience. Elle prétexta devoir se baigner. « Nous aussi d'abord ! » Nadine garda ses lunettes fumées, honteuse ou snob (probablement les deux), alors que Chantal s'affichait fièrement au bras de son Guy : il avait perdu son teint blanc aspirine, ses cheveux en touffe d'épi de blé d'Inde et sa senteur de vieux garçon. Il n'avait pas la carrure d'un surhomme, mais compensait largement par son affection débordante. L'un comme l'autre étaient si heureux de s'être trouvés. Ils ne se lâchaient pas, sauf pour nager et encore : Chantal ayant peur d'être emportée par les vagues – comme si c'était possible – et Guy, piètre nageur, les amoureux restaient ainsi, l'eau à mi-cuisse, main dans la main. Il lui remit un peu de crème après la baignade, c'était pas le temps de brûler, le dernier jour. Personne n'avait faim, mais Guy supputait déjà ses envies à venir :

— Poisson ou pizza ?

— Décide, toi.

— Non, toi.

Assez ! Nadine fila « dire bonjour aux autres », on se reverrait tantôt !

Samedi, congé familial oblige, la plage débordait de locaux, pour qui c'était la première véritable journée chaude, eux qui attendaient les trente degrés avant d'enfiler un maillot. Ou de pouvoir défiler les seins à l'air comme tant de dames apportant autant de bonheur à Robert Cousineau. Lise trouvait injuste de ne pas avoir sa ration de quéquettes et suggéra à son mari d'aller à une des plages nudistes de la côte. Les Futures Matantes, en mal d'excitation, voulurent essayer « ça » ; ayant attrapé la conversation au vol, Nadine Trépanier s'invita aussi, si ça leur faisait rien.

Sous un parasol, la veuve de Fripon avait de la difficulté à se concentrer et mettait une éternité à trouver des mots au Scrabble. D'autant plus qu'elle détestait perdre et contestait les néologismes de madame Bruchesi.

— C'est pas parce que vous les connaissez pas qu'ils n'existent pas.

— Ça m'étonne simplement, admit Hélène.

Elle avait jugé sa coloc ménagère un rien vulgaire. Elle aura eu tout faux. Mam'Bi se pensa bien sauvée en voyant arriver son petit bonhomme. « Eddy ! » Elle voulut l'accompagner dans les vagues, les parents y comptaient bien, mais Hélène la supplia de ne pas la laisser seule dans une épreuve pareille. Mamie Bi s'excusa auprès de Cass de ne pouvoir garder ; la petite famille partit donc unie faire le tour des amis avec leur article de démonstration. Ce paquet cadeau de deux pots de chocolat, soigneusement emballés dans du cellophane transparent avec une belle grosse boucle rouge, laissait voir l'icône-logo souriante de la compagnie. Ça mettait de bonne humeur juste à le voir ! Les amis pouvaient ainsi voir combien c'était léger et joli, peu encombrant dans une valise déjà lourde de souvenirs.

Personne ne serait pénalisé.

Croyait-on.

* * *

« *Todo está bien ?* » Javier s'inquiétait du bien-être de Steve. Avait-il le mal de mer ? *No, no,* seulement la peur d'être jeté à l'eau, tant Papi lui jetait des coups d'œil mauvais à la dérobée. Il l'avait d'abord repoussé lorsqu'il avait voulu aider à sortir le filet qui dérivait maintenant sous l'eau puis lui avait offert une canne à pêche, lui montrant le bout de la chaloupe, comme on envoie un enfant jouer pour pas déranger les grandes personnes. Steve aurait pu lui spécifier qu'à quarante et un ans, il n'était plus jeune, rejeté par la nouvelle génération de gais, comme lui avait rejeté ceux qui avaient survécu à l'hécatombe du sida. Mais bon, il se tint tranquille. Javier connaissait le côté bourru de Papi, dont les traits durs s'adoucirent seulement à la vue des premières prises.

Du loup de mer !

Deux beaux spécimens, le corps fuselé, gris argenté, à la chair délicieuse, bien plus savoureux que ceux élevés en apiculture (Steve pourrait leur raconter la même chose des bleuets sauvages *versus* ceux cultivés). Le loup s'isolait en vieillissant, en rupture de ban, sauf de janvier à avril où il revenait en société pour se reproduire. Le loup était surtout un prédateur qui croquait les alevins des petits poissons… et les étrangers québécois qui rôdaient autour des vieux amis.

Chagriné de la tension entre eux, Javier crut bon sortir un calumet de paix. Toujours fort apprécié, surtout que les prises du jour étaient assurées : un pêcheur aguerri comme Papi n'aimait pas revenir bredouille sur la plage de Marbella, alors que touristes et locaux affluaient pour voir ce qu'ils ramenaient.

Ramener du vent était une honte.

Javier fit circuler le joint, du hasch blond, marocain – « C'est si facile d'en obtenir ici sur la côte » –, provoquant chez Steve un autre soubresaut de panique. « *Relaje !* » À quoi bon penser au petit commerce de la belle petite famille ? À quoi bon s'imaginer le pire, des voyageurs incarcérés, la première page du *Journal de Montréal*, la honte, les poursuites judiciaires, la fin de sa carrière en tourisme ? « Faut que je les arrête ! Faut que je fasse quelque chose ! » Oui, comme s'écraser un peu au fond de la chaloupe, car la tête lui tournait. Javier étendit une vieille veste de sauvetage pour qu'il s'en fasse un oreiller. À ses côtés, dans une flaque d'eau, un des loups de mer était encore agité de soubresauts. Papi le ramassa et le frappa contre sa barque pour l'achever. Du sang coula d'un œil crevé du loup mort, et Steve n'osa plus bouger.

Le filet fut relancé à la mer. Papi aimait le silence du grand large, économe de paroles et de confessions.

Lorsque Javier mit sa *playlist*, Steve s'attendit à un grognement, mais Papi s'adoucit. Et, au troisième air disco, Steve comprit enfin que le vieil ami avait été un vieil amant. Ils chantaient en chœur, tel un vieux rituel, le premier hit de Baccara qui débutait, en français, par une conversation entre amies :

« Wow… bonjour, ma chère, tu as bonne mine, Mayte
Comment cela a été, l'île, la mer, la plage ?
Mmm, formidable Maria, comme un rêve ! »

Moment surréaliste pour Steve de voir le vieux pêcheur prendre sa voix de tête pour entonner avec cœur, Javier et Baccara, le refrain :

« Parlez-vous français ?
La langue d'amour et de l'été
Voilà, c'est une chance, d'un jour de vacances
Mais honni soit qui mal y pense »

Pourtant, les familles avaient calomnié et détruit cette première relation sérieuse de Javier : il venait d'avoir dix-huit ans, Papi Ben frôlant déjà la trentaine. Son père conservateur ne voulait pas que son garçon soit « comme ça » et avait fait des menaces explicites. Calomnié, Papi avait même déménagé dans une autre région ; c'était sa faute : honte à celui qui pense mal en pensant bien faire. Revenu au bercail des années plus tard, Papi cultivait le désir secret de vieillir avec Javier d'une manière ou d'une autre, amis pour la vie à défaut de mieux. Il jetait un coup d'œil méfiant à cet étranger dans sa barque, l'enviait pour sa chance de pouvoir vivre librement ce qui lui avait été interdit.

Au son de la musique, les anciens amants complices sortirent le filet de nouveau. Trois dorades, la grosse tête, les lèvres charnues qu'on pourrait presque embrasser. « *Nacieron hombres y cambian.* » Ah oui ? Les dorades naissaient hommes et devenaient femelles à trois ans, comme leur famille respective avait souhaité qu'ils « virent aux femmes ». Sans cette pression, qui sait si Papi et Javier ne cultiveraient pas leurs tomates au soleil ?

Au moins, ils avaient toujours ces minutes volées à l'éternité.

Ils se laissèrent flotter pour la sieste. Javier vint s'étendre à ses côtés, Steve tassa le loup mort pour lui faire de la place ; Papi s'étendit à l'autre bout.

Le calme parfait de l'immobilité. Steve parvint à oublier les profondeurs abyssales sous la petite barque ; il fallait cesser d'avoir peur du requin castrant au fond des mers et de l'avis tranchant des Mères supérieures comme Hélène.

Steve était fatigué de courir après l'émerveillement, après le prochain *high* qui lui éviterait de creuser sa douleur. La fuite par en avant avait perdu de son charme, même si l'enracinement s'approchait trop selon lui de la tombe. Il savait qu'il n'aurait jamais assez d'années pour voir toutes les beautés de ce monde, mais s'y refuser lui paraissait un crime.

Comment fait-on pour se contenter d'un coin de pays et des rondeurs d'un seul être? Il faudrait demander la recette aux Cousineau.

* * *

À la plage de Benalmádena, Lise avait apporté ses jumelles de théâtre. Sa petite retraite ne lui permettait jamais de payer les gros billets au parterre : lorsqu'elle sortait voir un spectacle, c'était toujours au balcon, comme si la scène était un grand écran de cinéma et qu'elle choisissait, avec les lunettes, où faire le gros plan. Comme ici sur la plage nudiste, où elle reluquait à l'occasion de beaux spécimens inaccessibles, faisant glousser de gêne les Futures Matantes qui l'entouraient tels des oisillons apeurés dans un nid. Elles n'avaient pas osé encore se départir de leurs vêtements, jetant des coups d'œil effarés aux nudistes.

« C'est moins pire que je pensais », se rassura l'une d'entre elles, mais si l'autre avait changé d'idée, sonnant l'heure de départ, elles auraient détalé à l'instant. « Relaxez ! Vous voyez plus de peau que ça sur Snapchat, je suis certaine ! » Les Futures Matantes se dirent trop vieilles pour des sextos. Lise les trouvait bien prudes : y a rien là, y a que des vagues et des gens de tous les âges qui ont largué le costume de bain comme l'on ferait d'un dieu inutile.

Rationnelles, les trois employées en laboratoire suivaient en tous points les procédures : si à Rome on fait comme les Romains, sur les plages européennes il fallait bien oser la totale ! La première brave des trois amies largua son maillot ; Lise rassura les deux autres, coudonc, ne se changeaient-elles pas dans les vestiaires sportifs ? Toujours dans une cabine, dit l'une ; toujours enroulée dans ma serviette, dit l'autre. La vieille allumée les gronda : « Vous êtes venues ici pour ça ! » Et aussitôt, elle s'extirpa de sa robe soleil. « On est tellement bien avec moins ! » Sa maigreur surprit un peu les filles. Qui donc a déjà vu sa grand-mère nue ? Lise banalisa la chose : « Vous allez toutes vers ça, les filles, profitez de vos rondeurs. » Moins gênées de leurs imperfections, les Futures Matantes se délestèrent de leur peau de chagrin et allèrent nager nues. Elles n'étaient pas des sirènes de Disney, juste des femmes qui cherchaient à s'aimer.

Et Robert ? Il faisait le plein d'indignation. Parfois, quelques nudistes se regroupaient pour papoter, plus au large, avant que les vagues se brisent, là où la mer est encore calme. Ça parlait de politique, du Trump détesté par tous qui en affolait plus d'un, mais rassurait Robert, car l'activisme des troupes redoublait depuis son avènement. Les propos outrageux du tyran fouettaient les associations citoyennes non seulement chez lui mais dans le monde entier. Serait-ce suffisant ? L'un et l'autre des camarades s'informaient des mouvances de résistance dans leur pays respectif, il ne fallait pas baisser les bras. Comme Bernie Sanders, Gandhi ou De Gaulle ! La parole pour contrer l'ignorance, des actions en conséquence. Voyant ce petit groupe se redonner mutuellement du courage à leur âge vénérable, l'imagination fertile d'une Future Matante se disait qu'ils devaient tous, sous des dehors dignes, se caresser discrètement sous l'eau.

— Ça doit se frôler sur un temps rare !

— Si c'est ça qui te tente, lui dit Lise, marche un peu vers les dunes.

Qu'elle en parle à Hélène, pas tout à fait remise de ce premier traumatisme.

Ou qu'elle se fie aux antennes de Nadine Trépanier.

À chacun de ses congés, après avoir mis un temps fou à décrocher, Nadine finissait toujours par considérer ralentir un peu la cadence à la Banque, se permettre une année sabbatique, quitte à louer son appartement meublé.

Sa sœur Chantal répugnait à l'idée d'avoir des étrangers qui dormaient dans son lit, mais pas elle : « Voyons, sœurette, on dort dans des hôtels où y a des étrangers différents tous les soirs ! » Nadine avait moins de scrupules et beaucoup de chance : marchant lui aussi sans but précis, un grand monsieur lui sourit. D'origine slave, son anglais était rudimentaire, mais sa stature, sculpturale. La conversation fut banale : *what do you do, what is your name, I work hard for the money; me, in special forces.* Il était déjà au garde-à-vous. Nadine n'hésita pas à aller le dévorer dans les dunes et, quand son téléphone sonna – la Banque pour une petite urgence –, elle ne répondit pas : le Slave faisait un dépôt.

* * *

Les heures filaient trop vite.

Comme un vieux couple, Javier cuisinait en chantant un risotto aux champignons, Papi apprêtant le loup de quelques herbes, buvant un verre de blanc un rien sucré pour accompagner la chair fraîche de SON poisson, le meilleur au monde car Javier le mangerait en face de lui.

Steve n'y voyait rien de mal, se doutant que la vie du vieux pêcheur ne comptait guère de grands moments d'éclat. Il reconnut alors dans la bibliothèque la photo de Papi à trente ans qui rayonnait. C'était avant l'exil et la vie brisée. Le vieux loup de mer vivait depuis en reclus, n'osant même pas croire qu'il pourrait peut-être rencontrer quelqu'un à son âge : peut-être en Amérique, mais ici, dans l'Espagne puritaine, un vieux gai est une espèce à faire disparaître.

Steve se mit en peine de préparer son gâteau « 2 », qui se mangeait aussi bien à trois, un baume sucré pour l'amertume de Papi. Javier lui indiqua où trouver la farine et l'invita à « *pon tu musica* ». Avait-il lui aussi des airs à lui faire connaître ? Est-ce qu'on chantait la joie de vivre parfois au Québec ou si l'on se cantonnait dans la plainte de la victime ?

* * *

Au souper, Hélène lâcha du lousse et but deux coupes pour engourdir sa douleur. Elle avait fait ajouter des épices au poisson et prit des frites même si elles lui parurent un peu huileuses (mais fort délicieuses). Les Boute-en-train racontaient des blagues osées et elle se permit de rire. Elle accepta même que sa coloc ramène un homme à la chambre.

Eddy sautait de matelas en matelas, petit sacripant, attends que je t'attrape ! Mamie Bi eut peur d'un autre accident, c'est Hélène qui se cogna le petit orteil sur le fauteuil. « La même jambe que mon mollet fracturé ! C'est juste à moi que ces choses-là arrivent. » Elle tomba dans la mélancolie, mais la mamie gardienne l'invita à montrer au petit des vidéos de Fripon. « Encore ! » rit Eddy. Hélène, plus que ravie, lui montra l'hilarante fois où Fripon jouait avec un rouleau de papier de toilette. « Une autre ! » Eddy avait pris le contrôle de son ordinateur, savait exactement où appuyer et ne semblait pas près de le rendre. Oh non ! Madame Bruchesi se rendit alors compte qu'elle pouvait être responsable d'une rechute… Elle demanda à l'enfant :

«Je t'ai-tu déjà raconté *Tom Pouce à Noël*?» Ô joie! il voulait connaître l'histoire. Vite, elle l'invita à s'installer dans son nid d'oreillers et elle le fit rêver avec les skis de Tom Pouce en bâtons de popsicle, la glissade sur le sofa, la débarque dans le sapin et la tête coincée dans une boule.

Sur le lit à côté, Hélène écoutait aussi d'un air ravi.

J'ai toujours voulu danser, chantait jadis Jim Corcoran? Cessez de vous le refuser! Passé minuit, les jeunes commencèrent à affluer, à cette fête qui se tenait au bout de la rangée d'hôtels de Torremolinos, comme une dernière halte avant la zone industrielle. Déjà pompettes, les Futures Matantes ne lâchaient pas Yann et Cass; les Lycra aussi. «Plus on est de fous, plus on rit!» Et plus on peut rapporter de pots de chocolat.

«Y est bon, le DJ! Y a du *beat*!» Ben oui, hein! Plus de mille jeunes sautillaient, fêtaient pieds nus dans le sable, sinon sur une petite plateforme bondée. Le DJ avait du goût; l'accompagnait une muse amoureuse dans des envolées lyriques sur des tam-tam suavement caressés. Des banquettes improvisées jetées çà et là autour du snack-bar servaient de zone de décompression pour ceux qui avaient déjà trop pris de drogues ou amorçaient leur soirée timidement dans les confidences.

Des danseurs s'esquivaient pour se baigner dans la mer, leurs cris joyeux rappelaient celui des oiseaux fous. Les Lycra mirent du temps à voir que certains baigneurs étaient nus; les Futures Matantes, à l'œil maintenant aiguisé, zyeutaient des fesses rondes qui luisaient sous le clair de lune, les gars rivalisant d'adresse pour faire leur *body surf*. Vive le sport! Elles étaient trop contentes de danser autour de vrais Espagnols plutôt qu'autour de leur sacoche.

Des prédateurs lorgnaient ces filles éméchées qui ne refusaient pas les attouchements et qu'ils se hasardaient parfois à entraîner derrière le snack-bar. Là, le long d'un ruisselet rendu nauséabond par les déchets des usines en amont, aux berges remplies de mouchoirs usagés, se consommait parfois la baise à la sauvette. Un grand blond lourdaud y avait entraîné l'une des Futures Matantes qui était tombée en amour avec lui au premier coup d'œil. Il était avocat, crut-elle comprendre ; alcool aidant, il insista un peu trop pour faire plus qu'une séance de pelotage. Elle dit non, *no*, non, mais ignorait comment le dire en allemand – mais non ne voulait-il pas dire non en toutes les langues ? Elle cria pour se faire comprendre, il voulut la faire taire, elle n'avait pas ses clefs pour se défendre. Un autre cri dans la nuit. Yann vint à sa rescousse et péta quasiment la clavicule de l'opportun. Les trois amies ne lâchèrent plus Yann, elles feraient tout pour le remercier.

Eddy dormait, tout comme Hélène. Avec une lichette de chocolat, Mamie Bi comprenait parfaitement l'espagnol. Pitonnant d'une chaîne à l'autre, fuyant les nouvelles de TV5 Monde, elle était tombée sur ce film flamboyant, un peu osé à ses yeux, *La ley del deseo* de Pablo Almodóvar, avec celui qui joue dans Zorro (c'était quoi encore son nom, le sexy ?).

* * *

Steve écoutait le même film, enlacé à Javier. Il comprenait tout, la drague, la jalousie possessive, mais d'aller jusqu'à un village andalou pour tuer un rival ? Du divan, où il cuvait son vin, Papi lui jeta un œil envieux.

« Nous dirons *parlez-vous français*?
mais cette nuit laisse-moi prier
de voir les lumières d'une jolie manière
de faire l'amour en bon français. »

Domingo de Ramos, 9 abril 2017 – Malaga

Adonde nadie es un Santo

« Il fait encore beau ! » Ça étonnait toujours son Québécois conditionné à se plaindre du climat plutôt que de sa condition d'inféodé.

Guy et Chantal avaient déjà leur petit rituel du réveil : le pipi du matin fait en vitesse, ils retournaient se coller un peu au lit pour se raconter leurs rêves. Il rêvait souvent aux animaux : des ratons laveurs qui jouaient de la musique, un chien qui parlait anglais, un cheval têtu qui l'emmenait en Chine. Chantal, elle, retournait souvent sur les lieux de son enfance, revoyait les petites amies de jadis à qui il arrivait mille mésaventures. Elle ne cherchait pas à s'expliquer ses songes, mais juste en parler lui apportait un bien fou. Guy fut surpris de cette fantaisie, mais déjà y prenait goût : c'était comme une bande-annonce avant le film de leur journée.

Aujourd'hui, elle voulait voir les bateaux, pour se donner une idée si jamais ils s'inscrivaient à une croisière.

* * *

En ce premier jour de chasteté, Steve enserra Javier. En face, le divan était vide, les draps pliés, Papi dessoûlé avait quitté à la première heure.

Il restait du gâteau « 2 », assez pour deux, tout autant qu'ils avaient de l'appétit pour l'un et l'autre. Ça attendrait : la journée ne faisait que commencer, et une amie Facebook la leur gâcha.

Steve refaisait le lit, cherchant dans ses souvenirs la dernière fois où il avait défripé des draps étrangers, secoué un oreiller encore chaud de leurs deux têtes. Un ex, ex, *party boy* invétéré, rentrait si tard la nuit que Steve se sentait seul en couple, mais croyait que c'était tout ce qu'il méritait.

Par réflexe matinal, il vérifia ses messages entrés, surpris de voir madame Bruchesi lui faire une demande d'amitié Facebook. Il alla voir son mur. Tout le voyage y était, à raison de six ou huit publications par jour, de vingt à trente photos (croches ou floues), mais la dernière, bien trop nette, le fit flipper. « Tabarnak ! Faut que je parte ! » Javier, qui lui apportait son café, regarda par-dessus son épaule : en pleine salle à manger, Mamie Bi posait avec son paquet cadeau de pots de chocolat. « À demain mon amour ! » disait la légende.

« Pèse sur le gaz ! » Nerveux, Steve ressortait son français, trouvant que Javier ne roulait pas assez vite, qu'il freinait inutilement dans les carrefours giratoires et que le monde conduisait donc pépère. « *Oyé ! Calmate !* » lui fit l'homme au volant. Fallait arriver vivant au Mélies, on se calme le gros nerf !

* * *

Sur la terrasse depuis baptisée « Le petit Québec », la jeune famille tenait son kiosque de paquets cadeaux. Sur une nappe impeccable, avec un pot de fleurs emprunté à la réception, trônaient les paquets cadeaux enveloppés un à un par Cassandra et remis au fur et à mesure aux amis, une fois de plus rassurés que ça ne prendrait pas de place dans les valises, ravis de rendre service. Au travers du cellophane, la mascotte rieuse de la compagnie semblait les remercier, comme le faisait Eddy : « Messi ! » Yann avait appris ce truc du monde politique : rien de tel qu'une diversion menée par un ministre charismatique pour chasser les doutes. On l'avait jouée encore il y a peu : des paradis fiscaux impliquent des ministres en poste ? Tempête médiatique, enquête réclamée à juste titre, et hop ! le premier ministre s'excuse alors des torts faits aux gais, pleure un bon coup, et tourlou ! le scandale national est chose du passé. L'humanité se manipule encore plus aisément maintenant qu'elle se croit informée par les médias sociaux.

Ainsi, habiles négociateurs, Yann et Cass faisaient goûter le chocolat onctueux – un pot neutre, bien entendu – pour d'éventuelles commandes postales. Car on resterait amis, c'est certain ! Les Schmidt et les Tourangeau repartaient contents de sauver la petite famille de ce mauvais pas, leur paquet cadeau sous le bras. Steve se retint de ne pas les avertir ; Yann le gardait à l'œil : « Toi, mon petit crisse, approche pas, sinon c'est sûr que tu ressuscites pas à Pâques cette année. » Pour tous les autres camarades, il avait ce même sourire enjôleur qui l'avait tant séduit le premier jour. Merci les Lycra, merci les sœurs Trépanier !

Steve trouvait donc le papa effronté. « Il rit de nous en pleine face ! » Javier lui souligna qu'il n'en fumait pas moins son joint quotidien. « Faux ! Y a des jours où je prends rien ! » De plus, là n'était pas la question : il n'embobinait personne ! Il ignorait la traduction d'*embobiner*. « Cherche *crosser*, ça revient au même ! » Zéro patience. Mais même le maître d'hôtel vint le féliciter de cette attention : les compagnies qui offraient un cadeau-souvenir étaient rares ! Bravo ! Tellement adorable, cette famille, avec la mamie qui apprenait à Eddy *Le soleil et la lune*, qu'il gazouillait. Irrésistible !

Impuissant, Steve ne décolérait pas, Javier lui rappela que certains voyageurs étaient au courant du petit risque encouru. « Des imbéciles heureux ! Des inconscients! » Comme les Cousineau qui s'amenaient encore et toujours main dans la main, et embrassèrent Yann et Cass comme le font les vieux amis. « Pas trop veillé tard ? » fit Yann avec sa belle face d'enjôleur hypocrite. Robert eut un sourire gourmand. Inspirés par leur journée à la plage nudiste, le soir venu, plutôt que de lire au lit, les Cousineau avaient célébré leurs noces à Antequera : « Une position qu'on faisait pus depuis longtemps ! Super efficace, le chocolat ! » L'amour deux fois en deux semaines, c'était inattendu et des plus appréciés. Ils prirent chacun leur paquet cadeau ; Lise proposa même d'en ramener chacun deux, ils n'avaient presque rien acheté. « Ça nous arrange ! » leur sourit Cassandra, qui s'inquiétait d'en rapporter trop dans la valise Angry Birds de leur enfant. Elle leur prêta même le pot entamé, « si vous voulez aromatiser votre café ce matin ». Robert glissa le chocolat dans la poche de son pantalon. « On vous rapporte ça tu-suite ! » Yann et Cass n'étaient pas inquiets, d'autant plus que Lise voulut acheter quelques pots pour les amis au Lac. Dans leur groupe social des Boute-en-train, y avait pas juste des Fermières et des Colomb accros au casino, « y en a des *wild* qui ont jamais décroché des années soixante-dix ». Yann convint d'un prix d'ami, le *deal* fut scellé. Lise lissait la boucle rouge de son paquet cadeau et vint saluer Steve. L'émoticône souriante du pot de chocolat semblait le narguer, mais pas elle, chaleureuse avec lui : « Tout le monde a bien aimé son voyage. On avait un bon groupe. »

Croyant toutes ses larmes versées, Hélène portait encore du noir à la mémoire de Fripon. La voyant entrer dans la salle à manger, Yann et Cass, dans leurs flamboyants attirails, tentèrent de se faire discrets : ils se méfiaient de sainte Hélène, la seule voyageuse qui n'était pas dans le coup.

« Allô Lélène ! » chantonna Eddy, ravi de toute l'attention récoltée depuis ce matin. Cette petite dose de chaleur humaine fut un baume pour la veuve. « Qu'il est adorable, le petiot ! » Yann et Cass la remercièrent du compliment, tentant de faire oublier les paquets cadeaux qui n'avaient pas encore trouvé de valises. Mais la pingre avait vu clair.

— Un cadeau souvenir pour nous ?

— Non, non, pas pantoute ! l'écarta un peu sèchement Yann.

Madame Bruchesi voulut emmener sa coloc à l'écart, mais Hélène, déjà fort émotive, voyant tous ces paquets cadeaux aux tables de la terrasse « petit Québec », se mit à larmoyer :

— Pourquoi on m'exclut encore ? J'ai tout fait pour être votre amie ! Je n'ai pas cessé de donner des conseils à tout le monde !

— Très apprécié. Une mine de renseignements ambulante !

— Alors pourquoi personne ne m'aime ? Qu'est-ce qu'il faut donc faire dans ce monde moderne pour être apprécié ?

Elle s'effondra sur une chaise, les vannes étaient ouvertes, sa peine puisant dans un fond de tristesse bien plus profond qu'un pot de chocolat.

Le maître d'hôtel vint aviser Steve que sa *loca* était encore en crise ce matin : depuis l'incident Fripon, il l'avait à l'œil et ne désirait pas un autre esclandre. Délaissant Javier et l'omelette qu'ils se partageaient, Steve courut consoler sa cliente « favorite », qu'il prit tendrement dans ses bras.

— Mais voyons, chère Hélène ! Que ferait Carmen ? Elle se rendrait pas malheureuse pour une niaiserie de même.

— Carmen était populaire ! Je suis toujours mise à l'écart !

Et Steve eut alors le malheur de mentir, croyant bien faire.

Il n'y avait pas de pots pour tout le monde car il y avait eu une inscription supplémentaire dernière minute, sa coloc. Vous vous souvenez? « Oui, mais… » Cassandra bredouilla qu'on ne l'aimait pas moins pour autant. Et puis elle avait peur que la douane soit sévère, car leur chocolat contenait des traces de noix. Ah ben là, Hélène devint en colère; déjà que les noix lui avaient gâché SON Granada. « Le maudit politiquement correct! On peut pus rien faire par peur de déplaire! Les gens osent pus se parler de peur de froisser, ça a tué le débat d'idées! Je vas en manger des côtelettes de porc, moi, si ça me tente! Donnez-moi-en, de votre chocolat; je leur dirai, moi, ma façon de penser! » Et sans même attendre leur permission, elle ramassa un paquet cadeau par la boucle rouge et alla se choisir une table.

Sainte Hélène faisait partie du complot.

Ça battait tout. Steve quitta aussitôt la terrasse « petit Québec », Guy l'accrocha au passage.

— C'est bien à quatre heures, le rendez-vous?

— C'est ça qui est marqué sur le programme!

Mais les imprévus n'y sont jamais indiqués.

* * *

Pour se calmer, Steve se doucha longuement à sa chambre. Javier goûtait chaque minute de son congé avec lui. Allait-on faire des achats de dernière minute? Ramenait-il un souvenir à sa coloc? Non, rien, il était convenu entre eux que même aux anniversaires, on s'offrait des sorties au restaurant ou à un spectacle pour avoir du temps de qualité plutôt que des cossins.

Tiens, justement maintenant, qu'est-ce qui le ferait décolérer?

« *Llevame a nuestra playa.* » Notre plage ? Laquelle ? La première, celle qu'on n'oublie pas.

Ils stationnèrent en haut de la falaise, dévalèrent le petit chemin, saluèrent les proprios du *chiringuito.* Pas le temps de poissons frits ou de bière, peut-être au retour ! Ils allaient à leur crique magique. « Bon voyage ! » dit en français le cuisinier, complice des amours interdites. (Javier n'était pas le seul à connaître ce coin secret.)

« *Momento, el trabajo.* » Javier prit l'appel du garage, une formalité de confirmer la veille les affectations du lendemain. Mais c'était un appel au secours : un collègue avait eu un malaise, le seul autre chauffeur disponible faisait partie des processions des Rameaux, son boss lui demanda de le sortir de ce mauvais pas. On ne pouvait refuser ça au Seigneur. Surtout un dimanche.

« *Lo siento.* » Sous le soleil ardent du midi, ils retournèrent au garage chercher un bus pour accueillir des Coréens à l'aéroport. Steve remarqua les patrouilles armées et des chiens qui reniflaient les valises.

Et vous auriez souhaité qu'il se calme ?

De retour au Mélies, Javier le força à fumer – à moins qu'il veuille ramener son restant de cannabis dans ses valises. Steve ne le trouva pas drôle.

* * *

La tradition du voyage organisé veut qu'on tienne un dernier repas d'au revoir. Il n'était pas question de s'enfermer à l'hôtel : à Malaga s'ouvraient ce soir les processions pour la semaine de Pâques, une coutume des plus impressionnantes, ces immenses chars allégoriques dits *tronos* défilant pour célébrer la Vierge, les saints et le Christ. Là serait leur dernière Cène.

Steve n'avait jamais vu son monde si beau.

Comme pour un bal du capitaine, les dames portaient leur plus belle robe, maquillées, coiffées (merci Cassandra pour les retouches) ; les hommes assumaient leur chemise chic et les « pantalons propres », appellation contrôlée qui interdisait le jeans ou le jogging. Même les Lycra ne portaient plus leur damné short moulant et avaient sorti des souliers en cuir qui les empêcheraient peut-être de tout voir à la course. Les Cousineau inspiraient l'envie dans de beaux vêtements en lin crème fraîchement repassés. « Pour notre peau, on a rien pus faire, elle va rester fripée. » Hélène portait encore le deuil, mais Mam'Bi jugeait qu'elle avait fait sa part : elle avait gardé son dernier Ziploc pour la fin, sa robe de cocktail des grandes occasions, assez fleurie, merci. En rouge vif, Yann et fils jouaient les coqs au milieu de cette majorité de femmes.

Un rien en retrait, la présence de Javier attira la curiosité des uns, inquiéta un instant Guy, qui croyait s'être trompé et qu'on partait déjà à l'aéroport.

No, no, mañana. Oh, fiou !

Javier avait laissé le bus dans le stationnement de l'hôtel : il avait l'intention de profiter de chacune des dernières minutes en bonne compagnie. Et de boire lui aussi car on n'a qu'une vie.

Let's go ! Les deux cent trente-deux marches et le Cercanía n'avaient désormais plus de secret pour eux. « On est devenus des vrais Andalous ! » Dans les wagons bondés, Guy dénicha un banc libre qu'il offrit galamment à sa Chantal d'amour, qui osait une robe à bretelles même si elle n'aimait pas montrer ses bras nus, trop boursouflés à son sens. Sa sœur Nadine affichait fièrement les siens que le Slave avait plaqués au sol lorsqu'il la montait, haletant, avant de jouir en jurant dans sa langue. Elle se sentait un peu mal de ne pas avoir pris ses précautions : à cinquante quelques années, elle n'était plus fertile, mais personne n'est immunisé contre les MTS.

Victime d'un ver d'oreille indécrottable, Steve fredonnait encore *Parlez-vous français ?* de Baccara… « mais honni soit qui mal y pense ». L'entendant, Hélène lui apprit que c'était la devise de l'ordre de la Jarretière, le plus élevé des ordres de chevalerie britannique. La favorite du roi était ainsi passée à l'Histoire. Ah ouin ? Elle lui parla d'amour courtois, des échanges passionnés et littéraires qui unissaient les âmes bien avant que les corps se donnent librement.

— J'aurais été bonne pour vivre à cette époque-là.

— On est mieux de se forcer pour aimer la nôtre.

Ils n'avaient pas le choix, la nostalgie comme la crainte du futur les rendaient malheureux. Tant qu'à être dans les confidences, s'il ne la voyait pas accompagnatrice, il lui avoua qu'elle pourrait faire une organisatrice de groupes hors pair. Les organisatrices décidaient du parcours, du contenu des excursions et, avantage non négligeable, avaient une réduction sur leur voyage lorsqu'il ne leur était pas carrément offert (« seulement pour des gros, gros groupes, là »).

Hélène monta presque au ciel tant sa joie était grande.

* * *

L'avenue principale, fermée aux voitures, laissait le champ libre aux humains. Tous attendaient le défilé, debout sur les trottoirs ou dans des estrades déjà bondées. Familles et locaux *locos* filaient vers le cœur de la ville dans l'espoir d'y dégoter quelques places. Dans la cohue, Chantal enserra Guy, l'un protégeant l'autre des coups de coude et mains de pickpocket.

Steve abandonna la direction de son groupe à Javier, qui n'en était pas à ses premières processions ! Seigneur, non ! Son père les y emmenait immanquablement, partisan de son église *Lágrimas y Favores* qui rivalisait d'ingéniosité avec celles de San Pablo ou *la Parroquia de San Felipe.*

« Regardez ! » Un premier *trono* se frayait un chemin en leur direction, dont on ne percevait pour l'instant que le fanion brandi et des lueurs de chandelles. Indisciplinés et curieux, des enfants sortaient du rang pour voir de plus près le faste des décorations. Ses voyageurs, déjà nerveux à l'idée de se perdre, pressentaient la bousculade malgré la présence policière.

— On s'en va-tu d'ici ?

— Ben là, vous avez encore rien vu !

Javier parlementa avec un jeune gardien de sécurité attitré à une zone VIP avec quelques bancs clairsemés. Il montra du doigt le groupe de voyageurs, en vint à un accord et, fier de son coup, leur fit de grands signes invitants. Les femmes et l'enfant d'abord ! Qui s'assirent sans se faire prier ; les hommes et les amoureux restèrent debout, adossés aux clôtures ceinturant cette zone VIP. Yann et Guy prirent les commandes d'apéros et allèrent se procurer calmars frits, chips, bière et vin de Malaga à un kiosque tout près. Tout était parfait. Qu'avait dit au juste Javier ?

« *Delegación muy importante de Canadá, una actriz famosa* (Mam'Bi), *y la Ministra de Igualdad* (Lise) *con la jefa de los maestros del Quebec* (Hélène). *La belleza de Cassandra nos ayuda también.* » Car de toutes ces femmes inspirantes et importantes, elle seule comptait aux yeux du jeune gardien.

Que le spectacle commence !

Et tous en perdirent le sourire. « C'est le Klu Klux Klan ? » Une vingtaine d'hommes précédaient le *trono,* tous affublés d'un chapeau pointu mauve, à leur sens symbole des suprématistes blancs racistes. Même Hélène en fut troublée : pas question d'aimer la parade si c'était entaché de haine ! Javier leur expliqua, et Steve de traduire, que les chapeaux étaient signe d'appartenance à une paroisse, chacun aurait sa couleur, mais que oui, malheureusement, le chapeau avait été détourné de son sens par le KKK en Amérique. Ça rassurait à demi. « Y ont pas de cagoule, vous voyez bien qu'y ont un visage honnête. » L'indignation calmée, ils ne manquèrent pas d'être impressionnés par la statue de la Vierge immense, éclairée de mille et une chandelles, entourée de fleurs, de dorures et d'autres figures votives. Hélène filmait tout pour montrer à ses amies du club de lecture, qui auraient droit au récit entier de son voyage extraordinaire.

Chaque char allégorique, *trono* votif, n'était pas motorisé : vingt hommes le supportaient à même leurs épaules, s'arrêtant fréquemment pour se reposer et changer d'épaule afin de tenir le coup sur tout le parcours dans la ville de Malaga. « Il faut souffrir comme le Christ. » Non, il faut être heureux, c'est là le plus grand défi d'une vie. Il faut réussir à s'affranchir de la culpabilité et des restrictions des religions. Alors malgré cette foule fervente et possiblement hostile, Steve serra la main de Javier qui la serra en retour.

Il ne voulait plus porter le poids du monde sur ses épaules. Il avait donné.

Mamie Bi, sur le party, applaudissait et encourageait les vaillants soldats du Christ : « *Come on,* les boys ! On lâche pas ! » Steve soupçonnait une lichette de chocolat derrière cette joie bruyante ; Javier rassura une zélote contrariée que les Québécois manifestaient ainsi leur foi. Hélène fixait intensément les enfants qui couraient derrière les chapeaux pointus avec une boule ronde.

C'était la tradition de récolter ainsi la cire des cierges – aux couleurs variées – afin que cette boule peu à peu recouverte de cire porte chance l'année durant. Hélène demanda à Javier :

— C'est seulement réservé aux enfants ? Ou si les grandes personnes peuvent aussi ?

— *Claro que si !*

Hélène suivit Javier, s'excusant auprès des camarades VIP ; il lui trouva aussitôt une boule (on en vendait partout ainsi que des chandelles souvenirs) qu'il insista pour payer. Gamine excitée, elle s'enfonça dans la foule récolter sa dose de cire et de chance auprès des messieurs aux chapeaux pointus. Tous lui souriaient ; la foi avait guéri son mollet ! Le *trono* suivant, aussi majestueux, rendait hommage à saint Christophe dont la mine perplexe semblait trouver étrange de voir cette grande dame de six pieds courir comme les enfants après les larmes de chandelles. Hélène trouvait que ça ferait le plus beau des souvenirs, à la mémoire de Fripon et de ce beau voyage. « Jamais je ne t'oublierai. »

Dans les gradins, une fois l'alcool englouti et les calmars dévorés, l'excitation de la gang s'émoussa un peu. Au troisième *trono*, les chapeaux furent jaunes, la Vierge vêtue de bleu ; au quatrième, les chapeaux verts, et saint Quelque chose en rose. « Ils vont-tu passer tout l'arc-en-ciel ? » D'ici Pâques, six autres soirées verraient passer tout autant de saints, d'hommes souffrant en silence et de familles les encourageant. « On a compris », statua Cassandra, et tous furent d'accord : ils avaient plus faim que soif d'illumination divine. Le signal de départ fut donné. Merci, gardien VIP, qui eut droit à un baiser de la jolie maman.

Sa petite boule à la main, Hélène ramassait soigneusement de la belle cire rouge d'un immense cierge tenu par un très joli chrétien. Elle montra à ses amis sa récolte de larmes de cierge.

— Pis ça fait juste commencer !

— Mais nous, on a fini.

Hélène s'en désolait, on n'allait pas voir les quatre processions ? On ne resterait pas jusqu'à la fin ? « Jésus meurt à la fin, blagua Mamie Bi, vous ratez rien. » Ne voulant plus faire bande à part, Hélène se fit à l'idée, comptant bien accrocher au passage un cierge ou deux.

Ils s'insérèrent ainsi au cœur de la procession pour suivre les musiciens, les enfants en tuniques et les chapeaux pointus qui s'engouffraient au cœur de la ville, via l'avenue piétonne Marqués de Larios qui, le soir tombé, gagnait en charme. Et peu à peu, attirés par les terrasses et les jolies ruelles illuminées, les voyageurs se scindaient par petits groupes complices. Finalement, ce ne serait pas un banquet avec tous, et puis de toute façon « ça battra jamais Antequera ! »

Dans ce voyage, les traditions avaient été respectées, mais dans le désordre. Tout le monde savait comment retourner au train de banlieue ? « J'ai mon GPS personnel », fit Guy ; il ne la quitterait pas d'une semelle ! Chantal sourit à cette promotion. Steve rappela à tous que l'on partirait de l'hôtel pour l'aéroport à dix heures. « Bonne dernière soirée ! À la Costa del Sol, faites comme les Espagnols : couchez-vous tard ! »

Javier convia les intéressés à une fête chez des amis : de leur balcon, Plaza del Constitution, on pourrait voir les *tronos* faire un dernier tour de piste avant qu'ils aboutissent à la cathédrale. Les clients ne voulurent pas déranger leur accompagnateur en cette dernière soirée, mais Javier insista auprès des « réguliers ». Les Cousineau ne rateraient pas une dernière occasion de fêter, Mamie Bi se réjouit à l'avance d'un dernier verre avec Yann et Cass, encore sur le carreau de la nuit dernière (qui s'était terminée dans une autre chambre que la leur). Hélène ne voulait pas déranger, s'agrippait à sa boule de cire, disant qu'elle pourrait rentrer seule à l'hôtel. Supérieurement victime ! Steve insista pour qu'elle vienne prendre au moins une goutte. « OK, d'abord ! » Elle trottina joyeusement à leur suite.

La délégation québécoise fut reçue avec effusion, qui à son tour fit honneur aux plateaux de petites bouchées. Les Cousineau calèrent toutes les coupes des excellents vins que Javier leur versait. Eddy fit son nid dans un tas de coussins dans un coin du salon, dormant en boule contre sa mère qui lui caressait tendrement les cheveux. Elle était soulagée : ils avaient passé au travers de la crise du iPad et Yann lui avait promis que c'était la dernière fois qu'ils faisaient du trafic. Tout en gardant ses privilèges de militaire, il allait se mettre à la rénovation *side-line*, métier moins risqué, mais d'ici là il fit circuler un joint que Steve refusa de fumer (il avait des principes tout à coup). Aux amis de Javier, des Boute-en-train racontaient en un approximatif franglais combien leur région les avait comblés. Quant à Hélène, elle restait postée à la porte-fenêtre, sur un minuscule balcon tenant plus d'un marchepied, pour ne rien rater de la procession. Vus d'en haut, les chapeaux pointus avaient l'air de pions qui suivaient aveuglément des lucioles.

À l'écart de toute cette fête lui aussi, Steve ruminait une inquiétude irraisonnée qu'il avait dans ces partys : le plancher tiendrait-il le coup ? Est-ce qu'autant d'invités feraient craquer solives et structure pour écraser les pauvres locataires du dessous ? Peut-être que ça tenait simplement à sa culpabilité de fêter. Il avait beau clamer sur tous les toits son athéisme, on ne se lave pas aussi rapidement de siècles d'obéissance servile aux lois des Pères.

Au bout de quelques minutes, Hélène ne tenait plus en place et vint lui demander si ça les dérangeait qu'elle redescende. « Pas du tout ! » Aussitôt, elle fut à la porte, à deux pas du passage des *tronos* afin de récolter sa dose de larmes de cire. Les processions religieuses l'avaient réconfortée. À ses yeux, tous ces gens priaient aussi pour le repos de Fripon, et elle les remerciait en lançant des *Viva España !* à répétition.

Lundi 10 avril 2017 – Montréal, vol AT852

Où revenir à la maison a du bon

Steve fixait les valises rassemblées dans le hall, se refusant à croire que toutes contenaient deux souriants pots de chocolat. Lui, au contraire, front plissé, air soucieux, semblait encore en plein chemin de croix. « *Relajate!* » ne cessait de lui répéter Javier en se rendant avec lui récupérer le bus de cinquante-quatre places stationné derrière l'hôtel. Impossible pour Steve de décompresser. Démarrant le moteur et la clim de l'autobus, Javier se permit de l'enlacer.

Fort. Longtemps.

— *Ya.*

— Pas déjà.

Le cœur froid avait fondu. Le stress du chocolat cachait sa véritable inquiétude : celle de ne pas savoir comment faire pour être deux. Alors que l'âge et l'époque d'insouciante abondance avaient tout mis en œuvre pour le freiner, l'océan se mettait de la partie pour le séparer du seul homme qui avait su l'atteindre.

Dans le hall du Mélies, des Russes fortunés débarquaient, excités de découvrir l'Espagne, avec un programme chargé. Leurs chambres ne seraient pas prêtes avant quinze heures. L'histoire se répétait. Malgré la barrière du langage, Hélène sympathisa avec une femme seule et lui donna ses musts à voir.

Nadine Trépanier s'était déjà remise au boulot : elle perdait un précieux lundi de travail, journée cruciale pour aiguiller son équipe de conseillers financiers. Un courriel succédait à un autre, elle reprenait le retard; sa sœur vivait en avance, ayant déjà invité Guy à souper « dans les jours qui viennent ». Nadine ne reconnaissait plus sa sœur.

— Tant mieux, claironna Chantal, j'ai assez vécu six pieds sous terre.

— C'est pas un peu fou?

— C'est pas un peu tard…

On ne laisse plus passer la chance à un certain âge.

L'autobus se gara devant l'hôtel. Aussitôt, les Fumeurs jetèrent leur cigarette pour aider à apporter les valises. Ouvrant les soutes, Javier et Steve les y entraient, répétant la consigne: « Quand vous nous avez donné votre valise, entrez dans le bus. Comme ça, personne se mêle. » La première soute fut vite déjà pleine, Steve à genoux poussait les valises des criminels au fond de la seconde; Javier lui rappela qu'elles contenaient seulement des bons souvenirs, le reste ne lui appartenait plus.

Bye bye hôtel Mélies! *Hasta luego Costa del Sol!*

Hélène s'était assurée d'avoir le premier banc, comme si elle pouvait arriver plus rapidement auprès de Fripon, congelé dans un frigo de l'Hôtel des compagnons. Elle prévoyait l'enterrer dans le jardin derrière chez elle, sous un lilas qui devrait commencer à fleurir ces jours-ci. Pour la cérémonie, elle mettra de la musique, Carmen assurément. Elle ne songeait pas à remplacer son amour avant longtemps, doutant même qu'elle le ferait un jour: elle comptait voyager davantage. Si elle voulait parler aux animaux, elle irait au zoo.

Ils arrivèrent à l'aéroport amplement à l'avance. Steve indiqua à son groupe le comptoir d'embarquement. Tous s'y précipitèrent.

Javier devait chercher des Belges à un autre hôtel, les conduire ici et revenir une troisième fois en soirée accueillir des Chinois.

Ils restèrent là à se dévisager.

Les passagers de mille et un pays les bousculèrent.

Ils se serrèrent la main. Pas de baiser. Trop de monde. Trop cons.

« *Ten cuidado.* » Steve ne se retourna pas pour voir Javier une dernière fois.

Il respira profondément dans le corridor et étouffa des sanglots qui se croyaient plus forts que lui. Il se cacha à son tour derrière des lunettes fumées, mais Lise Cousineau avait vu clair : « Ton automne fait juste commencer, cher. »

* * *

Il y avait deux heures d'attente estimée avant de passer à la douane.

« C'est pas de notre faute si y a quatre avions qui arrivent en même temps ! » On se serait cru à Walt Disney pour accéder à un manège des plus populaires. Sur la quinzaine de postes d'accueil de douaniers, seulement cinq étaient en service : les humains avaient été remplacés par des bornes électroniques. Yann et Cass y aidaient ceux qui le souhaitaient pour la déclaration automatique ; en tant que militaire et voyageur fréquent, il avait déjà son CANPASS, le rendant hors de tout soupçon et lui permettant d'entrer au pays avec sa famille sans aucun souci.

Steve préféra faire la file avec les plus craintifs qui souhaitaient parler à une vraie personne comme ils le faisaient à la confesse. Pas de péché à déclarer, juste du bonheur. Pressentant le pire, Steve s'était même inventé une légende : les Boute-en-train de Chicoutimi étaient un groupe de gourmets ayant visité la Costa del

Sol pour y goûter les spécialités espagnoles : à preuve ces vins, huiles, cigares, miel et nougat. Ah, et tiens oui, ces quelques pots de chocolat, « j'avais pas remarqué ».

Il était prêt à mentir comme jamais.

Il avait pris un somnifère pour dormir à bord de l'avion et être parfaitement reposé, mais il suait de stress, en rien aidé par la chaleur dégagée par ces milliers de passagers de plus en plus impatients. Les douaniers, plus bêtes qu'à l'accoutumée, n'aimaient pas être blâmés pour l'attente et tentaient de reconnaître les airs coupables parmi tous ces innocents voyageurs.

Voilà, c'était enfin à eux.

Please, please, les amis, ayez l'air niaiseux !

Ses ouailles à la traîne, Steve montra son badge officiel Vacances Voyages à la douanière. « Je suis leur guide. » Car un accompagnateur, ça faisait moins sérieux. « Je suis avec eux ! » dit-il aussi au douanier du guichet voisin qui accueillait les Cousineau.

Tac ! Tac ! Tac ! Les fiches de déclarations furent estampillées l'une derrière l'autre. Steve fixa la sienne : le chiffre griffonné signifiait-il des ennuis à venir ?

Au carrousel des bagages, tous étaient déjà ailleurs. Les guerriers étaient de retour chez eux. Ils n'avaient affronté aucun péril sinon vaincu l'ennui. Ravis par tout ce qu'ils avaient vu, encore plus émus de revoir leurs proches sous peu : c'est aussi ça la beauté du voyage, ça redonne de l'importance à ceux laissés derrière.

Avec leur forfait tout inclus, Lise Cousineau ramenait ses Boute-en-train en taxi-navette jusqu'au métro Berri-UQAM, afin d'attraper le bus pour Chicoutimi de dix-huit heures trente. Les Lycra appelèrent leurs ados pour confirmer qu'ils seraient à la maison pour souper : le sprint de ménage commença dès lors, les deux semaines de *free for all* étaient terminées.

« C'est ma valise ! » Chantal n'eut qu'à indiquer l'objet de son désir, et Guy alla lui quérir. Ils s'étaient entendus pour se téléphoner en arrivant. Ils recommençaient à travailler dès demain, lui, dans la chaleur de son usine, elle, dans la torpeur de son métro. Elle avait enregistré des programmes qu'elle comptait écouter en rafale, il avait son bowling mardi et vendredi. Ils avaient donc bloqué leur soirée de jeudi pour un petit souper, « rien de compliqué », le temps de s'ennuyer un peu. (Finalement, ils se virent mercredi car c'était trop long pour rien.)

Ceux qui ne l'avaient pas fait encore embrassèrent Steve et le remercièrent pour toutes ses attentions avec des baisers et des pourboires donnés par enveloppe ou cachés dans une poignée de main. Le tour d'Hélène venu, elle lui tendit sa petite monnaie en euros. Un généreux pourboire selon ses standards à elle mais qui correspondait à la moitié du minimum suggéré.

— J'ai calculé selon votre rendement, vous ne méritiez rien les premiers jours, ça s'est corrigé par la suite.

— Vous m'avez rendu meilleur.

Diplomate jusqu'à la fin.

Supérieurement *stuck up* à vie ?

Il mentirait s'il disait n'avoir pas d'abord souri lorsqu'une douanière l'arrêta au dernier passage : sur la déclaration estampillée d'Hélène, un code secret exigeait une fouille plus grande. « À gauche, madame. »

Paniquée, elle l'implora du regard de faire quelque chose ; Steve tonna « Je suis avec elle ! », prêt à payer pour la faute des autres. Mais la douanière l'avisa que c'était zone à accès limité et de se tasser, il bloquait la sortie des voyageurs. Steve rassura Hélène : « Je vas vous attendre de l'autre côté ! » La coupable était déjà faite prisonnière de la zone de fouille.

Sinon, tout le monde était passé comme du beurre dans la poêle, les Schmidt comme les Tourangeau. Madame Bruchesi était attendue par son mari avec des fleurs. Elle lui fit une accolade amoureuse pour faire oublier son départ orageux, l'embrassa longuement et, le trouvant amaigri, cacha mal son inquiétude. Elle lui flatta le ventre, là où le maudit cancer sévissait; il banalisa encore: « Fais-toi-en pas, on va être bien dans Charlevoix. » Elle ouvrit sur place sa valise pour lui montrer sa surprise: les pots de chocolat sourirent à Pierre-Paul Gauthier.

Comme convenu, service rendu, tous les amis remirent leur paquet cadeau. « Messi! » répétait le si adorable Eddy à tous alors que ses parents empilaient les pots dans la poussette et sur un chariot pour les bagages. Rapidement, les boucles rouges formèrent un bouquet iconoclaste, un peu trop voyant, Yann fit un premier voyage vers le stationnement, craignant d'attirer l'attention.

Joli *small talk*, Cassandra demanda à Steve s'il connaissait sa prochaine destination, jurant qu'ils aimeraient bien un jour voyager encore avec lui. « Moi aussi », mentit-il. Petit malaise de non-dits lourds comme des bombes. Rentrait-il avec l'autobus 747 ou en taxi?

— Je sais pas, faut que j'attende Hélène: elle s'est faite coincer aux douanes.

— Bon ben, bye.

Cassandra prit son petit homme par la main, sa poussette débordante de paquets cadeaux et décampa aussitôt. Shit! Shit! Ce n'était pas la perte de deux pots qui l'affolait – un pet lorsqu'on tient commerce, illégal ou pas; c'était la certitude que sainte Hélène avouerait tout en les incriminant. Cassandra n'avait pas envie d'élever son enfant seule, Yann ayant promis qu'il porterait le blâme.

Ils devraient peut-être tout larguer dans le stationnement et s'enfuir? Elle l'appela pour avoir son avis.

Sous les néons aveuglants du local de fouille, Hélène cachait mal son énervement:

— J'ai la facture pour tout. La nappe vient de Séville, les petits biscuits de l'épicerie, je les aimais beaucoup au buffet. J'étais contente de les trouver. Deux paquets, j'ai bien le droit?

— Restez derrière la ligne, madame.

Ganté de noir, l'agent de contrôle restait poli, bien que son travail était de déceler les fraudes et les «éléments perturbateurs pour notre démocratie». La vieille fille devant lui détonnait un peu en ce sens, mais «les ordres sont les ordres».

Chaque bagage était passé aux rayons X à l'embarquement comme à l'arrivée. Il arrive, de façon aléatoire, que l'on fouille une valise plutôt qu'une autre.

Les cinq sacs à maquillage d'Hélène avaient paru louches à un douanier espagnol; les soupçons furent confirmés lorsqu'on trouva un vêtement maculé de sang. N'ayant trouvé ni arme, ni explosifs, on laissa la suspecte quitter le pays, en avisant toutefois les homologues canadiens de porter attention à «*Señora* Hélène Tétrault».

Elle n'avait jamais été prise en faute, ou plutôt si: enfant, elle avait volé une revue à la tabagie du coin; ses parents se chicanaient, son père buvait, elle cherchait de l'attention. Depuis des années, elle était sur le droit chemin!

Dans leur emballage de cellophane, les deux pots de chocolat cadeau restaient là sur la table d'examen, la boucle rouge arrogante criant quasiment pour être déballée. Pigeant dans la valise, les gants noirs de l'agent semblaient salir chaque vêtement qu'ils remuaient, défaisant l'ordre (le linge propre d'un côté, le sale de l'autre) ; il ouvrit chacune des cinq trousses de maquillage, lisant l'emballage des quelques pilules, reniflant un tube au passage. Lorsqu'il trouva enfin la jaquette souillée du sang de l'enfant, elle poussa un cri du cœur : « C'est tout ce qui me reste de Fripon ! » Hélène pleura à gros sanglots lorsque le douanier la garda pour fin d'analyse. Il la regarda froidement, comme si c'était une arriérée.

— Vous avez rien à déclarer ?

— Franchement ! J'ai-tu l'air d'une femme qui a une vie ?

Steve était seul, tous ses voyageurs avaient depuis longtemps quitté les lieux. Lorsque les portes s'ouvrirent pour laisser passer Hélène, elle avait encore les yeux gonflés, tirait sa valise d'une main et portait le paquet cadeau de l'autre. Elle le flanqua aux mains de Steve et partit en lâchant : « On va s'écrire. »

* * *

Madame Bruchesi reçut un appel de routine d'un enquêteur pour confirmer la version d'Hélène : oui, c'était bien l'enfant qu'elle gardait qui avait saigné. « La lèvre du bas ! » Elle lui conseilla d'aller voir ses photos sur Facebook s'il voulait plus d'une preuve. Ce qu'il fit, défilant les milliers de photos postées, « toutes bonnes ». Il tiqua en lisant la légende des pushers de bonheur, mais voyant au dossier du père qu'il était un héros de guerre l'enquêteur ferma le dossier. La mésaventure d'Hélène fut aussitôt chose du passé.

Yann et Cass vécurent heureux et n'eurent pas d'autres enfants. Le salon de beauté de Cassandra ne dérougit pas ; la marijuana devenue légale au Canada,

Yann retourna aux études pour tout apprendre des paradis fiscaux et en faire profiter de bons citoyens corporatifs.

Les Cousineau adorent servir leurs salades avec leur beau bol en bois de la Costa del Sol : ces temps-ci, la laitue du jardin avec de la crème fraîche et beaucoup de sel demeure leur favorite. Mais ce que leurs invités préfèrent, c'est le mokaccino des Cousineau. Ils jouent ainsi aux cartes toute la nuit. Des Boute-en-train envieux de ne pas être invités racontent que Lise et Robert feraient aussi des parties de jambes en l'air, mais vous savez combien les gens sont méchants et parlent toujours dans votre dos.

Nadine fut bien sûr invitée au mariage de sa sœur Chantal et stressait à l'idée d'y aller seule. Elle avait pensé y emmener un de ses conseillers financiers, qui a de la conversation, mais se trouvait pathétique ; il lui reste encore deux semaines pour se trouver un nouveau *fuck friend* qui pourrait passer pour un chum.

Depuis son retour, Steve salait et poivrait avec les petits fantômes volés par Mamie Bi au marché. Les voir s'enlacer donnait bon goût à tout. Il reçut par la poste une carte de remerciements : un signet d'avis de décès avec la belle frimousse de Fripon (celle où il se lèche après avoir mangé toutes ses croquettes), où elle avec écrit à la main « Merci pour votre soutien dans cette douloureuse épreuve. À bientôt, votre amie de toujours, Hélène ». Madame Bruchesi avait reçu la même à Pointe-au-Pic dans Charlevoix. Son mari Pierre-Paul la riait encore. Il aimait beaucoup le chocolat, et son docteur s'étonnait que les douleurs s'estompassent. Momentanément.

Maggie avait bloqué deux autres voyages à l'agenda de Steve, qui s'annonçait chargé ; l'été passerait en coup de vent. Justement, Hélène lui écrivit pour l'informer qu'elle avait attrapé un courant d'air : malade comme un chien, « la pire semaine de sa vie », elle préférait reporter son voyage à Terre-Neuve, mais voulait lui parler d'autre chose.

Les deux pots de chocolat non réclamés traînaient toujours sur le meuble à l'entrée chez Steve. Il n'avait pas osé les ouvrir et s'en servir, trop occupé par son grand ménage de printemps. Se dégager des vieux papiers accumulés, de tous ces vêtements inutiles qu'il ne portait plus, de ces tasses ébréchées et objets épars.

Simplifier.

Faire de la place.

Et, déjà, il repartait en route pour l'aéroport.

L'avion avait cinquante minutes de retard. Le temps est interminable lorsqu'on attend celui qu'on n'attendait plus dans sa vie.

Les portes s'ouvrirent pour laisser passer Javier, qui avait trois semaines de vacances pour découvrir le Nouveau Monde. Steve avait un programme détaillé au jour près : des *shows*, des soupers d'amis, des visites à la famille en région, dans ces grands espaces où l'amour peut croître. Ils s'embrassèrent en public.

La nueva vida empieza ahora : votre nouvelle vie commence maintenant. Chanceux !

Michel Duchesne, le 18 avril 2018

« Vivez ! un jour viendra où vous serez heureux et vous bénirez la vie. »

ALEXANDRE DUMAS, *Le comte de Monte-Cristo*

TABLE

Achevé d'imprimer en septembre 2018
sur les presses de
Marquis imprimeur

ÉD. 01 / IMP. 01
Dépôt légal : 3e trimestre 2018

Imprimé au Canada